LE TOMBEAU D'HIVER

DU MÊME AUTEUR

La mémoire en fuite, Boréal, 1998

Anne Michaels

Le tombeau d'hiver

Traduit de l'anglais (Canada) par Dominique Fortier

Alto

Catalogage avant publication de Bibliothèque et Archives nationales du Québec et Bibliothèque et Archives Canada

Michaels, Anne, 1958-

[Winter vault. Français]

Le tombeau d'hiver

Traduction de : The winter vault.

ISBN 978-2-923550-29-9

I. Fortier, Dominique, 1972- . II. Titre. III. Titre : Winter vault. Français.

PS8576.I169W5514 2010 C813'.54 C2010-940169-7
PS9576.I169W5514 2010

Les Éditions Alto remercient le Conseil des Arts du Canada pour son appui financier.

Nous remercions le gouvernement du Canada de son soutien financier pour nos activités de traduction dans le cadre du Programme national de traduction pour l'édition du livre.

La publication de cet ouvrage a été rendue possible grâce à l'aide financière de la Société de développement des entreprises culturelles (SODEC) et du ministère du Patrimoine canadien par l'entremise du Programme d'aide au développement de l'industrie de l'édition (PADIÉ).

Gouvernement du Québec – Programme de crédit d'impôt pour l'édition de livres – Gestion SODEC.

Titre original : *The Winter Vault*
ISBN original : 978-0-7710-5890-5
Publié avec l'autorisation des Éditions McClelland and Stewart Ltd., Toronto, Ontario

Ilustration de la couverture : *Japanese Lantern,* Steven N. Meyers
(www.x-ray-art.com)

ISBN : 978-2-923550-29-9

Pour R et E

Peut-être avons-nous peint sur notre peau, avec l'ocre et le charbon, bien avant de peindre sur la pierre. D'une manière ou d'une autre, il y a de cela quarante mille ans, nous avons laissé des empreintes de mains peintes sur les murs des grottes de Lascaux, d'Ardennes, de Chauvet.

Le pigment noir utilisé pour peindre les animaux à Lascaux était constitué de bioxyde de manganèse et de quartz broyé ; près de la moitié de la mixture était composée de phosphate de calcium. On obtient le phosphate de calcium en chauffant de l'os à quatre cents degrés Celsius, puis en le réduisant en poudre.

Nos couleurs étaient faites des os des animaux que nous peignions.

Nulle image n'oublie cette origine.

L'avenir jette son ombre sur le passé. Ainsi, les premiers gestes contiennent tout, ils sont une sorte de carte. Les premiers jours d'occupation militaire ; la conception d'un enfant ; semences et sol.

Le deuil est le plus pur distillat du désir. Avec la première tombe – la première fois qu'un nom fut semé en terre – vint l'invention de la mémoire.

Nul mot n'oublie cette origine.

LE LIT DU FLEUVE

Les génératrices inondaient le temple de lumière. Une scène de dévastation spectrale. Des corps gisaient, leurs membres disloqués étalés dans des angles hideux. Tous les rois avaient été décapités, tous les cous fortunés tranchés par des scies à pointe de diamant, leurs torses fiers démembrés à la scie mécanique, à la perforatrice et au coupe-fil. Les larges fronts de pierre avaient été renforcés de barres d'acier et d'un mortier de résine époxy. Avery regardait les hommes disparaître dans le pli d'une oreille royale, perdre une chaussure dans une auguste narine, s'endormir à l'ombre d'une moue impériale.

Les ouvriers travaillaient huit heures, divisant la journée en trois quarts de travail. Le soir, Avery s'asseyait sur le pont de la péniche et recalculait la tension grandissante dans le roc restant, réexaminait la pertinence de chaque coupe, les zones de faiblesse et les nouvelles contraintes tandis que, une tonne à la fois, le temple disparaissait.

Même dans son lit sur le fleuve, il voyait les têtes tranchées, les mignons amputés de leurs membres empilés et soigneusement numérotés sous la lumière des projecteurs, attendant le transport. Mille quarante-deux blocs de grès, dont le plus petit pesait vingt tonnes. Le plafond de pierre miraculeux, où les oiseaux volaient parmi les étoiles, gisait démantelé, à l'air libre, sous de vraies étoiles. Au-delà des projecteurs, l'obscurité vraie, si intense qu'elle semblait tomber en lambeaux, comme du papier mouillé. Les ouvriers s'étaient d'abord attaqués au roc environnant, cent mille mètres cubes minutieusement subdivisés, étiquetés et retirés à l'aide de pneumatiques. Bientôt, on construirait des collines artificielles.

Pour échapper au vacarme des machines, Avery tendait l'oreille vers le fleuve qui coulait devant leur lit, sa tête contre la coque. Il imaginait, portée par le vent sombre, l'exhalaison régulière des souffleurs de verre de la cité à cinq cents kilomètres au nord, les boniments des vendeurs d'eau et des marchands de boissons gazeuses, le cri strident des martins-pêcheurs dans la crête des palmiers anciens, chaque son s'évaporant dans l'air du désert où il ne disparaissait jamais tout à fait.

Le Nil avait déjà été étranglé à Sadd el-Ali et son cours magnifique, détourné avant cela, pour accroître la production de coton du delta et stimuler la productivité des manufactures du Lancashire, à une distance inimaginable.

Avery savait qu'un fleuve harnaché n'était plus le même fleuve. Plus le même littoral, plus la même eau.

Et même si l'angle du soleil levant dans le grand temple allait demeurer inchangé, même si le soleil continuerait de pénétrer dans le sanctuaire à l'aube, Avery savait qu'une fois la dernière pierre du temple découpée et hissée soixante-cinq mètres plus haut, une fois chaque bloc replacé, chaque joint comblé de sable de manière qu'il ne reste pas l'espace d'un grain entre les blocs pour révéler l'endroit où ils avaient été sciés, chaque visage royal glissé en place, il savait que la perfection de cette illusion – la perfection même – serait la trahison.

Si quiconque pouvait être amené à croire qu'il se trouvait sur le site original, désormais submergé par les eaux du barrage, le temple dans son entièreté serait devenu mensonge.

Et quand enfin – après quatre années et demie de trop dur labeur, de maladie due à la chaleur ou au froid extrêmes, ou à la crainte constante d'un calcul erroné –, quand enfin il se tiendrait aux côtés du ministre de la Culture, des cinquante ambassadeurs, de ses collègues ingénieurs et de mille sept cents ouvriers pour admirer leur accomplissement, il craignait de fondre en larmes. Non pas de triomphe ou d'épuisement, mais de honte.

Seule sa femme comprenait : mystérieusement, le sacré fuyait sous leurs foreuses, il était aspiré par le drainage continuel de l'eau souterraine, serait bientôt broyé sous les énormes dômes de ciment ; lorsque Abou Simbel se dresserait de nouveau, ce ne serait plus un temple.

Le fleuve se mouvait dans le sable, lent et vivant, veine bleue sur un pâle avant-bras, coulant du poignet jusqu'au coude. Le bureau d'Avery était sur le pont ; quand il travaillait tard, Jeanne se réveillait et venait à lui. Il se levait et elle ne le lâchait pas, suspendue par ses propres bras qui l'enlaçaient.

— Calcule-moi, disait-elle.

Au crépuscule, la lumière était une fine poudre, une poussière dorée se déposant à la surface du Nil. Quand Avery sortait ses couleurs de la boîte de bois, solides pains d'aquarelle, sa femme s'étendait sur le pont encore tiède. Cérémonieusement, il écartait la chemise de coton des épaules de Jeanne, découvrant que la couleur de son corps était chaque fois plus foncée ; grès, terra-cotta, ocre. Un aperçu des secrètes raies blanches sous les bretelles, les pâles ovales semblables à l'humidité que l'on trouve sous les pierres, que le soleil jamais n'atteint. La pâleur secrète qu'il toucherait plus tard dans l'obscurité. Jeanne sortait les bras des manches de sa chemise et se tournait sur le côté, dos à lui, dans la lumière de velours. La lumière de l'obscurité, plus soir que jour.

Avery se penchait par-dessus bord, plongeait sa tasse dans le fleuve puis posait le cercle d'eau près de lui. Il choisissait une couleur et la laissait imbiber les poils soyeux du pinceau, infusé d'eau du fleuve. Doucement, il libérait le trop-plein de pigment sur le dos puissant de Jeanne. Parfois il peignait la scène qui se déployait devant eux, la rive du fleuve, le travail ruineux qui ne s'interrompait jamais, l'amas grandissant de visages de pierre. Parfois il peignait de mémoire les collines de Chiltern, jusqu'à pouvoir sentir le savon à la lavande de sa mère dans la chaleur déclinante. Il peignait, depuis l'enfance, jusqu'à être redevenu un homme. Puis, dès qu'il avait fini, il

replongeait la tasse dans le fleuve et, à l'eau claire, passait son pinceau mouillé sur les champs, sur les arbres, jusqu'à ce que la scène se dissolve, emportée sur la peau de Jeanne. Un peu de peinture demeurait dans ses pores, jusqu'au moment où elle se baignait, le fleuve égyptien recevant ce qui restait de la terre du Buckinghamshire dans une étreinte qui effaçait tout. Bien sûr, Jeanne ne voyait jamais les paysages d'Avery et, aveugle, elle était libre d'imaginer à son gré n'importe quelle scène. Il en viendrait à associer la langueur de sa femme à cette heure crépusculaire – tous les crépuscules de ces mois de 1964 – à une sorte de cadeau de noces qu'elle lui présentait ; en retour, elle se sentait s'ouvrir sous le pinceau, comme s'il insinuait un courant sous sa peau. Pendant cette heure, chacun offrait à l'autre un paysage secret. Et en chacun s'ouvrait une nouvelle intimité. Tous les soirs, cette première année de leur mariage, Avery contempla le Buckinghamshire, l'odeur de sa mère, l'étendue de temps séparant la forêt de hêtres humide et ce désert, les points de tension, les fissures et l'élasticité, la carte des points de résistance des dômes de ciment qui seraient bientôt construits, la beauté lourde et mortelle de sa femme, dont il commençait à peine à connaître le corps. Il songeait au pharaon Ramsès, dont le corps, de la tête aux genoux, avait récemment disparu et qui reposait maintenant en morceaux dans le sable, entreposé dans un lieu différent de celui qui abritait les membres de son épouse et de ses filles. Il faudrait plusieurs mois avant que ne soit réunie cette famille qui n'avait pas été séparée en plus de trois mille deux cents ans.

Il songeait que seul l'amour apprend sa mort à un homme ; que c'est dans la solitude de l'amour que nous apprenons à sombrer.

Couché aux côtés de sa femme, à attendre le sommeil en écoutant le fleuve, Avery avait l'impression que le Nil entier, dans toute sa longueur, était leur lit. Toutes les nuits, il flottait jusqu'à Alexandrie, à travers le delta de dattiers, devant des dahabiehs isolées, leurs voiles lâches, échouées sur les berges. Toutes les nuits, avant de s'endormir, pour dissiper les équations et les graphiques de la journée, il faisait ce voyage en esprit. Parfois, quand Jeanne était éveillée, il racontait le voyage tout haut, jusqu'à ce qu'il la sente glisser dans cet état voisin du sommeil où l'on croit toujours être réveillé et où l'on est sourd à tout. Avery n'en continuait pas moins à lui chuchoter son voyage en étoffant son récit de cent détails, reconnaissant de sentir le poids de la cuisse de Jeanne sur la sienne. Il lui semblait que le fleuve saisissait chaque mot, absorbait chaque soupir jusqu'à être empli de rêve, enflé du dernier souffle des rois, de la puissante respiration des ouvriers d'il y a trois mille ans jusqu'à ce moment précis. Il parlait au fleuve et il écoutait le fleuve, la main sur le corps de sa femme là où leur enfant l'ouvrirait un jour, là où sa bouche l'avait déjà si souvent appelée, comme s'il pouvait prendre le nom de l'enfant dans sa bouche à même le corps de Jeanne. Rebecca, Cléopâtre, Sarah, et toutes les femmes du désert qui savaient la valeur de l'eau.

Tandis qu'il peignait son dos, Jeanne se rappelait la première fois où ils s'étaient assis ensemble dans le noir, au cinéma de Morrisburg. Avery ne l'avait touchée nulle part, sauf au poignet, là où se rejoignent les petites veines. Sentant la pression monter le long de son bras, alors que les doigts d'Avery n'effleuraient encore que quelques centimètres de son corps, elle s'était décidée. Plus tard, dans le hall illuminé, elle s'était trouvée exposée, en proie à un désarroi invisible ; il avait glissé une mèche lente sous ses vêtements. Et elle avait su pour la première fois qu'un être peut électrifier votre peau en une seule soirée ; l'amour arrive non pas par accumulation à un moment donné, comme une goutte d'eau se forme au bout d'une branche, ce n'est pas le moment où vous présentez votre vie entière à un autre, mais c'est plutôt tout ce que vous laissez derrière. À ce moment précis.

Même ce soir-là, où il avait touché quelques centimètres de son corps dans le noir, Avery semblait accepter la réalité avec une telle simplicité ; ils étaient à l'orée d'un bonheur qui durerait la vie entière et, par conséquent, d'un chagrin inéluctable. C'était comme si, longtemps auparavant, une part de son être s'était brisée à l'intérieur de lui, et qu'il reconnaissait enfin le dangereux fragment qui flottait dans son organisme, lui causant depuis des années une douleur intermittente. Comme s'il pouvait maintenant dire de cette souffrance : « Ah. C'était toi. »

~

Avery était souvent distrait, perdu dans les calculs mathématiques grâce auxquels un temple définit son espace, s'efforçant de n'enclore rien de moins que le sacré. Construisant un plan où le ciel rencontre la terre. Jeanne affirmait que cette rencontre se fait mieux à l'extérieur, et que le véritable plan où la verticale divine perce ce monde n'est autre que la station debout d'un homme. Mais pour Avery, le corps était une chose, et le façonnement de l'espace – le calcul humain de l'espace destiné à recevoir des esprits – en était une autre.

— Mais nous façonnons aussi notre espace intérieur, faisait valoir Jeanne. Nous nous faisons une tête et nous changeons d'idée constamment. Et si nous croyons, je pense que c'est parce que nous avons choisi de le faire.

— Bien sûr, disait Avery, mais le corps nous est donné ; nous arrivons... préfabriqués. La première centrale électrique a été un temple. Pense aux formules inventées, à l'exploit physique de milliers d'hommes qui déplacent une montagne, taillant et tirant la pierre une tonne à la fois, souvent sur des centaines de kilomètres, jusqu'à un site aux coordonnées précises – tout cela dans le but de capturer des esprits.

— Pour définir l'espace, continua Avery, puis il s'interrompit. Non. Pas pour donner forme à l'espace, mais pour donner forme... au vide.

À ces mots, Jeanne sentit la tendresse la gagner, et elle prit la main de son mari. Du pont de la péniche, ils regardèrent les ouvriers disparaître dans le boyau d'acier nouvellement aménagé qui menait des pieds de Ramsès aux chambres intérieures du grand temple. Le boyau se frayait un chemin sous cinq mille chargements de sable, transportés depuis le désert pour protéger les façades et offrir un support latéral au flanc de la falaise. Un siècle plus tôt, il avait fallu au découvreur d'Abou Simbel, Giovanni Belzoni, plusieurs jours pour se creuser une route jusqu'au temple à travers des dunes soufflées par le vent ; aujourd'hui, Avery et ses hommes l'avaient de nouveau enterré.

— Tu es comme un homme que l'on aperçoit au loin, dit Jeanne, et dont on pense qu'il s'est arrêté pour nouer ses lacets, alors qu'en réalité il s'est agenouillé pour prier.

— Il faut que nos lacets se dénouent, dit Avery, pour que l'on songe même à s'agenouiller.

~

Au nord de Bujumbura, au Burundi, un ruisselet – le Kasumo – sort de terre en glougloutant. La source se joint à d'autres cours d'eau – le Mukasenyi, le Ruvyironza, le Ruvubu – pour former le Kagera, qui à son tour se déverse dans le lac Victoria. Cette branche supérieure du Kagera est l'une des sources du Nil. Le fleuve Rwindi en est une autre, qui charrie les eaux de fonte glaciaires de la grande chaîne Ruwenzori – les montagnes de la Lune. Dans la forêt pluviale en contrebas, on croyait que les cimes enneigées étaient faites de sel, de lumière lunaire emprisonnée, de brouillard. Nul n'imaginait trouver de la neige dans la forêt pluviale équatoriale, dont le charme verdoyant exsude le gigantisme.

Des vers de terre longs d'un mètre barattent le sol, la bruyère blanche se balance dix mètres au-dessus de la tête d'une femme. Des fleurs hautes de plus de trois mètres tempèrent le soleil, leur odeur se mêlant au parfum des clous de girofle au bord de la mer à Zanzibar. L'herbe pousse aussi haut qu'un homme ; la mousse, épaisse comme un tronc d'arbre. Le bambou cliquetant s'élève dans le ciel telle une image de film en accéléré, au rythme de cinquante centimètres par jour.

C'est l'habitat du gorille des montagnes, animal capable d'arracher la tête d'un être humain d'un seul bras, mais qui craint l'eau et refuse de traverser le fleuve.

La neige équatoriale – cette lumière lunaire gelée, ce sel, ce brouillard – fond et jaillit par la force de la gravité sur plus de soixante-quatre mille kilomètres de jungle, de marais et de désert ; elle gonfle le Nil dont elle tache les rives brûlantes d'un vert éclatant. De la neige vient à couler à travers un paysage si chaud qu'il arrache les rêves d'un homme à sa tête, le mirage miroitant dans l'air ; si chaud qu'un homme ne peut échapper une seconde à sa propre ombre ou à sa propre sueur ; si chaud que le sable rêve de devenir verre ; si chaud que les hommes en meurent. Un paysage si aride que la pluie qui y tombe en une année suffit à peine à remplir quatre cuillères à thé.

Le désert abandonne quiconque se couche par terre. Aussitôt qu'un corps est recouvert de sable, le vent, telle la mémoire, entreprend de l'exhumer. C'est ainsi que les tribus du désert, comme les Bédouins, creusent des tombes plus profondes pour leurs femmes. Une discrétion.

Peut-être est-ce là l'une des raisons qui expliquent l'immensité des tombes du désert, le poids et la masse mêmes du roc traîné et empilé – habilement empilé, mais empilé tout de même – aux tombeaux des rois.

Dans le désert, nous restons immobiles et la terre bouge sous nous.

~

Toutes les nuits dans le désert la température chutait au point de congélation et les ouvriers commençaient leur journée autour du feu. Dès le début de la matinée, l'on payait cher le moindre effort. On ne voyait personne suer car toute humidité s'évaporait instantanément. Les hommes plongeaient la tête dans le premier coin ombragé, se pressaient dans l'ombre des caisses de bois et des camions. Ils contemplaient avec envie, sur l'autre rive du Nil, la pénombre sous les palmiers dattiers, les acacias, les tamarix et les sycomores. Leurs visages cherchaient le vent du nord.

Tous les matins, depuis la péniche, Jeanne regardait Avery disparaître dans la masse des hommes. Autour de lui, des visages de la couleur de la terre mouillée ; Avery, pâle comme le sable. Bientôt elle grimperait jusqu'au plateau où un jardin avait été aménagé, irrigué à l'aide des tuyaux qui alimentaient la piscine du camp, et entreprendrait les leçons sur les fruits du désert que lui donnait la femme de l'un des ingénieurs du Caire. Cette gracieuse source d'information, ferrée tant en recettes qu'en plantes médicinales et en cosmétiques, portait au jardin une élégante tunique blanche et des sandales blanches, ses cheveux sculptés en une coiffure élaborée et épinglés sous un chapeau de paille blanc. Elle dirigeait Jeanne, qui était heureuse de plonger genoux et mains dans le travail.

Toute la journée le roc du temple absorbait la lumière du soleil ; le moindre interstice entre les blocs captait la chaleur tel un four d'argile. Puis, chaque soir, la pierre refroidissait lentement. Les visiteurs venaient faire l'expérience d'Abou Simbel à l'aube. Mais Jeanne savait que le véritable miracle du temple ne se révélait qu'à la fin du jour, quand, pendant un bref moment crépusculaire, les grands colosses prenaient vie, les lèvres et les membres de pierre se rafraîchissant jusqu'à atteindre précisément la température de la peau.

~

Un jour, il y a de cela trois cent mille ans, l'un de nos ancêtres hominiens à Berekhat Ram se pencha pour ramasser un fragment de roche volcanique dont la forme se trouvait par hasard à rappeler la silhouette d'une femme. Une autre pierre fut utilisée pour creuser la ligne qui s'était formée naturellement entre la « tête » et le « cou », et entre le « bras » et le « torse ». C'est le premier exemple de pierre faite chair.

Dans la Bretagne paléolithique, un chasseur tailla une hache dans le silex, en prenant soin de ne pas endommager le fossile parfait d'un mollusque bivalve enchâssé dans la pierre. Du chasseur façonnant les premiers outils (la première conscience du fait que la matière pouvait être scindée pour créer une arête tranchante) à la fission de l'atome – un intervalle minime à l'échelle de l'évolution, quelque deux millions cinq cent mille ans. Mais peut-être un intervalle suffisant pour considérer l'importance de préserver le magnifique mollusque dans la pierre.

~

Avery savait que l'histoire des nations n'est pas uniquement une histoire de terre, mais aussi une histoire d'eau. Coulant avec le Nil par-delà la frontière égyptienne en territoire soudanais, la Nubie, pays dépourvu de frontières, de monnaie et de gouvernement, n'en était pas moins un pays ancien. À l'ouest et à l'est, le Sahara. Au sud, passé la ville de Wadi

Halfa, le désert désolé d'Atmur. Pendant des siècles, les armées vinrent par le fleuve chercher l'or de la Nubie, son encens et son ébène. Puis elles y bâtirent leurs forteresses et leurs tombeaux, leurs mosquées et leurs églises sur les cuisses luxuriantes du Nil. Là où la pierre est rare, ces constructions sont le signe le plus évident de la conquête, comme l'arbre est le signe de la présence de l'eau. Les premiers chrétiens vivaient dans les ruines des pharaons et aménagèrent leurs églises dans les temples de ces derniers. Puis, au VIIIe siècle, l'islam remonta le fleuve jusqu'en Nubie, et des mosquées apparurent là où il y avait jadis eu des églises. Mais la conquête ne fut jamais facile, même par le fleuve. Les infâmes deuxième, troisième et quatrième cataractes – et les cataractes à l'intérieur des cataractes : Kagbar, Dal, Tangur, Semna et Batn el-Hajar, « le ventre de pierres » – dissuadaient les intrus de pousser plus avant. De Dara à Assouan, des caravanes de cent chameaux sillonnaient le sable, grinçantes et cliquetantes, lestées de lourds sacs contenant du caoutchouc des forêts de Bahr el-Ghazal, de l'ivoire, des plumes d'autruche et du gibier. Elles franchissaient les vallées arides et les collines pour s'arrêter enfin à l'oasis de Salima avant d'atteindre le Nil au sud de Wadi Halfa, avant de suivre la rive ouest du fleuve vers le nord jusqu'en Égypte. Certains croient que les Nubiens sont originaires du Somaliland, ou qu'ils ont traversé la mer Rouge depuis l'Asie, arrivant par le port de El Quseir. Au cours des siècles, occupants arabes et turcs épousèrent des femmes nubiennes, et des tribus appartenant à vingt-huit lignées vivaient ensemble dans des villages disséminés le long du Nil.

Comme la bande de sol limoneux naturellement fertile le long des berges n'était large que de quelques mètres, pendant des millénaires, les Nubiens ont eu recours à des *escalays.* L'*escalay,* avait expliqué Avery à Jeanne, approchant sa lampe d'une illustration dans son journal ouvert près de lui dans leur lit sur le fleuve, est la grande machine du désert. Son moteur est un attelage de bœufs. D'innombrables générations de bêtes ont creusé des cercles étroits dans le sable pour amener le fleuve, un bol à la fois, jusqu'aux champs de pois chiches et d'orge.

Les terres fertiles étaient à ce point rares que l'on s'en transmettait les parts ; les feddans avaient été si souvent divisés et subdivisés au fil des générations que, lorsque vint le temps d'établir les montants qui seraient octroyés en compensation de la construction du barrage, les commis se trouvèrent à inventorier des parts qui ne mesuraient pas plus d'un demi-mètre carré. Les divisions étaient si infimes et les titres de propriété si compliqués – tous les propriétaires officiels, sans exception, étaient morts depuis des siècles – que l'on abandonna l'idée de verser quelque compensation directe. Il fallait plutôt respecter la coutume nubienne, qui favorisait la copropriété au sein d'une économie communale.

En Nubie, les familles partagent entre elles le fruit du palmier et ont la responsabilité commune de prendre soin de l'arbre. Les vaches sont la propriété collective de quatre personnes qui possèdent chacune une patte ; ces parts peuvent être vendues et échangées. Un animal peut être loué ; le lait et les veaux de la vache reviennent à celui qui la nourrit et la loge. Chaque propriétaire doit fournir nourriture et abri à l'animal quand celui-ci travaille sur son *escalay*. Division, mais non pas divisibilité, car cela tuerait littéralement l'entreprise.

Avant l'érection du haut barrage d'Assouan, dans les années 1960, un barrage plus modeste avait été construit, dont on avait par deux fois augmenté la hauteur – dix, puis vingt ans plus tard, les villages des basses terres de Nubie, les îles fertiles et les forêts de dattiers furent noyés. Chaque fois, les villageois montèrent vers des terres plus hautes pour reconstruire. Ainsi commença la migration des hommes de Nubie qui partirent vers Le Caire, Khartoum, Londres afin d'y trouver du travail. Les femmes, leurs longues *gargaras* noires lâchement tissées traînant dans le sable où elles effaçaient les traces de leurs pas, prirent en charge les cultures et la vente des récoltes. Elles fertilisaient les palmiers dattiers, entretenaient la propriété de leur famille et s'occupaient du bétail. Les hommes revenaient de la ville pour se marier, pour assister aux funérailles, pour toucher leur part de la récolte. Quelques-uns rentrèrent en 1964 pour rejoindre leur famille quand, à l'aide de centaines de milliers de tonnes de ciment et d'acier et de millions de rivets, on construisit un lac dans le désert. La Nubie tout entière – cent vingt mille villageois, leurs maisons, leurs terres, leurs anciens vergers de dattiers entretenus avec soin et plusieurs centaines de sites archéologiques – s'évanouit. Même un fleuve peut se noyer. Évanoui lui aussi, sous les eaux du lac Nasser, reposait le fleuve des Nubiens, leur Nil, qui avait arrosé tous les rituels de leur vie quotidienne, guidé leur pensée philosophique et béni la naissance de tous leurs enfants pendant plus de cinq millénaires.

Au cours des semaines précédant l'émigration forcée, les hommes revenant de l'exil que leur avait imposé le travail traversèrent leurs villages pour gagner des maisons qu'ils n'avaient pas vues depuis vingt, quarante, cinquante ans. Une femme, soudainement jeune et tout aussi soudainement redevenue vieille, contemplait le visage d'un mari qu'elle n'avait quasiment jamais vu depuis son jeune âge ; des enfants maintenant adultes posaient les yeux sur leur père pour la première fois. Sur plus de trois cents kilomètres, le fleuve absorba semblables cris et silences, le choc non pas de la mort mais de la vie, tandis que les hommes, fantômes vivants, revenaient voir pour la dernière fois le lieu où ils étaient nés.

~

Les travailleurs à Abou Simbel formaient de petites colonies : les tailleurs de pierre italiens – les *marmisti* –, capables de déceler des failles dans la pierre à vingt pas ; les ingénieurs égyptiens et européens ; les cuisiniers et les techniciens ; les ouvriers égyptiens et nubiens ; toutes les femmes et tous les enfants. Avery, arpentant le site, voyait cent problèmes et cent solutions singulières. Il remarquait les habiles adaptations réalisées par les ouvriers qui ne pouvaient attendre trois mois que les pièces de rechange arrivent d'Europe. Il éprouvait un profond plaisir, le plaisir de son père, à voir le fil de fer et le ressort empruntés à une autre machine transplantés avec la fraternité d'un donneur d'organes.

En découvrant pour la première fois les Bucyrus tapies dans le désert à Abou Simbel – les pompes, réfrigérateurs et génératrices –, c'est presque une douleur qu'il ressentit, car c'étaient là celles que son père préférait. William Escher avait fait grand cas de la fiabilité de Ruston-Bucyrus, de leurs célèbres excavatrices et de leurs machines destinées à comprimer, ventiler, pomper, hisser, chauffer, congeler, illuminer… Il nourrissait un amour de gamin pour la machinerie lourde, et préférait Bucyrus par-dessus tout pour ses créations nées de la Deuxième Guerre mondiale : les sous-marins nains, les locomotives ignifugées, les détecteurs de mines, les chalands de débarquement, les bateaux de patrouille, les chars d'assaut Matilda et Cavalier, les chenillettes Bren, et la foreuse de tunnel commandée par Winston Churchill et construite selon ses spécifications personnelles, une boîte munie d'une pelle de près de deux mètres à l'avant et d'un convoyeur à l'arrière, conçue pour creuser des tranchées au rythme d'environ cinq kilomètres à l'heure.

— À l'époque où mon père travaillait pour Sir William Halcrow and Partners, raconta Avery à Jeanne, la compagnie construisait les grands barrages d'Écosse. Et pendant la guerre, on a eu recours à ses services dans le cadre des missions de « bombes rebondissantes », elle a creusé des tunnels sous Londres pour y loger la poste sur rails et a agrandi Whitehall à l'intention de Churchill. Mon père a été dépêché dans le nord du pays de Galles à la carrière d'ardoise de Manod afin de vérifier qu'elle était suffisamment solide pour servir d'abri aux œuvres de la National Gallery. C'est là qu'il a appris les tailles de l'ardoise galloise : les ladies, duchesses et petites duchesses, impératrices, marquises, et les larges comtesses. Il adorait le nom des choses : solives, poutres, dormants, étais, rigoles, traverses, linteaux et chevrons.

— Ce pourraient être des noms de plantes, dit Jeanne. Le linteau à fleurs, le chevron ortie, la solive des jardins…

— Le premier emploi de mon père, quand il avait quinze ans, reprit Avery, était chez Lamson Pneumatic Tubes. D'aussi loin que je me souvienne, nous avons nourri une même affection pour les pneumatiques : ingénieux, pratiques, inexplicablement comiques. Nous adorions l'idée d'une note élégante, écrite à la main, peut-être une lettre d'amour, fourrée dans un cylindre et puis propulsée dans un tube à air comprimé à cinquante-cinq kilomètres à l'heure ou bien aspirée par un vacuum à l'autre bout comme du liquide dans une paille. Mon père estimait que c'était la technologie la plus injustement négligée du siècle, et nous inventions sans cesse de nouvelles applications aux systèmes de pneumatiques – c'était un jeu qu'il avait commencé avec moi dans ses lettres pendant la guerre, et nous n'avons jamais cessé d'y jouer. Il dessinait des cartes de Londres quadrillées de centaines de kilomètres de pneumatiques souterrains : petits trains de voitures-capsules destinés au transport en commun ; provisions livrées directement des boutiques aux résidences des clients, glissant tout droit dans la glacière de la cuisine ; fleurs projetées depuis le fleuriste jusque dans un vase sur un piano ; médicaments livrés aux hôpitaux et aux demeures des convalescents ; autobus scolaires pneumatiques, manèges de parc d'attractions pneumatiques, orchestre de cuivres à fonctionnement pneumatique…

Mon père était un dessinateur technique d'exception, poursuivit Avery. Je n'ai jamais connu personne qui fût capable de dessiner de la machinerie comme lui. Il poussait son assiette de côté à la table de cuisine et je le regardais esquisser des engrenages à coups de crayon fins et nets. Soudain, le papier s'animait et chaque pièce prenait sa place dans un mécanisme mobile et fonctionnel.

C'est au-dessus d'un dessin technique que mes parents se sont rencontrés. Ma mère était assise en face de mon père dans un train. Il avait une tablette à dessin ouverte sur ses genoux osseux et elle l'a complimenté sur son travail. Avery s'assit dans leur lit sous le pont, très droit, et heurta Jeanne comme s'ils s'étaient tous deux trouvés dans un compartiment de train. « … Merci, a répondu mon père, même s'il faut que je vous dise que ce n'est pas le système circulatoire humain, c'est un moteur à vacuum à haute pression. Bien que, peut-être, a-t-il ajouté poliment, ça puisse ressembler à un cœur quand on le regarde à l'envers. » Il a retourné la tablette et l'a examinée. « Oui, je vois », a-t-il dit. « Et moi aussi, maintenant », a dit ma mère. « C'est magnifique », a-t-elle ajouté. « Oui, a repris mon père, un moteur bien dessiné possède une beauté exceptionnelle. » Ma mère raconte qu'à ce moment il l'a observée de plus près, étudiant son visage. « Hum, oui, a concédé ma mère, mais je parle du dessin lui-même, du mouvement du trait de crayon. » « Ah, a dit mon père en rougissant. Merci. »

— Attends ! dit Jeanne, pour qui l'un des grands plaisirs inattendus du mariage était ces conversations à bâtons rompus avant de dormir. Est-ce que ton père a vraiment rougi ?

— Oh oui, répondit Avery. Mon père était une vraie machine à rougir.

~

Le palmier, découvrit Jeanne, porte deux fruits : non seulement des dattes, mais de l'ombre. Partout en Nubie, on cultive ces arbres, mais à Argin et à Dibeira, à Ashkeit et à Degheim, les palmiers dattiers poussent si dru sur les rives du fleuve que le Nil disparaît. L'ombre y est verte et le vent fait de l'arbre entier un éventail. Même le vent du sud s'y réfugie pour se rafraîchir parmi les feuilles de la couronne.

Le palmier Bartamouda donne le fruit le plus doux, des pochettes qui éclatent pour libérer une liqueur brune, une pulpe charnue, un noyau minuscule que la langue trouve comme le joyau d'une femme tandis que le sucre emplit la bouche. Les dattes Gondeila, de loin les plus grosses mais moins sucrées, sont idéales pour le sirop. Les Barakawi, à peine sucrées, sont de ce fait mystérieusement plus satisfaisantes à manger par poignées. Et les Gaw, avec leur mince chair recouvrant un noyau bulbeux, sont parfaites pour le vinaigre et le gin *araki.*

Plus de la moitié des palmiers du district Wadi Halfa étaient des Gaw, d'immenses *buras,* anciennes plantations poussant autour d'une seule mère, se reproduisant pendant des générations. À la saison de la pollinisation, les Nubiens grimpaient, le tronc gracieux entre leurs jambes, et coupaient la fleur mâle en bourgeon. Ces bourgeons étaient réduits en poudre puis enveloppés en petites quantités dans un tortillon de papier. Lorsque les fleurs femelles s'ouvraient, une à une, le grimpeur recommençait son ascension, son bonnet plein à ras bord de tortillons de papier renfermant le pollen, lesquels seraient rompus au-dessus des corolles déployées. Les fleurs n'ayant pas été fertilisées produisaient une minuscule datte, petit poisson, *sis,* que l'on donnait à manger aux animaux.

Quand Jeanne et Avery arrivèrent en Égypte, les dattes étaient encore vertes, mais bientôt les fruits pendaient en lourdes grappes jaunes et cramoisies. En août, la récolte parvenue à maturité était foncée et ridée, puis elle fonça encore. Quand enfin le fruit se ratatina sur la branche, on le cueillit rapidement, au moment où sa concentration en sucre était la plus élevée. Les hommes grimpaient, distribuaient les coups de faux, et les grappes tombaient au sol, où femmes et enfants ramassaient les fruits dans des sacs et des paniers. Les dattes tombaient en pluie, les sacs étaient rapportés au village, leur contenu étalé pour qu'il sèche.

Les parts de palmiers dattiers étaient vendues, hypothéquées, offertes en guise de cadeaux de noces et de dots. On mangeait non seulement le fruit, mais aussi le cœur des troncs tombés, le *golgol.* Les dattes étaient vendues au marché, on s'en servait dans la confection de confitures et d'alcools, de gâteaux, et dans la préparation d'un gruau particulier destiné aux femmes en gésine. Les feuilles étaient tissées afin d'en faire des cordes pour la roue à eau, la *sagiya,* des tapis et des paniers ; on les utilisait comme éponges pour le bain, comme fourrage et comme carburant. Les tiges étaient transformées en balais. On se servait des branches dans la fabrication des toits et des linteaux, on en faisait des meubles et des cages, des cercueils et des stèles funéraires. Et quand le train emportant les derniers habitants de Nubie quitta Wadi Halfa juste avant l'inondation, sa locomotive était ornée de feuilles et de branches des palmiers dattiers qui seraient bientôt noyés. N'eût été le gémissement du sifflet du train, bruit qui ne peut être qu'humain, on aurait presque pu croire qu'une forêt s'était levée et traversait le désert.

~

Quelle part de cette terre est chair ?

Cette question n'a rien de métaphorique. Combien d'êtres humains ont été « confiés à la terre » ? À partir de quel moment commençons-nous à compter les morts – dès l'émergence d'*Homo erectus,* ou d'*Homo habilis,* ou d'*Homo sapiens* ? Des premières sépultures dont nous soyons certains, du tombeau ouvragé de Sangir ou de la dernière demeure de l'homme de Mungo, à New South Wales, inhumé il y a quarante mille ans ? Une réponse exige le concours d'anthropologues, de paléopathologistes, de paléontologues, de biologistes, d'épidémiologistes, de géographes… À combien s'élevaient les anciennes populations, et à quel moment exactement commencèrent les générations ? Faut-il faire remonter l'estimation avant la dernière ère glaciaire – bien qu'il y ait très peu de traces d'êtres humains – ou à l'homme de Cro-Magnon, période qui nous a légué des artéfacts archéologiques en abondance mais, évidemment, aucune donnée statistique ? Ou bien, à des fins de « certitude » statistique, faut-il commencer à compter les morts survenues depuis deux siècles, moment où l'on a entrepris de conserver les données de recensement ?

Posé sous forme de question, le problème est trop fuyant ; peut-être doit-il demeurer affirmation : quelle part de cette terre est chair.

~

Pendant des jours, les hommes du grand pharaon Ramsès avaient remonté le fleuve, franchi la gorge écumante de la deuxième cataracte où tous les marins rendent grâce pour leur passage. Puis, dans la paix où bien peu d'entre eux avaient jamais voyagé, leur voile découpant le ciel tel le style d'un cadran solaire, tout à coup ils aperçurent les hautes falaises d'Abou Simbel qui les incitèrent à gagner la rive. Là, ils attendirent jusqu'à l'aube et, suivant l'angle du soleil levant sur le roc escarpé avec un trait de peinture blanche, ils marquèrent l'endroit de l'incision, l'endroit où ils ouvriraient la pierre pour y laisser entrer le soleil.

Ces hommes bâtirent deux temples, l'immense temple de Ramsès et un autre, plus petit, honorant Néfertari, son épouse. Ils conçurent les proportions épiques du temple, ses sanctuaires peints et ses corridors ornés de statues, et les quatre colosses de la façade, chaque Ramsès lourd de plus de mille deux cents tonnes et, assis, mains sur les genoux, haut de plus de vingt mètres. Ils creusèrent la chambre intérieure du temple à soixante mètres dans la falaise. Au milieu du mois d'octobre et au milieu de février, ils guidèrent le soleil pour qu'il atteigne cette chambre, la plus profonde, et illumine la face des dieux.

Comme les ingénieurs de Ramsès l'avaient fait plus de trente siècles auparavant, les ingénieurs du président Nasser dessinèrent un trait blanc sur les rives du Nil pour indiquer le lieu où son monument, le haut barrage d'Assouan, serait érigé. Les conseillers égyptiens s'opposaient farouchement au projet, lui préférant l'aménagement de canaux reliant les lacs africains à un réservoir à Wadi Rayan, lequel était déjà un bassin naturel. Mais Nasser ne se laissa pas dissuader. En octobre 1958, après que la Grande-Bretagne eut refusé de collaborer à la construction du barrage en représailles au conflit du canal de Suez, Nasser conclut une entente avec l'Union soviétique afin que celle-ci lui fournisse plans, main-d'œuvre et machinerie.

Dès le moment où les Soviétiques posèrent leurs excavatrices dans le désert à Assouan, la terre elle-même se rebella. Le granit tranchant du désert réduisit les pneus soviétiques en lambeaux, les têtes de forage et les dents de leurs tarières s'abîmèrent et s'émoussèrent, l'embrayage de leurs camions était incapable de résister aux pentes abruptes et, après une journée seulement dans le fleuve, les pneus soviétiques doublés de coton pourrirent et tombèrent en morceaux. Même le célèbre engin de terrassement Ulanshev – l'orgueil des ingénieurs soviétiques –, dont la pelle avait une capacité de six tonnes et qui pouvait emplir en deux minutes un camion de vingt-cinq tonnes, tombait sans cesse en panne, et chaque fois il leur fallait attendre que les pièces de rechange arrivent d'Union soviétique; jusqu'à ce que, enfin, vaincus par le fleuve qui avait si longtemps été leur allié, les Égyptiens commandent de la machinerie Bucyrus et des pneus Dunlop en Grande-Bretagne.

Tous les après-midi, une charge de dynamite de vingt tonnes était insérée dans chacun des douze trous de forage où elle explosait à quinze heures. La secousse se faisait sentir sur des milliers de kilomètres. Et tous les jours, au crépuscule, lorsque le soleil sombrait derrière la colline, une armée d'hommes – dix-huit mille ouvriers soviétiques et trente-quatre mille égyptiens – étaient lâchés sur le site où ils se remettaient à tailler le canal de dérivation. Les berges du fleuve se couvraient d'hommes criant, de machinerie tonitruante, d'appareils de forage stridents et d'excavatrices lacérant le sol. Seul le Nil était muet.

À la cérémonie marquant la première dérivation du Nil, Nasser se tenait au bord du canal, en capitaine du navire, avec à ses côtés Khrouchtchev, son amiral. On avait appuyé sur un bouton et l'inondation avait débuté. Les ouvriers s'agrippaient aux escarpements artificiels, telles des fourmis tentant de grimper à bord d'un transatlantique, glissant et tombant dans le fleuve.

Le barrage allait créer une balafre si profonde et si longue que la terre ne s'en remettrait jamais. L'eau s'accumulerait en un lac qui était une cloque de sang. La plaie allait s'infecter – bilharziose, malaria et, dans les villes nouvelles, solitude moderne et putréfaction sous toutes ses formes. Plus tôt que quiconque s'y serait attendu, les poissons commenceraient à mourir de soif.

Des centaines de milliers d'années avant que Nasser ordonne la construction du haut barrage ou que Ramsès commande que l'on sculpte son image à

Abou Simbel, ces falaises sur le Nil, au cœur de la Nubie, étaient considérées comme sacrées. Sur le sommet de pierre, loin au-dessus du fleuve, une autre image avait été gravée : une unique empreinte de pied humain préhistorique. Plus tard, Nasser ferait disparaître cette terre sainte.

~

Le soir, au cours de ces premiers mois en Égypte, Avery et Jeanne s'asseyaient souvent ensemble dans les collines au-dessus du camp, observant ce qui était encore, pour elle, une scène remplie d'une animation indéchiffrable. Il lui semblait que si le désert était plongé dans l'obscurité, toute présence humaine disparaîtrait sur-le-champ, comme si l'activité incessante du camp était produite par les génératrices. Comme si les hommes étaient au service des machines et non pas l'inverse.

On avait proposé plusieurs plans pour sauver les temples d'Abou Simbel de la crue des eaux qu'entraînerait la construction du haut barrage d'Assouan. Il était entendu, surtout dans une réalité marquée par la démolition d'après-guerre, qu'Abou Simbel devait être préservé.

Les Français avaient suggéré que l'on construise un autre barrage, constitué de roc et de sable, pour protéger les temples du réservoir qui se formerait autour d'eux, mais une telle structure aurait exigé un pompage continuel et présenté des risques de fuite constants. Les Italiens recommandaient que les temples soient extraits des falaises et soulevés, entiers, sur de gigantesques crics capables de hisser trois cent mille tonnes. Les Américains avaient conseillé de faire flotter les temples sur deux radeaux jusqu'à des terres plus hautes. Les Britanniques et les Polonais estimaient préférable de laisser les temples là où ils étaient et de construire autour une vaste salle d'observation sous-marine, faite en ciment et dotée d'ascenseurs.

Enfin, quand on n'avait pu atermoyer davantage, on avait choisi le démantèlement d'Abou Simbel, un bloc à la fois, et sa reconstruction soixante mètres plus haut comme « solution du désespoir ». On s'attendait à ce qu'un bloc sur trois s'effrite.

On avait lancé une campagne internationale. Partout sur la planète, les enfants avaient vidé leur tirelire, et les écoles, recueilli des sacs de monnaie pour sauver Abou Simbel et les autres monuments de Nubie. Quand on ouvrait les enveloppes aux bureaux de l'UNESCO, des pièces de tous les pays tombaient sur le sol en cliquetant. À Bordeaux, une femme s'était privée de son repas du midi pendant une année dans l'espoir que ses petits-enfants puissent un jour contempler les temples rescapés ; un homme avait vendu sa collection de timbres ; des élèves avaient fait don de l'argent qu'ils avaient gagné en livrant les journaux, en lavant des chiens et en pelletant la neige. Des universités avaient organisé des expéditions et dépêché des centaines d'archéologues, d'ingénieurs et de photographes dans le désert.

Quand Jeanne et Avery arrivèrent à Abou Simbel en mars 1964 pour les tests de vibrographe qui détermineraient plus précisément la fragilité de la pierre et les méthodes à utiliser pour la tailler, la première tâche était déjà en cours : la construction de l'immense batardeau et de son système de drainage élaboré – 380 000 mètres cubes de roc et de sable, et un mur de 2800 tonnes métriques de blindage de métal – destinés à garder les pieds de Ramsès au sec. Des tunnels de dérivation et de profondes crevasses abaissèrent le niveau de la nappe phréatique de manière que le fleuve ne puisse se frayer un chemin jusqu'au grès meuble des temples. Le batardeau fut conçu et construit en vitesse, juste à temps. En novembre, Avery vit l'eau affleurer le bord de la barrière. Il était facile d'imaginer les colosses fondant, un orteil à la fois, l'eau dissolvant lentement chaque mollet, chaque cuisse musculeuse, et le courage impassible du pharaon tandis que le Nil, son Nil, l'attirait à lui.

Il n'y avait pas de ville à cette époque et, comme la construction du batardeau ne pouvait attendre, les ouvriers vivaient dans des tentes et des péniches, des milliers d'hommes rassemblés dans un fragile camp de fortune. Même si les Nubiens habitaient le désert avec grâce et ingéniosité depuis plusieurs millénaires, la survie des étrangers à Abou Simbel reposait sur des restes d'équipement européen, et leurs conditions de vie pouvaient être décrites comme primitives. Une fois le batardeau fini, cependant, l'établissement grandit rapidement : logement pour trois mille personnes, bureaux, mosquée, poste de police, deux magasins, court de tennis, piscine. Une colonie pour les promoteurs, une colonie pour les gouverneurs, un village pour les ouvriers. On aménagea deux ports pour les barges fluviales pleines de marchandises, et une piste d'atterrissage destinée à recevoir le courrier et les ingénieurs. La machinerie et la nourriture arrivaient par bateau, remontant le Nil depuis la lointaine Assouan, ou bien par jeeps ou par caravane de chameaux traversant le désert. Des carrières de gravier et des sablières apparurent, de même que dix kilomètres de route, exclusivement réservée au transport des pierres des temples, seule surface pavée à des centaines de lieues à la ronde.

Le camp était un être vivant, né de la rencontre d'extrêmes : fleuve et désert, temps humain et temps géologique. Un tel babil de voix s'y faisait entendre qu'on n'essaya même pas de mettre sur pied une école pour les quarante-six enfants qui s'y trouvaient, puisque bien peu d'entre eux parlaient la même langue.

Chaque taille, parmi les milliers nécessaires pour extraire le temple de la falaise, devait être déterminée à l'avance et tracée sur un plan directeur constamment mis à jour, un fluide réseau de forces soumis à une perpétuelle transformation tandis que la falaise disparaissait. Les visages sculptés devaient être laissés entiers lorsque c'était possible, et nulle frise ne devait être tranchée à un endroit où elle présentait une fragilité particulière. Les vibrations causées par l'équipement de taille et les camions étaient soigneusement prises en compte. Les plafonds du sanctuaire qui tenaient en place, depuis des générations, grâce au principe élémentaire de la voûte, seraient lentement découpés et entreposés, emportant avec eux l'effet de voûte. Et au fur et à mesure que la force de la pression horizontale augmentait, des échafaudages d'acier munis d'étançons seraient essentiels pour supporter la charge. Avery travaillait avec Daub Arbab, un ingénieur du Caire qui quittait chaque matin sa péniche vêtu d'une chemise bleu pâle à manches courtes impeccablement repassée et dont les mains aux ongles brillants et aux doigts effilés semblaient aussi finement taillées que son vêtement. Avery était à l'aise avec Daub, qui l'impressionnait autant par ses chemises élégantes que par l'enthousiasme qu'il mettait à les tacher. Daub était toujours le premier à se salir les mains, toujours prêt à s'agenouiller, à grimper, à transporter, à se faufiler dans des passages pour aller lire les jauges. Chaque jour, dans le but de prévoir les conséquences changeantes de l'opération, ils supervisaient ensemble les tests de consolidation et les tailles visant à réduire la contrainte dans le roc au-dessus de leurs têtes ; toute omission, tout calcul erroné d'une force altérée auraient été désastreux.

Avery observait les hommes qui tranchaient dans la pierre. De plus en plus près, jusqu'à une distance de 0,8 millimètre d'un cheveu sur la tête de Ramsès. Les ouvriers serraient les dents pour retenir leur souffle. Tandis que des échafaudages supportaient les chambres, les murs des temples furent découpés en blocs de vingt tonnes. Des colonnes gigantesques, semblables à des arbres de pierre, furent sciées par des bûcherons du désert en tronçons de trente tonnes.

Comme l'équipement de levage ne devait pas toucher la façade sculptée, on forait des trous sur le dessus des blocs du temple, dans lesquels on scellait des boulons de levage. Des tiges d'acier étaient insérées et de l'époxy (modifiée pour résister aux températures élevées) comblait les fractures dans le grès jaune et granuleux. Des grues hissaient lentement les blocs sur les lits de sable des camions de transport, et ils étaient emportés sur le plateau supérieur. Dans la zone d'entreposage, on dotait les blocs de crochets d'acier et on imperméabilisait leur surface à l'aide de résine. Pendant ce temps, on préparait le nouveau site. On excavait la fondation, on construisait des charpentes pour les façades, qui seraient mises en place et fixées dans du ciment. Et puis l'on bâtirait les dômes de ciment, un au sommet de chacun des temples, pour supporter le poids de la falaise qui serait bâtie par-dessus.

Le travail le plus délicat, à l'intérieur des chambres elles-mêmes, était laissé aux soins des *marmisti,* dont l'intimité avec la pierre était sans égale. Eux seuls avaient le droit d'entailler le plafond peint ; il était essentiel que les blocs s'emboîtent avec un jeu inférieur à six millimètres, la marge d'erreur maximale tolérée. Les maçons italiens affichaient une nonchalance de trompe-la-mort, purs *scavezzacolli,* un instinct à ce point aiguisé que la possibilité d'erreur était calculée avec précision puis ignorée. Des mouchoirs noués sur la tête pour éviter tout risque de sueur dans les yeux, ils lissaient la surface, déchiffrant toutes les crevasses du bout des doigts, tel un amant, puis mordaient dans la pierre avec les dents de la scie.

~

Giovanni Belzoni contemplait le sommet de la tête de Ramsès : quelques centimètres sculptés pointaient sous le sable accumulé. Il voyait qu'ouvrir un passage serait aussi difficile que d'essayer de creuser un trou dans l'eau.

Giovanni Battista Belzoni était né à Padoue en 1778, d'un père barbier. Parce qu'il mesurait plus de deux mètres et qu'il pouvait porter vingt-deux hommes sur son dos, il s'était joint à un cirque, dans sa jeunesse, sous le nom de « Samson patagonien ». Mais c'était aussi un ingénieur hydraulicien, un archéologue amateur et un voyageur invétéré ; avec sa femme, Sarah, il avait passé vingt ans à la recherche de trésors dans le désert.

À trois heures de l'après-midi, le 16 juillet 1817, Belzoni gravit la dune à Abou Simbel, enleva sa chemise et se mit à creuser à mains nues. Pendant seize jours, Belzoni creusa, commençant avant l'aube, à la lueur des lanternes, s'interrompant à neuf heures du matin, alors que le soleil était déjà meurtrier, pour se reposer pendant six heures et se remettre à l'ouvrage jusqu'à la nuit tombée. Le froid de la nuit l'aiguillonnait. La froideur persistante du sable, du vent et de l'obscurité ; ambition, échec, abandon.

Puis, enfin, au bord du cercle de lumière que diffusait la lanterne, sa main s'enfonça dans un creux, et un espace étroit, à peine assez grand pour permettre à un homme de s'y glisser, s'ouvrit sous la corniche du temple.

Pendant un instant, Belzoni demeura parfaitement immobile, avec l'impression que sa main n'était plus attachée à son corps. Puis quelque chose changea dans la nuit, le désert changea. Il le sentait, l'entendait : l'air ancien de l'intérieur du temple gémissait par sa petite bouche neuve. Belzoni savait qu'il aurait dû attendre l'aube, mais il en était incapable. Lentement, il retira sa main du trou et sentit une intense puissance se libérer, comme si une immense fournaise de sacré avait été ouverte et que la chaleur de la foi en jaillissait. Une intensité absolument inconnue, angoissante. Plus tard, il se souvint de ce que l'explorateur Johann Burckhardt lui avait dit : « Nous avons depuis si longtemps cessé de côtoyer l'incommensurable. » Il avait l'impression que la noire chaleur l'avait brûlé de part en part, une plaie où s'engouffrait maintenant le vent frais du désert – et, de fait, quand il se ressaisit un peu, il constata que l'air qui sortait du temple était atrocement chaud, plus chaud qu'une étuve, si chaud que plus tard la sueur coulerait le long de son bras, entre ses doigts, jusque sur son calepin, et Belzoni devrait interrompre son dessin. Mais désormais il savait qu'il lui faudrait attendre jusqu'au matin. Quand il se hissa et ressortit le torse, le vent nocturne le submergea ; brusquement, la chaleur gela sur sa peau.

Il s'accroupit dans le sable et tourna les yeux vers le fleuve, presque visible maintenant que le soleil commençait à apparaître à la cime des collines. C'était l'aube, le 1er août 1817.

Bientôt le soleil pénétrerait dans le grand vestibule peint d'Abou Simbel pour la première fois en plus de mille ans.

Du petit trou derrière lui, le rugissement immense du silence.

~

Un jour, un aveugle apparut dans le désert. Sa peau brune était lisse sur ses os et, quel que soit l'âge qu'on lui eût donné, il était très certainement plus vieux encore. Il portait un pantalon européen et un maillot de corps, mais ne parlait aucune langue européenne, seulement un arabe chuchoté, comme s'il avait peur d'être réveillé par sa propre voix.

À sa demande, les ouvriers guidèrent précautionneusement l'aveugle des mollets puissants de Ramsès jusqu'aux genoux épais du roi, chacun de la taille d'un roc. Le vieillard refusait qu'on le porte, et il prit son temps pour mémoriser le chemin. Après plusieurs ascensions et descentes, il connaissait parfaitement son trajet, et ils le laissèrent grimper sans aide pour aller s'asseoir sur le genou de Ramsès. Son regard aveugle était si assuré et si intéressé qu'un étranger aurait pu croire que le vieil homme cherchait quelque chose dans le fleuve, ou qu'il montait la garde. Tous les ingénieurs étrangers s'inquiétaient de voir un aveugle à cette altitude, mais, après la première journée, les ouvriers cessèrent d'y prêter attention.

L'aveugle fascinait les tailleurs de pierre. Les *marmisti* regardaient avec une appréciation professionnelle ses doigts suivre les indices dans le roc. Ils voyaient qu'il n'hésitait jamais, que ses gestes avaient une lenteur et une précision aiguës. S'il faisait un geste, il était certain. Quand Jeanne l'aperçut pour la première fois sur le genou de Ramsès, elle en eut le souffle coupé. Il était à ce point immobile, assis, son visage était à ce point ciselé qu'il ressemblait à un Horus vivant, le dieu à tête d'oiseau. Une nuit, elle le vit, dans son maillot d'un blanc brillant, qui chantait. La machinerie rugissait ; on n'entendait pas le vieil homme, dont la bouche s'ouvrait en silence. Mais Jeanne pouvait deviner qu'il chantait parce qu'il avait fermé les yeux.

~

Chaque fleuve possède une recette d'eau qui lui est propre, des particularités chimiques intimes. Limon, déjections d'animaux, peinture provenant de la coque des bateaux, terre transportée sur la peau, les vêtements et les plumes, salive humaine, cheveux d'hommes… En regardant le fleuve, qui d'abord l'avait étonné par sa petitesse – le grand Nil lui paraissait aussi mince que le bras d'une femme, incontestablement féminin –, Avery imaginait, chagriné, la force avec laquelle il serait bientôt harnaché, sa soumission. Chaque année, depuis des millénaires, gonflé des eaux d'Éthiopie, le Nil offrait sa puissante fertilité au désert. Mais ce cycle ancien allait maintenant prendre fin abruptement. Prendraient aussi fin, par conséquent, les célébrations séculaires de cette inondation, inséparables des dieux, de la civilisation et de la renaissance, abondance qui donnait sens à la rotation de la Terre. .

À la place, un réservoir immense redessinerait le territoire, un lac « vaste comme l'Angleterre », si étendu que l'estimation du taux d'évaporation révélerait une grossière erreur de jugement. Il disparaîtrait dans l'air une quantité d'eau qui aurait suffi à rendre fertiles et cultivables plus de huit mille kilomètres carrés. Le précieux limon saturé de minéraux auquel le sol de la plaine inondable devait sa richesse serait entièrement perdu, prisonnier, inutile derrière le barrage. Des entreprises internationales introduiraient plutôt des engrais chimiques, et le coût de ces engrais – dénués de tous les oligoéléments du limon – grimperait jusqu'à atteindre bientôt des milliards de dollars par année. Sans les sédiments amenés par les crues, les terres arables en aval ne tarderaient pas à s'éroder. Les rizières du nord du delta seraient asséchées par l'eau salée. Partout dans le bassin méditerranéen, les populations de poissons – qui dépendent des silicates et des phosphates apportés par les crues annuelles – déclineraient avant de disparaître tout à fait. L'explosion du nombre d'insectes entraînerait une explosion du nombre de scorpions. Cette nouvelle écologie attirerait des micro-organismes destructeurs qui se multiplieraient dans le nouvel environnement humide, et introduirait de nouveaux parasites – la chenille défoliante, la mite du blé, la pyrale du maïs – qui dévasteraient les cultures que le barrage visait à rendre possibles. Telles des pestes, les insectes répandraient d'atroces maladies infectieuses comme la bilharziose, causée par un parasite qui pond ses œufs dans quasiment n'importe quel organe du corps humain – y compris le foie, les poumons et le cerveau.

Le limon, comme l'eau du fleuve, possédait ses particularités uniques, une sagesse chimique qui se raffinait depuis des millénaires. Pour Jeanne, le limon du Nil était semblable à la chair, en ce qu'il était porteur non seulement d'une histoire, mais d'une hérédité. Telle une espèce éteinte, il disparaîtrait à jamais de cette Terre.

Sur le nouveau site du temple, dépourvu de l'environnement de la rive originale, il y aurait aussi des conséquences – une sorte de revanche. Le désert et le fleuve avaient toujours défendu les temples, mais leur divine protection allait maintenant prendre fin. À la nouvelle altitude, les tempêtes de sable entraîneraient une importante érosion, et l'on devrait semer du gazon pour remplacer le sable ; ces pelouses à leur tour attireraient un fléau biblique de grenouilles, qui à leur tour attireraient un fléau de serpents, qui à leur tour n'attireraient pas les touristes…

Plus de cinq cents invités officiels assisteraient à l'inauguration des temples réédifiés. Il y aurait des discours enflammés. « Nul gouvernement civilisé ne peut refuser d'accorder la priorité au bien-être de son peuple. [...] Il fallait que le haut barrage soit construit, peu importe les conséquences possibles... » « Ce n'est pas le moment de revenir sur les actions et les réactions auxquelles la Campagne internationale a donné lieu... »

La simulation est le déguisement parfait. La copie, réalisée dans un but de commémoration, produit l'effet contraire : elle permet à l'original d'être oublié. Dans la foule, un journaliste chahute : « Il est exactement pareil ! Qu'est-ce que vous avez fait des quarante millions de dollars ? »

Pas un mot ne serait prononcé sur les Nubiens forcés de quitter leurs anciennes demeures et leur fleuve, ni sur les vingt-sept villes et villages disparus sous le nouveau lac : Abri, Kush Dakki, Ukma, Semna, Sarra, Shoboka, Gemai, Wadi Halfa, Ashkeit, Dabarosa, Qatta, Kalabsha, Dabud, Faras...

... Farran's Point, songeait Avery, Aultsville, Maple Grove, Dickinson's Landing, la moitié de Morrisburg, Wales, Mille Roches, Moulinette, Woodlands, Sheek's Island...

~

Au bord du fleuve Saint-Laurent, près d'Aultsville, au Canada, Avery attendait l'arrivée du Bucyrus-Erie 45 – le Gentleman – une immense dragueline transportée par barge jusqu'au futur site du barrage sur le Saint-Laurent depuis une mine de charbon du Kentucky. Il y avait autour de lui un étalage qui aurait comblé le plus ardent des adorateurs de machines : neuf dragues, quatre-vingt-cinq décapeuses, cent quarante pelles mécaniques et draguelines, mille cinq cents tracteurs et camions.

C'était le moment que son père préférait, superviser le rassemblement de l'infanterie mécanique, se préparer non pas à prendre la colline mais à l'éliminer, ou à la manufacturer, selon ce que les circonstances exigeaient. William Escher savait qu'il ne s'agissait pas d'un simple affrontement de forces brutes où technologie et nature s'opposaient, mais d'un test de volonté, deux intelligences dressées l'une contre l'autre, exigeant à la fois probité et sagacité.

Avery contemplait l'argile du Saint-Laurent à ses pieds. Il comprit presque instantanément qu'elle gèlerait dur comme pierre pendant l'hiver et qu'à l'été elle immobiliserait dans son étreinte même les roues les plus grosses. Bien qu'elle fût docile à ce moment, en ce début d'après-midi du mois de mars 1957, il devinait que la construction de la voie maritime pourrait facilement donner lieu à l'une des excavations les plus périlleuses du continent. Avery avait été engagé sur la foi de ses compétences et sous la supervision de son père. Mais William Escher était mort avant que l'on abatte le premier arbre. Depuis qu'il avait quitté l'école, Avery avait toujours travaillé avec son père. Maintenant il se trouvait à contempler les derniers moments d'un paysage – une cérémonie qu'ils avaient toujours partagée – sans la main de son père sur son épaule.

Sur les rives verdoyantes du Saint-Laurent, des villes et des hameaux étaient apparus, fondés par les loyalistes de l'Empire-Uni, des colons qui étaient jadis dans les rangs du bataillon des « Royal Yorkers ». Ensuite étaient débarqués les colons allemands, néerlandais et écossais. Puis un touriste du nom de Charles Dickens, voyageant en bateau à vapeur et en diligence, qui décrivit le fleuve qui « bouillonnait et bouillottait » près de Dickinson's Landing et le stupéfiant spectacle de la drave : « Un radeau gigantesque, quelque trente ou quarante cabanes de bois posées dessus et au moins autant de mâts en rondins, de sorte que l'ensemble avait des airs de rue nautique... »

Auparavant étaient venus les chasseurs de la mer, les baleiniers basques, bretons et anglais. Et, en 1534, Jacques Cartier, le chasseur qui avait capturé le plus gros trophée, un continent entier, en reconnaissant rapidement que, en canot d'écorce, il était possible de suivre le fleuve et de percer le territoire jusqu'au cœur.

Les grands barons du commerce maugréaient, incapables de quitter leurs ports de l'Atlantique pour conquérir les Grands Lacs avec leurs immenses navires pleins à craquer de marchandises à vendre. Deux détails ennuyeux leur faisaient obstacle : les deuxièmes chutes en importance au monde – les chutes du Niagara – et les rapides du Long Sault.

Le bruit des rapides du Long Sault était assourdissant : il avalait les mots dans l'air et tout ce qui se trouvait pris dans sa puissance. Sur près de cinq kilomètres, un lourd brouillard flottait au-dessus du fleuve, et même ceux qui s'en tenaient à bonne distance étaient trempés par les embruns. Les eaux bouillonnantes se précipitaient dans une gorge étroite en une descente graduelle de neuf mètres.

Au milieu du XIXe siècle, on creusa des canaux pour contourner les rapides, mais ils étaient trop peu profonds pour permettre le passage de grands cargos. Il en allait ainsi ; Avery aurait été incapable de trouver un seul exemple d'un lieu où ces canaux initiaux n'avaient pas annoncé l'érection future d'un barrage, peu importe le nombre de générations séparant celui-ci de ceux-là. La question de la construction de la voie maritime, accompagnée d'un barrage reliant les rives canadienne et américaine du fleuve, avait été débattue à maintes reprises, sur maintes décennies, jusqu'à la naissance, en 1954, du Projet de voie maritime et de centrales hydro-électriques du Saint-Laurent. L'électricité serait produite au profit des deux pays, entre lesquels un lac long de cent soixante kilomètres se formerait.

Pour parvenir à ces fins, il fallait drainer les tumultueux rapides du Long Sault. Une année durant, tandis que les canaux étaient élargis, les archéologues écumèrent les cimetières de navires où, pendant des siècles, la force de l'eau avait soudé des boulets de canon, des mâts et des plaques de fer dans le roc au moment de l'impact. Il ne fallait rien de moins qu'une explosion pour les en libérer.

Pendant quelque temps, Avery resta assis sur la berge du fleuve, non loin des imposantes machines, et songea au caractère indompté de cette eau, à l'exultation de cette force. Ce sentiment qu'il éprouvait au début lui était désormais familier, et il savait qu'il renfermait une part d'apitoiement sur lui-même ; les premiers signes d'un chagrin lent, coagulant.

Au moment de l'inondation des berges, Aultsville, Farran's Point, Mille Roches, Maple Grove, Wales, Moulinette, Dickinson's Landing, Santa Cruz et Woodlands seraient « perdus ». C'était un terme pour lequel Avery avait déjà éprouvé du mépris mais qu'il appréciait maintenant, à cause du mordant involontaire de la vérité qu'il exprimait ; des milliers de personnes se retrouveraient sans abri, comme par quelque acte de négligence. Les anciens habitants seraient rassemblés et relocalisés, distribués dans deux villes nouvellement construites : la Ville n° 1 et la Ville n° 2, que l'on baptiserait plus tard Long Sault et Ingleside. Comme la ville d'Iroquois devait être reconstruite à un kilomètre et demi de la berge et garder son nom, elle n'était pas officiellement considérée comme « perdue », même si elle allait tout perdre, hormis son nom. Devaient aussi être inondées les îles Croil, Barnhart et Sheek. La construction commencerait bientôt à la limite nord de la ville de Morrisburg pour compenser la moitié d'elle-même appelée à disparaître. Les Premières Nations, formées de descendants des chasseurs sibériens qui avaient traversé le pont de terre depuis l'Asie vingt mille ans plus tôt et qui s'étaient établis sur ces berges après la fonte du grand glacier, furent dépossédées des rives et des îles ; des métaux lourds produits par les nouvelles industries de la voie maritime empoisonneraient leurs stocks de poissons et leur bétail sur l'île Cornwall. Des frayères seraient détruites. Les saumons lutteraient pour remonter le courant, vifs et résolus, et trouveraient leur route bloquée par du ciment.

La Commission d'énergie hydro-électrique de l'Ontario avait offert de transporter les maisons des villages dans la Ville n° 1 ou la Ville n° 2. Les demeures furent soulevées de leurs fondations par le gigantesque Hartshorne House Mover. La machine à déplacer les maisons était capable de soulever un bâtiment de cent cinquante tonnes comme un morceau de gâteau sur sa fourchette d'acier géante, sans en laisser tomber une miette. Deux hommes, l'un debout sur les épaules de l'autre, auraient tenu dans le diamètre d'un pneu, et la machine pouvait parcourir neuf kilomètres et demi à l'heure avec un plein chargement. L'inventeur et constructeur de l'engin, William J. Hartshorne, présida lui-même aux opérations de la voie maritime ; Avery avait observé tandis que deux bras d'acier avaient étreint la maison sous laquelle un cadre avait été fixé et qui avait été hissée grâce à un système hydraulique. Cinq cent trente et une maisons avaient été déplacées de la sorte, à raison de deux par jour.

« Laissez votre vaisselle dans les armoires, trompetait M. Hartshorne. Rien là-dedans ne va bouger d'un pouce ! » Même la cuillère qu'il avait posée en équilibre précaire au bord d'un bol y oscillait encore quand ils reposèrent la maison et ouvrirent la porte. Ce soir-là, la ménagère à qui appartenait la cuillère en question était si énervée à l'idée de se trouver dans sa propre cuisine à des kilomètres de l'endroit où elle avait pris son déjeuner le matin même qu'elle en laissa tomber sa théière, qui se fracassa, théière pour laquelle elle s'était fait un sang d'encre – la Wedgwood de sa mère, dans la famille depuis quatre générations –, en la transportant sur la courte distance qui séparait le comptoir de la table.

En 1921, le président de la Commission d'énergie hydro-électrique de l'Ontario, sir Adam Beck, avait parlé de l'inondation future des villages bordant le Saint-Laurent et de l'évacuation de leurs habitants comme du « facteur sentimental ». Maintenant la Commission avait réquisitionné la papetière pour y établir son siège social, et installé ses bureaux régionaux dans la manufacture de bas à Morrisburg. Non loin de l'endroit où se tenait Avery, on érigerait des télescopes publics dominant le site de construction et l'on organiserait des trajets en autocars pour les millions de visiteurs qui viendraient admirer les travaux. On engagerait un historien pour « collecter et préserver les données historiques » des lieux qui devaient être détruits. Le nombre de bénéficiaires de l'aide sociale dans ces comtés doublerait. Déjà, Avery savait qu'une rumeur circulait voulant que l'on puisse gagner dix dollars l'heure à déplacer des tombes.

~

Tous les samedis, quand Jeanne était petite, son père, John Shaw, professeur de français dans une école privée anglophone de Montréal, prenait le train – le *Moccasin* – pour aller donner des leçons particulières aux enfants du riche propriétaire de la grainerie d'Aultsville. Quand Jeanne descendait l'escalier le dimanche matin, sur la table de la cuisine l'attendait un sac en papier rempli de brioches où se lisaient, sombres et satinés de beurre, les mots mystérieux *Markell's Bakery* tracés d'une écriture fluide. Après la mort de sa mère, Jeanne accompagnait son père en silence. Ils se tenaient la main dans le train, pendant tout le trajet, et le père de Jeanne apprit à sortir un livre de sa poche et à en tourner les pages d'une seule main tandis que sa fille dormait appuyée sur son épaule. Après la mort de sa femme, John Shaw s'était mis à lire les livres qu'elle avait aimés, les livres posés de son côté du lit. Il mémorisait les lignes qu'elle avait soulignées ; les vers de John Masefield qu'elle récitait quand Jeanne était un bébé riant dans ses bras, tout en traversant le linoléum de la cuisine :

« Dirty British coaster with a salt-caked smokestack,
Butting through the Channel in the mad March days,
With a cargo of Tyne coal,
Road rail, pig lead,
Firewood, ironware, and cheap tin trays[1] »

Ou les mots d'Edna St. Vincent Millay, quand Jeanne se réveillait la nuit et que sa mère la portait en travers de sa poitrine, enveloppée dans une couverture :

« O world, I cannot hold thee close enough…
Long have I known a glory in it all,
But never knew I this:
Here such a passion is
As stretcheth me apart – Lord, I do fear
Thou'st made the world too beautiful this year ;
My soul is all but out of me[2]… »

Les villages au bord du Saint-Laurent étaient égayés à la fois par le chemin de fer et par le fleuve, qui créaient une vigueur que Jeanne n'arrivait pas tout à fait à expliquer, bien qu'elle la reconnût obscurément ; deux histoires se rencontrant à mi-chemin. À neuf ans, Jeanne savait maintenant ce que c'était d'être affamé d'amour et, dans sa faim, elle était influencée par ce qu'elle voyait : la vieille femme près

1. Caboteur britannique crotté à la cheminée encroûtée de sel / Qui traverse la Manche en pétaradant par les folles journées de mars / Transportant un cargo de charbon de Tyne / De rails de chemin de fer, de saumon de plomb / De bois pour le feu, de ferrailleries, et de mauvais plateaux de fer-blanc. (NDLT)

2. Ô monde, je ne peux te tenir d'assez près… / Depuis longtemps je sais qu'il y a là une gloire / Mais je n'ai jamais su ceci : / Ici, une telle passion / Me déchire – Seigneur, je crains / Que Vous n'ayez fait le monde trop beau cette année / Il s'en faut de peu que mon âme m'échappe… (NDLT)

du fleuve qui sans cesse sortait de son sac à main quelques pages qu'elle palpait pour s'assurer qu'elle ne les avait pas perdues, son sac se refermant avec le même petit bruit sec que le poudrier doré de la mère de Jeanne ; le petit garçon qui cherchait sans cesse à saisir le pompon sur le manteau de sa mère, qui se balançait et lui échappait à chaque pas. Une fois, au magasin général, elle vit une femme qui tendait des pommes de terre à Frank Jarvis, l'épicier, pour qu'il les pèse sur sa balance ; puis la femme lui passa son bébé pour qu'il le pèse aussi. La femme surprit le regard de Jeanne. « Oui, fit-elle en souriant. Jarvis et Shaver vendent des bébés. À la livre. »

Jeanne se mit à attendre avec impatience ces excursions en compagnie de son père. À l'été, ils descendaient à d'autres gares après sa matinée de travail ; parfois à Farran's Point, où John Shaw aimait visiter la scierie ou la minoterie, la filature ou la carrière de marbre dont le maître maçon avait jadis habité New York. Pendant que son père examinait les corniches et les voûtes éparpillées sur le terrain, Jeanne traquait les petits animaux, avec leur pelage de pierre finement sculpté, qui, cachés dans l'herbe haute, la guettaient derrière les arbustes. À l'Écluse 22, ils admiraient les jardins de fleurs qu'entretenaient les éclusiers. Ils regardaient la chaleur liquide monter au-dessus de la carrière de calcaire et se pinçaient le nez devant la puanteur de la papetière de Mille Roches. Chaque fois que le train s'arrêtait – à Aultsville, Farran's Point, Moulinette –, ils découvraient sur la plateforme un petit groupe de gens attendant que l'on décharge des marchandises : de grosses bobines de fil de fer, des pièces de voiture, du bétail. Ils apprirent bientôt à reconnaître le bruit sourd des sacs de courrier lancés sur le quai avant que le train ne s'ébranle et à surveiller les tas informes de toile à voile sale qu'on avait jetés sur la plateforme. Ils observaient les agents de train arpentant la voie ferrée et remplissant d'huile les lanternes d'aiguillage. Ils voyaient des étudiants qui revenaient du collège à Cornwall pour la fin de semaine, et des villageois qui rentraient chez eux après avoir passé la journée à faire des courses à Montréal, des colis encombrants enveloppés de papier dans leurs bras ou empilés à leurs pieds pendant qu'ils attendaient que quelqu'un vienne les cueillir à la gare. Jeanne commença à entrevoir que chacune des deux directions pouvait présenter un mystère pour les voyageurs, même si la tristesse s'abattait chaque fois sur elle lorsqu'ils approchaient de la ville. Quand ils arrivaient chez eux, avenue Hampton, Jeanne, privée de mère, avait perdu tout désir de la chercher des yeux.

~

Les jours marquant des anniversaires intimes, ou bien aux changements de saison, qui ravivent les souvenirs, des bateaux à rames avancent résolument jusqu'à des coordonnées apparemment dépourvues de sens dans la voie maritime du Saint-Laurent où, d'un coup, les rameurs remontent leurs avirons et s'immobilisent en tournoyant. Parfois, ils laissent des fleurs qui flottent à la surface de l'eau tandis qu'ils dérivent en silence.

Sur les hauts-fonds, au mois d'octobre, on peut encore se tenir debout au milieu de la laiterie d'Aultsville. On peut se promener, de l'eau jusqu'aux chevilles, dans la rue principale dont les arbres sont maintenant des souches imbibées d'eau. Les premières années, des jardins continuaient même de poindre hors des hauts-fonds, tels des pèlerins qui n'auraient pas encore été informés du désastre.

Quand la voie maritime fut construite, on alla jusqu'à déposséder les morts, qui furent exhumés et transportés dans des cimetières au nord du fleuve. Mais tous les villageois n'étaient pas prêts à accepter l'invitation de l'entreprise hydroélectrique à disposer de leurs ancêtres ; c'est ainsi que six mille pierres tombales furent déplacées alors que les tombes anonymes restèrent où elles étaient.

Pendant plusieurs années, les résidants des comtés de Stormont, de Glengarry et de Dundas eurent peur de se baigner ; le fleuve appartenait désormais aux morts, et beaucoup craignaient que les corps ne s'échappent et ne flottent jusqu'à la surface. D'autres n'arrivaient tout simplement pas à se résoudre à entrer dans l'eau où tant d'êtres et tant de choses avaient disparu, comme s'ils risquaient eux aussi de n'en jamais revenir.

~

Jeanne et son père étaient descendus à Dickinson's Landing. Aussitôt qu'ils eurent quitté la gare, ils avaient perçu l'hystérie chuchotée, le désœuvrement. De la route, ils pouvaient voir que toutes les maisons avaient été pillées, vidées de l'intérieur, leurs murs à moitié déchirés. Sur les pelouses, des ganglions de fils pendaient hors de cervelles en ciment rugueux. Intérieur et extérieur se fondaient en une pâte pulpeuse et fibreuse de bois et de plâtre – comme des graines de citrouille extraites à la cuillère. Des motifs familiers de carpette et de papier peint étaient exposés à l'air libre. Des appareils électriques et sanitaires, des lattes de plancher, des foyers victoriens finement travaillés, dégageant tous une intimité palpable, étaient renversés sur l'herbe où ils attendaient d'être ramassés par des camions. Parmi les gravats, des feux avaient été allumés.

C'était une froide journée d'automne ; la possibilité de la neige. Les feuilles sur le ciel sombre flamboyaient, couleur de lourds fruits mûrs. Jeanne et son père se joignirent à la procession improvisée et traversèrent la ville jusqu'au jardin de Georgiana Foyle, surnommée « Granny ». Seuls les hommes qui allaient et venaient sur la pelouse d'un pas autoritaire et ceux qui se tenaient sur la large véranda faisant le tour de la maison parlaient d'une voix normale. Personne ne se rappellerait exactement à quoi cela ressembla, il y avait tant à appréhender et à comprendre ; certains dirent que cela avait commencé graduellement et mis longtemps à prendre, d'autres affirmèrent qu'un mur de feu s'était élevé en un instant, dégageant une chaleur qui repoussa tous les observateurs jusqu'à la route. Il y avait une foule énorme ; Georgiana Foyle était peut-être la seule du comté à ne pas regarder sa maison brûler.

Après, Jeanne et son père marchèrent jusqu'au fleuve. Même là, où l'air était rafraîchi par l'eau, ils sentaient la fumée.

Le Saint-Laurent coulait comme toujours. Mais déjà il était impossible de regarder le fleuve du même œil.

Ils restèrent là, à contempler les îles. Il se mit à neiger. Ou, du moins, on aurait dit qu'il neigeait, mais ils se rendirent bientôt compte que c'était de la cendre qu'il y avait dans l'air.

Les cendres blanches luisaient contre le ciel noir. Elles tombaient si dru que John Shaw n'arrivait pas à les balayer de son manteau. Il appuya ses doigts sur ses yeux. Jeanne mit la main dans la poche du manteau de son père, et de son autre main enfonça son bonnet de tricot sur sa tête. Jeanne, dix-huit ans, savait que l'émotion qu'il ressentait n'était pas uniquement due à Georgiana Foyle. Sa maison s'est envolée, avait dit John Shaw. Mais ils ne bougèrent pas, et restèrent debout au bord de l'eau.

Les crêtes que soulevait le vent sur l'eau, les nuances de bleu et de noir étaient rendues si vives par le froid que la beauté de la scène semblait presque insoutenable à Jeanne, incapable de dissocier cette vue de la tristesse de son père ou du contact de sa main.

Plus tard, alors qu'ils revenaient à pied vers la gare, il commença à neiger vraiment, une lourde neige mouillée qui s'évanouissait en touchant terre.

~

Georgiana Foyle, qui jusqu'à ce moment précis se faisait une fierté de n'avoir jamais de sa vie dérogé aux bonnes manières, frappa sur l'aile du Falcon d'Avery du plat de la main. Elle avait commencé à parler avant qu'il ait baissé sa vitre.

— Mais ils peuvent déplacer le corps de votre mari, répondit Avery. La compagnie va assumer les dépenses.

Elle le regarda avec stupeur. Cette pensée sembla lui imposer silence. Puis elle dit :

— Si vous déplacez son corps, alors il faudra que vous déplaciez la colline. Il faudra que vous déplaciez les champs autour de lui. Il faudra que vous déplaciez la vue que l'on a du sommet de la colline et les arbres qu'il a plantés, un pour chacun de nos six enfants. Il faudra que vous déplaciez le soleil, parce qu'il se couche entre ces arbres. Et que vous déplaciez sa mère, son père et sa sœur cadette. C'était la fille la plus admirée du comté, mais tous les hommes sont morts pendant la Première Guerre, alors elle ne s'est jamais mariée et elle a été enterrée aux côtés de sa mère. Ils se tiennent compagnie les uns les autres, et ces tombes sont vieilles, alors il faudra que vous déplaciez la terre avec, pour être certain qu'il ne reste rien de personne derrière. Pouvez-vous me promettre cela ? Savez-vous ce que cela signifie, pleurer un homme pendant vingt ans ? Vous envisagez la mort comme un jeune homme envisage la mort. Il faudrait que vous déplaciez la promesse que je lui ai faite de continuer à venir sur sa tombe pour lui décrire ce lieu, comme je le faisais quand nous étions jeunes mariés, lorsqu'il s'était blessé au dos et qu'il avait dû garder le lit pendant trois mois. Chaque soir, je lui décrivais la vue depuis la colline surplombant la ferme et c'était un peu de douceur – pendant quarante ans – entre nous. Pouvez-vous déplacer cette promesse ? Pouvez-vous déplacer ce qui a été consacré ? Pouvez-vous déplacer ce vide précis, dans la terre, où je devais reposer près de lui pour l'éternité ? C'est de la solitude de l'éternité que je parle ! Pouvez-vous déplacer tout cela ?

Georgiana Foyle regardait Avery avec un mélange de dégoût et de désespoir. Sa peau, semblable à du papier qui aurait été chiffonné puis lissé, était baignée de larmes dans l'enchevêtrement de rides ; son visage entier luisait, mouillé. Elle était si frêle qu'on aurait dit que sa robe de gros coton flottait autour d'elle sans toucher sa peau.

Avery aurait voulu tendre la main, mais il avait peur. Il n'avait pas le droit de la consoler.

La vieille femme s'appuya contre la voiture et sanglota sans honte en s'entourant de ses bras. Ses os longs et minces saillaient sous ses manches.

~

Après qu'on eut pillé les maisons et les fermes des comtés de Stormont, de Glengarry et de Dundas pour en extraire les matériaux de construction et qu'on eut éradiqué ce qui en restait par le feu et les bulldozers, les politiciens se réunirent juste à l'ouest de Cornwall, dans la ville de Maple Grove, pour enfoncer leur pelle dorée dans le sol. Cinq années de construction et de déconstruction s'amorçaient. On érigerait trois barrages majeurs, et des batardeaux pour permettre au travail d'avancer, ouvrages qui divertiraient d'abord une moitié des eaux du fleuve et puis la seconde, laissant tour à tour la moitié drainée libre pour la construction. Voir le lit du fleuve exposé de la sorte, le lit intime – privé, vulnérable, jonché de végétation, de mousses, de vie marine – se ratatiner au soleil, donnait mal au cœur à Jeanne, incapable de décider ce qu'elle devait faire : regarder, ou détourner les yeux.

C'était troublant, apocalyptique, de marcher dans le lit ainsi exposé, comme si le fantôme du fleuve tourbillonnait autour des jambes d'Avery. Il regardait sans cesse par terre et par-dessus son épaule, avec l'impression que, à tout moment, le Saint-Laurent pouvait se remettre à couler en un courant puissant qui le renverserait. Mais il y avait plutôt un silence nouveau. Des pierres gisaient là, vidées de leur sens ; on aurait dit que le temps lui-même avait cessé de s'écouler.

Loin devant, sur la rive, il vit quelque chose bouger. Il discerna une silhouette féminine. Il la regarda marcher et se pencher, marcher et se pencher, comme un oiseau qui courbe la tête, ici et là, à la recherche de nourriture. Elle portait un short bleu et une chemise à manches courtes en coton imprimé. Un sac de toile était passé en travers de son dos. Il la regarda envelopper avec soin des choses dans du papier journal, écrire quelques mots, puis les entasser dans le sac. Elle dut sentir son regard, car tout à coup elle s'interrompit, se retourna et le dévisagea. Puis, ayant manifestement pris une décision, elle se remit à marcher, s'éloignant de l'endroit où il se trouvait.

À cet instant, en la voyant s'éloigner, Avery fut submergé par une tristesse inexplicable, à laquelle succéda un douloureux sentiment de manque. Il grimpa sur la rive et, quand il fut assez proche, il vit qu'elle cueillait des plantes.

— Pardon, je ne veux pas vous déranger, dit Avery. Je suis simplement curieux de savoir ce que vous faites.

Elle leva les yeux vers lui, étonnée par son accent anglais.

— Êtes-vous venu d'Angleterre pour admirer notre fleuve asséché ?

— Je travaille sur le barrage, dit Avery.

À ces mots, elle enfonça dans son sac une autre feuille de papier journal pliée et se remit en route.

— Si ce n'est pas trop indiscret, je peux vous demander ce que vous cueillez ?

Elle continua à marcher. Il voyait le fin duvet, blondi par le soleil, sur ses bras et l'arrière de ses cuisses.

— Tout ce qui pousse encore ici, répondit-elle en haussant les épaules. Tout ce qui aura bientôt disparu.

— Mais pourquoi ramasser ces herbes ? Ce sont des plantes communes, dit Avery. La barbotine et la lysimaque, il en pousse partout.

— Vous connaissez un brin de botanique. Juste un brin. Ce n'est pas de la lysimaque, c'est de l'épilobe.

Elle s'arrêta. Il vit son visage déterminé, hâlé.

— Je constitue des archives, dit-elle d'un ton amer. Je vais transplanter les plantes que j'ai cueillies ici, cette génération précisément. Même si, bien sûr, elles ne pousseront pas et ne se reproduiront pas exactement comme elles l'auraient fait si on les avait laissées tranquilles.

— Ah, fit Avery. Je comprends.

Elle commença à se pencher puis se releva, incapable de poursuivre son geste tant qu'il la regardait.

— Mon père était ingénieur, reprit Avery. Je le suivais partout où il travaillait, et la première chose que j'apprenais à chaque nouvel endroit, c'étaient les arbres et les fleurs… Ce devait être très beau, ici…

Elle le regarda.

— La chose à ne pas dire…

— Non. C'était très beau, ici… il y a un mois.

Elle baissa les yeux vers le sol.

— Je venais souvent ici, dit-elle, avec mon père.

Elle hésita, puis descendit dans le lit du fleuve et appuya son dos sur toute sa longueur contre un rocher. Il la suivit et s'assit, quelques pas « en amont ».

— Il y a un mois, nous ne nous serions pas assis ici, dit Avery.

— Non, dit Jeanne.

Jeanne n'oublierait jamais de quoi Avery avait parlé, leur premier après-midi dans le fleuve abandonné : des Hébrides, où la mer et le ciel sont affolés par l'odeur de la terre ; des collines de Chiltern, avec leurs plages mouillées semblables à des forêts de pierre ; et de son père, William Escher, qui, au cours des mois avant sa mort, avait pris les mesures nécessaires pour qu'Avery l'assiste dans son travail sur la voie maritime. Il collaborait maintenant avec un autre ingénieur, un ami de son père. Même dans ce bref récit, Jeanne sentit combien le père d'Avery lui manquait. Elle vit comme ses gestes étaient nerveux tandis qu'il enroulait et déroulait les courroies de ses jumelles dans les bretelles de son sac à dos. C'était maintenant à son tour de ressentir un manque d'une profondeur insondable, alors qu'elle craignait à tout moment qu'il cesse de parler et s'éloigne d'elle.

— Il y a un cinéma à Morrisburg, dit enfin Avery. Viendrais-tu m'y retrouver un soir ?

Jeanne dévisagea Avery. Elle n'était jamais allée au cinéma avec un homme autre que son père. Puis elle détourna les yeux, vers l'aval, reconnaissant la pauvreté de son expérience dans l'infinie étendue de glaise mise au jour.

— Très bien, dit Jeanne.

Quand ils émergèrent du cinéma, c'était une longue soirée d'été, pas encore tout à fait noire.

— Tu peux venir me reconduire à la maison, dit Jeanne.

— Oui, bien sûr, répondit Avery en éprouvant une piqûre de déception aiguë à la pensée qu'elle voulait le quitter si vite. Où habites-tu ?

— À environ quatre heures de route…

Il était minuit passé quand ils arrivèrent à Toronto. L'avenue Clarendon était bordée d'arbres, déserte. Les feuilles des érables se froissaient dans le vent tiède. Jeanne poussa la porte de fer forgé d'un vieil immeuble d'appartements en pierres où des lanternes de verre suspendues brillaient faiblement dans le hall d'entrée.

— Sors, je t'en prie, dit Jeanne en tenant la porte pour laisser entrer Avery.

À l'intérieur, le plafond de l'entrée scintillait, couvert d'étoiles.

— C'est ici que mon père et ma mère ont habité quand ils se sont mariés, dit Jeanne. Le peintre J. E. H. MacDonald a tout imaginé, les signes du zodiaque, les motifs sur les poutres, et son apprenti, un jeune homme du nom de Carl Schaefer, a grimpé sur une échelle pour les peindre. Schaefer travaillait la nuit, en ouvrant la porte qui donnait sur la cour. Ça devait être si émouvant de peindre le ciel nocturne à l'aide de feuilles d'or en étant entouré de toutes parts de la vraie nuit… Plus tard, mes parents ont déménagé à Montréal, et ma mère disait toujours qu'elle y avait commencé son jardin parce qu'elle n'avait plus les étoiles. Presque tout de suite après leur emménagement, son frère est mort en plein ciel, au cours d'un vol de nuit. Il était dans l'Aviation royale du Canada. Mon père affirmait que ma mère avait toujours associé les deux événements, même si elle avait honte de l'avouer. Dès qu'elle a cessé de guetter le ciel nocturne, il était perdu. Ils étaient les deux seuls enfants de mes grands-parents – ma mère et son frère –, et ils sont morts à trois ans d'intervalle.

Avery et Jeanne marchaient sous les étoiles. Le sol du hall d'entrée était recouvert de marbre et de carreaux de céramique ; des voûtes de pierre finement travaillées menaient à l'ascenseur.

— C'est le premier plafond au Canada fait de béton coulé, annonça fièrement Jeanne. La peinture est résistante à l'acide et recouverte de vernis yacht ; les cieux ne se fissureront et ne se décoloreront jamais !

— Personne ne pourrait se douter que le ciel tout entier est là, dit Avery, dans cet édifice de pierres.

— Oui, dit Jeanne. C'est un secret.

Ils avaient roulé ensemble pendant des heures, enveloppés par les champs enténébrés ; entre eux, par les vitres ouvertes de la voiture, soufflait le vent frais d'été. Maintenant, dans l'ascenseur exigu, ils étaient tassés l'un contre l'autre, gênés.

Sur le palier, Jeanne ouvrit la porte pour révéler la lueur de la lune et l'éclat des lampadaires ; elle avait laissé les rideaux ouverts et le plancher du salon luisait, entièrement couvert de plantes, la lumière ricochant sur des centaines de pots remplis de semis et de fleurs.

— Voici quelques spécimens qui représentent bien les espèces indigènes, dit Jeanne. Et elle songea : Me voici.

~

Ils laissèrent la voiture d'Avery à l'orée de la forêt. La piste était envahie de broussailles, guère plus large que les épaules d'un homme ; comme la forêt a tôt fait de nous oublier ! Il n'y avait pas grand-chose à porter : un sac en papier plein de provisions, la musette de Jeanne. Le son des rapides se répercutait, régulier, sous le couvert de feuilles. De la brume restait prisonnière entre les arbres, comme si la forêt respirait. La cabane était à quelque distance des rapides du Long Sault, mais même ici le rugissement explosait. Une poignée de cabanes s'élevaient jadis là où il n'en restait plus qu'une. À l'intérieur, une table en bois, trois chaises, un lit trop vieux pour qu'on se donne la peine de le déménager. Un poêle à bois. L'ombre de la forêt et l'eau du fleuve avaient imprégné la masure pendant tant d'années que l'humidité et le souvenir de l'humidité y subsisteraient toujours. Le jour où il avait découvert la cabane, alors qu'il étudiait le site des rapides, Avery avait transporté son attirail depuis l'hôtel de Morrisburg, acheté des draps, une lanterne, une provision de mèches.

En entrant, Jeanne eut peine à croire la puissance des rapides du Long Sault – on aurait dit un mirage acoustique –, comme si la clameur avait été amplifiée par le petit espace nu. Le froid de la cabane et l'odeur de cèdre et de fumée de bois devinrent immédiatement inséparables du tumulte du fleuve. Elle avait l'impression qu'il lui faudrait parler la bouche collée à l'oreille d'Avery, ou crier, ou se contenter de prononcer les mots en silence. Quand elle se penchait vers lui pour parler, les cheveux de Jane effleurant son visage lui semblaient insupportablement vivants.

— Après un moment, dit Avery, le son finit par faire partie de toi, comme le bruit du sang quand on se couvre les oreilles.

Il alluma les lampes, empila les bûches pour le feu. Jeanne vida le sac de provisions ; il n'y avait rien de frais cueilli dans le potager de Frank Jarvis, et elle avait été accablée par le fait qu'il n'y aurait jamais plus de potager comme par les étagères du magasin général presque vide. Ils avaient plutôt acheté des tomates en boîte, transportées par bateau depuis la lointaine Italie, une longue boîte de pâtes, un petit pot de basilic, et une boîte en carton blanc de chez Markell qui contenait des brioches semblables à celles que le père de Jeanne lui rapportait quand elle était enfant. Elle les disposa sur la table.

À cause du bruit du fleuve, ni l'un ni l'autre ne parlèrent beaucoup ; plutôt, ils éprouvaient intensément chacun de leurs gestes dans la petite pièce. Avery regardait Jeanne chasser ses cheveux de devant ses yeux avec son avant-bras tandis qu'elle se lavait les mains dans l'évier. Elle vit son malaise alors qu'il balayait la cabane du regard à la recherche de traces embarrassantes : le cerne de savon huileux autour de l'évier de la cuisine, son pantalon raidi par la boue suspendu derrière la porte.

Il y avait peu de place. La table était au pied du lit ; la cuisine n'était séparée de la chambre que par un bout de tapis posé sur le plancher. Tout était bien rangé, la hache dans son étui de cuir près de la porte, les bidons d'eau Coleman attendant d'être remplis. Une tablette étroite pour le lavabo, le carré plié d'une serviette qui s'effilochait. Sur le plancher près du lit : *Plantes comestibles, Le plaisir des ruines, L'expédition du Kon-Tiki, Le danger que présentent les oiseaux pour les avions, Excavations dans la grotte de la rivière Njoro.* Sur l'appui des fenêtres, la collection habituelle de cailloux et de bois d'épave, mais ici classés selon leur conformation et leur couleur, gardés pour leur ressemblance avec une autre silhouette : la pierre en forme d'animal ou d'oiseau. Il en a toujours été ainsi, songea Jeanne, le désir d'une ressemblance, de l'animé dans l'inanimé. La cabane tout entière était organisée comme un chef organiserait une cuisine : tout à sa place pour être facilement accessible. Avery avait une conscience aiguë du fait que la pièce trahissait ses habitudes.

Jeanne ajouta de l'huile et du basilic aux tomates et jeta du sel dans l'eau bouillante. Ils mangèrent au son des rapides. De la fenêtre, on ne voyait que la forêt, et cela contribuait aussi au charme : l'invisibilité même du fleuve impérieux. Tandis que la pièce s'emplissait de ténèbres, le bruit du Long Sault parut croître. Pour la première fois, Jeanne songea à l'intimité au cœur de ce son, la force continuelle de l'eau sur le roc, sculptant chaque crevasse et chaque contour du lit du fleuve.

Après le repas, au cours duquel ils parlèrent à peine, comme ils n'avaient nulle part ailleurs où aller, Avery prit la main de Jeanne et ils s'allongèrent.

— Si nous nous mettons au lit, alors nous ferions mieux de nous habiller, dit Avery en lui tendant un chandail de laine et des bas épais roulés en boule. Il fait très froid la nuit et parfois j'enfile tout ce que je possède, même avec le feu.

La vue de Jeanne portant ses vêtements faillit avoir raison de la résolution d'Avery. Mais il resta sans bouger à ses côtés.

Il pouvait sentir la fumée de bois dans ses cheveux. Et elle, dans la laine du chandail d'Avery, pouvait sentir son corps, l'huile à lampe, la terre.

La lueur de la lanterne, le feu, la rivière, le lit froid, la main immobile, petite et forte, de Jeanne sous le pull d'Avery.

S'approprier l'image de Jeanne. Apprendre, nommer et retenir tout ce qu'il découvre sur son visage tandis qu'il devient lui aussi une partie de son expression, une manière d'écouter qui inclura bientôt la connaissance qu'elle a de lui. Apprendre chaque nuance qui révèle un nouveau passé, et tout ce qui est peut-être possible. Connaître dans sa peau les contradictions de l'âge : ses mains, ses poignets et ses oreilles d'enfant, le haut de ses bras et ses jambes de jeune femme, lisses et fermes. Comme si chaque partie de notre anatomie atteignait un niveau de maturité différent et, pendant longtemps, s'y cantonnait. Comment se fait-il que le corps vieillisse de façon si inconsistante ? La regardant attablée en face de lui, ou la regardant maintenant, son visage près du sien, ses membres aux côtés des siens, l'abandon qui se lit sur son visage pendant qu'elle écoute, un visage donnant sur un autre puis sur un autre encore, sans cesse une nouvelle ouverture, une ouverture latente, ainsi l'amour s'ouvre sur l'amour, comme le plus léger changement de lumière ou le moindre souffle d'air à la surface de l'eau. Couché près d'elle, il imaginait que même les pensées qu'il avait pouvaient altérer le visage de Jeanne.

Après un très long moment, celle-ci prit la parole.

— Mon père m'a emmenée à Aultsville pour la première fois après la mort de ma mère. Il a dit qu'il m'emmenait entendre les « arbres parlants », pour m'égayer un peu... Je n'ai toujours pas de mot pour un chagrin si profond. C'est presque une sorte de vue différente ; tout ce qui est beau, une marque au fer rouge. Pendant le trajet en train, il a refusé de me dire ce qu'étaient les arbres parlants... Après sa journée de leçons, nous sommes sortis dans le verger près de la gare...

C'était tiède, rose, crépusculaire. Des ombres tombaient entre les allées et bientôt il a été difficile de voir le chemin. Le sentier était tissé d'ombre. Je me souviens d'avoir serré son bras très fort. L'été, il remontait toujours ses manches au-dessus du coude. Je peux encore sentir son bras nu. Le vent faisait remuer les petites feuilles d'argent – bruit indescriptible – et, plus loin dans le verger, j'ai entendu les murmures. J'ai levé les yeux et n'ai rien vu mais, bien sûr, dans la pénombre, les bras bruns des cueilleuses de pommes étaient dissimulés par les branches, eux-mêmes semblables à des branches en mouvement. C'étaient des voix de femmes ; leurs paroles étaient tellement ordinaires. Parfois, un mot soudain plus net que le reste : *samedi, robe, attendre*. C'était la nature quotidienne des mots qui était à ce point touchante, même petite fille je m'en rendais compte : l'ordinaire devrait toujours avoir cette voix, comme si le vent avait trouvé sa langue. « Des voix douces comme des fruits », a dit mon père, une phrase que je suis sûre qu'il avait gardée pour moi dans sa bouche pendant toute la journée. Une autre fois, il m'a emmenée avec lui au milieu de l'hiver. C'était après une tempête, et nous avons de nouveau marché, cette fois dans une obscurité blanche comme neige. Du toit de la papetière pendaient d'immenses glaçons, presque jusqu'au sol, une chute gelée longue de quatre ou cinq mètres. Ils me faisaient penser à une peinture que j'avais vue, où l'on voyait une gigantesque baleine dans l'océan au clair de lune... Il me montrait toujours ces choses comme s'il s'était agi de secrets et non pas comme si elles étaient là, bien en évidence, où n'importe qui pouvait les voir. Et il est vrai que presque personne ne remarquait les miracles que remarquait mon père. Nous rentrions à Montréal en train à la nuit tombée, et je m'endormais contre son manteau de laine, ou son bras frais, révélé par la manche relevée d'une chemise d'été, remplie des merveilleux secrets de la journée et de la conscience irréductible que ma mère n'était pas avec nous. Qu'elle ne verrait jamais ces choses. Et c'est à ce moment-là que j'ai compris que nous essayions de la trouver.

Les enfants font des serments. Dès que j'ai vu mon père assis dans la cuisine, le pull de ma mère drapé autour de la poitrine, environ un mois après sa mort, j'ai su que je ne le laisserais jamais, j'ai su que je prendrais toujours soin de lui.

Quand j'y pense maintenant, maintenant seulement, je me rends compte que nous vivions dans un silence, comme si ma mère avait été responsable de tout le bruit joyeux que nous ayons jamais connu. Après son départ, notre gamme d'expression a rétréci, jusqu'à devenir minuscule, insignifiante. Je m'ennuyais d'elle à en avoir mal. Elle me manquait à chaque minute de ma vie. Je me réveillais tous les matins, j'allais à l'école à pied, je préparais notre souper, et je n'arrêtais jamais de m'ennuyer d'elle. Je me rappelle le premier jour d'école après sa mort ; tous les enfants étaient au courant et m'évitaient – ils étaient trop jeunes pour la pitié, ils avaient peur. Elle avait laissé un petit jardin que j'ai continué d'entretenir, pour elle, comme si elle allait revenir un jour ; nous pourrions nous y asseoir ensemble et je lui montrerais combien ses lis avaient bien poussé, lui montrerais toutes les nouvelles plantes que j'avais ajoutées. Au début, j'avais peur de changer quoi que ce soit et le moment où j'ai creusé le premier trou a été d'une importance capitale. Puis planter est devenu une vocation. Tout à coup, il me semblait que je pouvais continuer à l'aimer, que je pouvais ainsi continuer à lui parler…

C'était difficile d'apprendre les choses simples, par exemple quels vêtements mettre, ou ce qu'on attendait de moi, en observant mes camarades de classe, en regardant ce qu'ils portaient et la manière dont ils agissaient, en les écoutant parler. Mon père avait une sœur, beaucoup plus vieille que lui, qui vivait en Angleterre, et elle nous a rendu visite une fois. Ma tante semblait tellement pleine de vie, tellement excessive dans ses manières – tellement libre et bien dans sa peau. Elle portait des robes de soie et des chapeaux de velours, et, à son arrivée, elle m'a offert une paire de mitaines de laine rouge vif ornées d'un ruban en tartan. Je me rappelle combien je redoutais d'enfiler ces mitaines dans la cour d'école. Et si quelqu'un allait passer quelque commentaire qui me ferait les aimer moins ? Je pensais que tout le monde se moquerait de moi – une chose si joyeuse et si jolie ne pouvait pas m'appartenir, ne pouvait être destinée à mes mains ! C'était mal, gauche, c'était un étalage de bonheur qui dépassait ma condition. Mais bien sûr personne ne les a remarquées. Et ces mitaines recelaient une sorte de magie : elles n'avaient pas été ruinées par les mots. Longtemps après que ma tante fut retournée chez elle, son cadeau a continué de me donner du courage et, petit à petit, je me suis mise à porter ce que j'aimais, et à être ce que j'aimais. Encore une fois, personne n'a paru le remarquer ou s'en soucier le moins du monde. Je mettais les cardigans à l'ancienne de ma mère et ses chaussures lacées Clapp, qu'elle appelait ses « chaussures d'intérieur ». Il y avait chaque année nos deux fêtes d'anniversaire, mon père et moi seulement, toujours avec un gâteau acheté, abondamment décoré, aux bords ornés de lourdes cordes de glaçage. La pensée de ces gâteaux me fait pleurer parce que mon père ne savait pas quoi faire pour me faire plaisir, pour me faire assez plaisir. Il mettait tout son amour à choisir le gâteau, la couleur du glaçage, les décorations en sucre, presque comme si ç'avait été pour elle.

Jeanne pleurait.

Tout ce qui touchait à notre vie ensemble était d'une beauté douloureuse. Tout entre nous était souvenir de ma mère. Ce qu'elle aurait pu aimer, ce qu'elle aurait pu penser. Ma vie a pris forme autour d'une absence. Chaque menu plaisir, chaque fenêtre éclairée d'une lampe donnant sur la neige et la nuit, l'odeur entêtante des roses d'été, tout s'attachait à la réalité de son absence. Tout ce qui existe en ce monde est ce qui a été laissé derrière.

Pendant ma dernière année d'école, mon père a suggéré que nous déménagions à Toronto pour que je puisse y fréquenter l'université. Il n'a jamais été question que j'y aille seule. C'était impensable tant pour lui que pour moi. Parfois, les choses changent simplement parce que le temps est venu, un moment intérieur est atteint pour des raisons que l'on ne peut expliquer ; que le deuil dure six mois ou six décennies ou, comme dans notre cas, huit ans. Quelque chose de latent dans le corps s'éveille. Les graines de sorgho peuvent rester en dormance pendant six mille ans et puis germer ! Ça arrive constamment dans la nature ; on ne devrait pas s'étonner quand ça arrive dans la nature humaine. Quand nous avons commencé à parler du déménagement, une sorte de légèreté a gagné mon père, et je me suis mise à croire que nous pourrions tous les deux avoir une nouvelle vie. Mais je pense maintenant que, pour lui, c'était le contraire : une façon de retrouver quelque chose.

Il voulait retourner avenue Clarendon. Nous avons fait un voyage à Toronto pour voir l'appartement ensemble et, plus tard ce soir-là, nous avons assisté à un concert à Massey Hall. Le Concerto pour violoncelle d'Elgar, un des préférés de mon père. Après le concert, comme nous nous apprêtions à partir, il a hésité et puis m'a prise par la main et m'a guidée jusqu'à nos sièges. « Écoute avec moi », a-t-il dit. De nouveau assise, je me suis aperçue que je pouvais encore entendre la musique, comme si la salle vide avait été hantée. « Ta mère et moi, a dit mon père, faisions cela chaque fois que nous allions au concert ; nous attendions que tout le monde soit parti et nous continuions à écouter. Nous nous asseyions ensemble tandis que la musique de nouveau se déployait, jusqu'à ce que le placier vienne nous dire qu'il était temps de partir… »

Mon père est mort avant que nous ayons déménagé. Ça arrive si souvent – un décès dans une période de changement – qu'il me semble que ça devrait avoir un nom. Ça en a peut-être un : trahison, ou violation ; non pas accident vasculaire cérébral ni anévrisme… Notre maison de Montréal était déjà vendue. Il n'y avait rien d'autre à faire que de continuer à tout emballer et déménager seule. J'ai pris des boutures et des graines de chacune des plantes du jardin de ma mère, mais il n'y a pas de place pour elles. Maintenant, son jardin tout entier vit dans des pots et des bocaux sur le plancher de mon salon. Il y a deux ans de cela… Je pense aux derniers jardins sur le fleuve et je les pleure…

La lumière de l'aube commençait à filtrer à travers les grands arbres. Jeanne distinguait le contour de leurs membres sous les couvertures, un mince fil de lumière autour de la fenêtre.

— La botanique, mon amour et mon intérêt pour tout ce qui pousse – au début, c'était par amour pour ma mère, une façon de vivre avec le manque, et puis peut-être un hommage, mais petit à petit c'est devenu autre chose, une passion, et j'ai voulu tout savoir : qui avait fait les premiers jardins, comment les plantes avaient été représentées dans l'histoire, dans les fissures des cultures, en peinture et en symbole, comment les semences avaient voyagé, traversant les océans dans les revers de pantalons…

Je pense que nous avons chacun une ou deux idées philosophiques ou politiques dans notre vie, un ou deux principes qui organisent notre existence entière, et que tout le reste en découle…

Je me rappelle une journée dans le jardin de l'avenue Hampton avec ma mère ; nous nous faisions dorer au soleil ensemble – sa peau tiède et la crème solaire –, j'enfouissais mon visage contre elle et je la sentais comme une fleur – son abondante chevelure noire était retenue par un large bandeau blanc, elle m'a donné une énorme fleur épanouie, un lis asiatique, et je tends les mains. Je lui arrive à peine aux hanches, j'ai peut-être quatre ans…

Tous les matins, avant de partir travailler, mon père se tenait face à ma mère, leurs fronts se touchant. Parfois je les rejoignais et parfois je me contentais de les regarder en finissant mon œuf ou mon gruau, mes pieds pantouflés enroulés autour des barreaux de la chaise. Tous les matins, mon père – comme s'il s'apprêtait à descendre vers les quais pour entamer un long voyage en mer et non pas à marcher jusqu'à une impassible école privée en briques réservée aux garçons – prononçait les mêmes douces paroles, avec un sourire riche de toutes les intimités que partagent mari et femme : « Souhaite-moi de bonnes choses. »

La forêt qui les entourait était une forêt de rêve. Le son du fleuve les enveloppait, protégeait les paroles de Jeanne, un pacte entre eux. Elle avait l'impression que sa place ne pouvait être nulle part ailleurs qu'aux côtés de cet homme capable de transformer ainsi le monde, de transformer le noir en cette noirceur, la forêt en cette forêt.

— Ma mère était branchée à un respirateur. Mon père a écrit une note et l'a suspendue au-dessus du lit, en travers de ces minces et futiles couvertures d'hôpital, d'un barreau à l'autre. Au cas où elle se serait réveillée et que nous n'aurions pas été là. Il a écrit la même note une deuxième fois – *Je t'aime* – et l'a épinglée à sa chemise, au cas où il se serait endormi dans son fauteuil...

Pendant des jours je suis restée assise au chevet de ma mère et j'ai écouté l'insufflateur respirer pour elle. Jusqu'à ce que je me rende enfin compte que c'était ce qu'il fallait que je fasse : respirer pour elle. Qu'est-ce que ça signifie de respirer pour une autre personne ? L'accueillir et lui offrir le repos. Entrer en elle et lui offrir le repos... une définition du pardon qui en vaut bien une autre...

Elle s'appelait Elisabeth, dit Jeanne.

Puis, lentement, pour ne pas réveiller Avery, Jeanne se pencha et enleva ses chaussures.

Après le lever du jour, Jeanne se réveilla. Pendant plusieurs secondes, elle eut l'impression qu'elle était devenue sourde.

Les ingénieurs de la voie maritime avaient essayé à de multiples reprises d'immobiliser le rapide Long Sault. Trente-cinq tonnes de roc avaient été déchargées dans le fleuve, mais le courant avait simplement écarté ces énormes blocs comme des gravillons. Enfin, on avait assemblé l'hexapode, formidable insecte d'acier soudé qui avait réussi à clouer les rochers en place.

La détonation du silence.

Jeanne resta étendue près d'Avery, sans bouger. Même les feuilles dans les arbres étaient muettes ; le calme était si absolu qu'on aurait dit que tout bruit avait été aspiré du monde.

Avery ignorait à quoi pensait Jeanne, mais savait que derrière ces yeux pleins de larmes se cachait une pensée intense. Ce n'étaient pas uniquement ses sanglots qui l'émouvaient, mais cette intensité qu'il percevait en elle. Déjà il savait qu'il ne voulait pas ruser, ou ouvrir de force, ou prendre ce qui ne lui appartenait pas ; et qu'il était prêt à attendre longtemps avant qu'elle se raconte à lui.

Jeanne aurait donné presque n'importe quoi pour entendre de nouveau le tumulte assourdissant des rapides.

~

Chaque histoire possède son inventaire de nombres.

Six mille personnes ont construit la voie maritime. Quatre-vingts kilomètres carrés de terre ont été inondés. Deux cent vingt-cinq fermes ont disparu. Cinq cent trente et une maisons ont été déplacées. On a incendié ou fait exploser les maisons abandonnées, ou bien elles ont été démolies au bulldozer. Pour desservir la population amalgamée, neuf écoles, quatorze églises et quatre centres commerciaux ont été construits. Dix-huit cimetières, quinze sites historiques, autoroutes et chemins de fer, lignes électriques et téléphoniques transplantés. Des dizaines de milliers de mètres de câbles téléphoniques et de fils électriques ont été enroulés sur des bobines géantes ; des poteaux de téléphone ont été arrachés et emportés dans des camions.

En dégageant le territoire pour le nouveau lac, on a rasé quinze kilomètres carrés de bois et abattu onze mille arbres supplémentaires – les arbres « domestiques » qui avaient poussé près des gens, à proximité des maisons, dans les villages, dont l'orme vieux de plus de cinq cents ans avec un tronc large de trois mètres dominant les filatures de laine et les meuneries qui avaient apporté la prospérité à la ville de Moulinette. L'orme avait survécu à la construction de tous les premiers canaux.

On embaucha un prêtre au salaire de vingt-cinq dollars par jour, pour superviser l'exhumation des corps dans les cimetières ; plus de deux mille tombes furent déplacées à la demande des familles. Les milliers de sépultures restantes furent recouvertes de pierres, pour éviter que les corps ne remontent à la surface du nouveau lac.

Dans chaque église, un dernier service.

~

Trente tonnes d'explosifs enfouis dans les pierres du batardeau A-1, la barrière qui avait gardé au sec le bras nord du lit du Saint-Laurent. Mardi 1er juillet 1958, fête du Dominion, des milliers de spectateurs se massèrent sur la rive sous la chaude pluie d'été. Jeanne avait pris le premier train de Toronto en partance pour Farran's Point, où l'attendait Avery. Parmi la foule à la barrière, Jeanne reconnut, maintenant adultes, les petites filles à qui son père avait donné des leçons. Bientôt, il fut évident que tous les moustiques du comté étaient aussi venus assister au spectacle, s'amassant sous les parapluies, en profitant pour attaquer la peau. Jeanne se tenait parmi ceux qui avaient perdu leur maison et leur terre et qui, dans quelques instants, perdraient jusqu'au paysage. Des milliers de personnes attendaient en silence, gardant leur chagrin pour elles, non pas par orgueil ou par gêne, songea Jeanne, mais avec inquiétude, comme si c'était la seule chose qui leur restait.

Toute circulation maritime avait cessé. Les vannes des autres barrages furent fermées. Tout le monde attendait. À la suite de cette seule explosion, deux cent soixante kilomètres carrés de terres agricoles fertiles seraient inondées. D'abord, ce fut exactement ce qu'attendait la foule ; le fleuve ne les déçut pas. L'eau déferla en torrent à travers le barrage déchiqueté. Mais bientôt la crue ralentit et de minces coulées d'eau boueuse serpentèrent dans le lit asséché. L'eau suintait, au rythme de trois kilomètres à l'heure, vers le barrage, où elle deviendrait le lac Saint-Laurent.

Puis la lenteur même avec laquelle l'eau montait devint le spectacle.

Pendant cinq jours, l'eau chercha son niveau. Le fleuve escalada ses berges, rampant presque imperceptiblement, et chaque jour une plus grande portion du territoire disparaissait. Des agriculteurs regardèrent leurs champs se mettre lentement à luire avant de virer au bleu. Dans les villes abandonnées, l'asphalte commença à miroiter. On aurait dit que les fondations des maisons et des églises s'enfonçaient. Les arbres se mirent à raccourcir. Les garçons des villages s'amusaient à nager par-dessus la ligne tracée au milieu de l'autoroute.

Jeanne ne pouvait s'empêcher de revenir sur les lieux. Plusieurs matins, avant l'aube, Avery conduisait jusqu'en ville, où Jeanne l'attendait pour déjeuner à l'appartement de l'avenue Clarendon, après quoi ils retournaient ensemble au fleuve.

Les hommes et les femmes des villages engloutis se rendaient à la rame à l'endroit où ils avaient vécu ; personne ne semblait capable de résister à ce besoin pressant.

Des merles noirs partis fourrager à la recherche de nourriture ne retrouvaient plus leur nid. Pendant plusieurs semaines, ils survolèrent l'endroit en traçant des cercles et des arcs troublants, un retour continuel, comme s'ils pouvaient arriver à percer un trou dans le néant.

L'air était saturé d'eau. Le vent d'août soufflait fort et la pluie arriverait d'une minute à l'autre. Le long du Saint-Laurent, l'asclépiade avait éclaté ; sa soie avait empli l'air pendant des jours, chevelure spectrale s'accrochant aux branches et aux feuilles. Elle flottait sur l'eau des champs inondés et ressemblait à de la glace entre les tiges.

Jeanne ôta ses sandales. Elle sentait l'herbe libérée par l'eau sous ses pieds nus et la soie de l'asclépiade, douce contre ses mollets. Puis une forme froide heurta sa jambe.

Elle resta immobile, révulsée, en apercevant ce qu'elle n'avait pas remarqué avant : des taches d'obscurité, non pas d'ombre, dans l'eau, semblables à des mottes de terre qui se seraient détachées – mais elles n'étaient pas faites de terre.

Avery entendit le cri de Jeanne et puis il vit, lui aussi. Elle retourna en courant à la voiture et s'assit, portière ouverte, pour se frotter les jambes avec des poignées d'herbe. Quand il la rejoignit, elle s'était calmée et restait assise, silencieuse, à contempler le champ.

— Ça va.

Après quelques instants, Avery retourna au bord de l'eau. Il imagina les passages souterrains, plusieurs kilomètres d'étroits tunnels, où les taupes, par milliers, s'étaient noyées. Avec leurs épaules puissantes et leurs pattes palmées, elles avaient toujours nagé dans cette terre, précisément comme des nageurs dans l'eau, en déplaçant exactement l'espace qu'occupait leur corps. Chaque mouvement sur et sous la terre leur était audible. Avery imaginait ce qu'elles devaient avoir perçu : le son de l'eau suintant inexorablement vers elles à travers le sol, un sol aussi dense que du pain, avec ses trésors d'os, de nids d'insectes, de graines en dormance et de pierres éparpillées. Quand Avery était petit, son père avait « adopté » un vison pour lui ; on avait « fait appel au public » afin qu'il assume une partie des coûts liés à l'entretien des petits animaux du zoo de Londres durant la guerre : « Six pence par semaine pour un loir, trente shillings par semaine pour un pingouin ». Les animaux plus gros et plus dangereux avaient été évacués à cause de la menace des bombardements. Pendant plus de la moitié de sa vie, Avery avait oublié cela. Maintenant, au-dessus des champs qui se métamorphosaient lentement en lac, le vent chaud soufflait sans discontinuer, les nuages de pluie noircissaient et là, près de lui, il y avait le visage bruni par le soleil de Jeanne Shaw. Ses cheveux échappés de son écharpe de coton volaient au vent. Son esprit, il en était sûr, fourmillait de pensées. Il se rendit compte que c'était ce qui l'avait poussé à contempler le champ et à réfléchir à la terre comme il ne l'avait encore jamais fait, bien qu'il eût vu ouvrir le sol à d'innombrables reprises pour des travaux et qu'il eût assisté à l'enterrement de son propre père. Dans la chaleur suffocante, il semblait impossible d'imaginer que, dans huit ou dix semaines, l'herbe détrempée au bord du nouveau lac serait gelée, ses longues fibres jaunes serties dans la glace.

Jeanne se tenait près d'Avery à la lisière du champ, incapable de bouger. Elle se rappelait le sentiment de dépossession que l'on éprouve en se tenant au-dessus d'une tombe que l'on referme.

~

Avery et Jeanne passèrent en voiture devant une église qui avait été déplacée sur son nouveau site, à Ingleside, et, voyant le prêtre dehors, s'y arrêtèrent. Jeanne souhaitait lui demander quelque chose.

— La question de l'exécration est très… affligeante, dit le prêtre. Une église, ou l'ancien site d'une église, le cimetière et le terrain de l'église ne peuvent être désaffectés à moins qu'ils ne soient devenus redondants. Une cérémonie d'exécration est très triste et troublante. Elle signifie que Dieu ne sera plus célébré en ce lieu.

— Mais Dieu peut sans doute être célébré n'importe où, dit Avery.

— Comment un lieu de culte peut-il devenir redondant ? demanda Jeanne.

Le prêtre les regarda et poussa un soupir.

— Il existe une chose que l'on nomme terre consacrée. Dans ce cas, quand la congrégation se déplace, l'église doit se déplacer avec elle. L'on doit procéder à l'exécration du premier site de manière à ce qu'il ne soit pas profané, même accidentellement, par d'autres rites.

— Mais pourquoi, insista Jeanne, doit-on faire de même pour les terres inondées ? Ne peuvent-elles pas rester saintes même recouvertes d'eau ?

À ce moment, le téléphone sonna dans le bureau de l'église. Le prêtre s'excusa et ne réapparut pas, même s'ils l'attendirent un bon moment dehors.

~

Quand Avery roulait du Saint-Laurent jusqu'à l'avenue Clarendon ces premières semaines, Jeanne avait toujours préparé quelque chose en prévision de sa venue. Sur la petite table poussée sous la fenêtre de cuisine ouverte, elle avait disposé non seulement des assiettes et des ustensiles, mais des livres et des fleurs, des cartes postales, des photographies, toutes les choses qu'elle avait mises de côté pour les lui montrer. L'empressement, la sincérité, l'innocence de la scène étaient si touchants qu'Avery sentait se nouer un lien de plus en plus profond chaque fois qu'il prenait place à sa table.

Parfois il allait rejoindre Jeanne tôt en soirée et il la regardait cuisiner pour lui. Elle s'activait dans la pénombre du crépuscule jusqu'à ce qu'il fasse presque trop noir pour voir et ils mangeaient dans cette quasi-obscurité en écoutant le vent souffler dans les arbres par la petite fenêtre au quatrième étage. Assis seul avec Jeanne, Avery avait pour la première fois l'impression de faire partie du monde, de profiter du simple bonheur que tant de personnes connaissaient et qui était si miraculeux.

Il voulait tout savoir ; il n'entendait pas cela à la légère. Il voulait savoir la fillette et l'écolière, ce qu'elle croyait et qui elle avait aimé, ce qu'elle avait porté et ce qu'elle avait lu – nul détail n'était trop minime ou insignifiant. Ainsi, lorsqu'il la toucherait enfin, ses mains auraient cette intelligence.

— Ma mère tenait un livre de raison, racontait Jeanne, un recueil de curiosités qu'elle souhaitait se rappeler : poèmes, citations tirées de livres, paroles de chansons, recettes (sablés à l'eau glacée, chutney aux concombres et aux betteraves, soupe de poisson à la verveine). Ces cahiers d'écolier jaunes étaient aussi remplis de phrases hermétiques que je brûlais de déchiffrer tout en étant ravie de ne pas y parvenir, car leur mystère ajoutait à la valeur qu'ils avaient à mes yeux. Ils reposaient en une pile carrée, tous les quinze, sur le coin de son bureau. Elle ne datait que rarement ses inscriptions, mais, lorsqu'elle le faisait, il me semble qu'elle souhaitait par là associer une certaine ligne de pensée, la connotation d'une citation, à un moment d'une importance singulière – le maintenant et l'ici, disons, du 22 novembre 1926 à quinze heures, quand Keats lui avait fait éprouver l'acuité du réel –, marquant mystérieusement sa place dans le monde, marquant un événement secret que je ne connaîtrais jamais. Un jour, quand j'avais treize ans, mon père m'a rapporté un cahier de notes « exactement comme ceux dans lesquels mes élèves font leurs additions, a-t-il dit, et où ils gribouillent leurs cartes du monde ». Il m'a aussi donné le paquet de cahiers de ma mère et un Biro que ma tante avait expédié d'Angleterre quelques mois avant de mourir d'une maladie soudaine, une affection aux poumons. Je me souviens d'avoir écrit au Biro dans ce cahier d'exercices : *Tante Grace est morte de l'autre côté de l'océan.* Je me rappelle aussi avoir songé combien il était étrange qu'elle ait passé sa vie entière et qu'elle soit morte dans un lieu que je n'avais jamais vu, le genre de révélation banale qui, à treize ans, vous remplit d'un émerveillement douloureux et de détresse, de fébrilité et de confusion, et signale le début d'une très lente compréhension : celle que l'ignorance de chacun croît précisément au même rythme que son expérience…

Tout cela, Jeanne le racontait à Avery dans ces moments qui sont le ciment de nos jours, souvenirs innocents que l'on n'a pas conscience de posséder jusqu'à ce qu'on fasse le don de l'honnêteté à un autre être. Ils éprouvaient tous les deux le caractère aléatoire du destin, l'ombre troublante de ce qui aurait si facilement pu ne jamais être, tandis qu'ils étaient assis côte à côte dans la cuisine, avenue Clarendon, à parler, à écouter la radio de nuit, Avery triturant le ruban à cheveux de Jeanne qui lui servait de signet dans sa revue d'ingénierie, un article sur l'acier, et qui lui donnait l'impression atroce qu'un jour, dans un avenir lointain, ce ruban pourrait être découvert dans cette revue par quelqu'un, un fils peut-être, tel l'un des indices à jamais irrésolus laissés par la mère de Jeanne, reliant l'avenir à ce moment dont il ne subsisterait nulle autre trace.

— Si ma mère n'était pas morte, est-ce que je me souviendrais si nettement de ces choses ? Longtemps après qu'on a oublié la voix d'une personne, disait Jeanne, on peut encore se rappeler le son de sa joie ou de son malheur. On peut les sentir dans son corps. Je me rappelle ma mère et moi jouant à prendre le thé dans notre jardin un jour. Je l'avais regardée et j'avais vraiment pensé à elle pour la première fois : c'est ma gentille maman qui sait comment verser le thé dans des tasses de noisettes et transformer des cocottes de sapin en brioches, qui sait fabriquer des chapeaux de poupées avec des samares d'érable et des robes de poupées avec des feuilles et des fleurs. Et qui sait exactement comment enfoncer les graines dans le sol avec son pouce.

Mon père disait que ma mère avait le pouce vert, mais je savais bien qu'il était brun, tout comme ses genoux, et que c'était beaucoup mieux, la terre sous ses ongles juste comme les miens, la terre qui rendait soudainement visibles les fines lignes de nos mains. Je peux encore sentir sa main sur la mienne, son pouce sur le mien, et la petite graine dure, comme un granule ou une pierre, sous mon pouce tandis que nous l'enfoncions ensemble dans la terre meuble. Elle m'a montré comment planter en fonction de la taille, de la forme, de la couleur et du parfum, comment planter en fonction de l'hiver. Elle m'a enseigné que les cardères attirent les chardonnerets. Si l'on plante les bonnes fleurs, le jardin tout entier devient un bouquet d'oiseaux. Chaque jardin est comme une maison vivante, disait-elle, on devrait pouvoir y entrer pour aller s'allonger par terre en plein centre… et regarder les feuilles bouger, comme un rideau à une fenêtre imaginaire.

— S'il te plaît, viens t'allonger près de moi, dit Avery.

Il prit la main de Jeanne et la mena au lit étroit, le lit de son enfance qu'elle avait déménagé depuis la maison de Montréal, et ils s'étendirent sur les draps dans la chaleur.

— Quand ma mère était à l'hôpital, elle a demandé à mon père de lui apporter des fleurs, ses fleurs. En le regardant les couper dans son jardin, j'ai compris pour la première fois combien elle était malade. Ce jour-là, mon père a erré dans la cuisine en faisant bouillir des œufs, des pommes de terre, en faisant griller des quantités de rôties. Il ne savait pas quoi faire. Il a préparé les quelques rares plats qu'il savait cuisiner. Nous avons mangé en silence à cette petite table de cuisine rouge et blanc, et tout était horriblement mauvais. Nous nous sommes écoutés mastiquer et déglutir. Tout était pareil : la petite salière et la petite poivrière carrées, trapues, avec leur couvercle de plastique rouge, et le petit napperon de dentelle sous le beurrier. Mais tout à coup, c'était une autre maison, une copie de la maison que je connaissais, et quand nous sommes partis pour aller porter les fleurs à ma mère après le dîner, je me suis mise à pleurer. Et puis mon père s'est mis à pleurer et il a fallu qu'il arrête la voiture sur l'accotement.

Avery sentait les larmes de Jeanne à travers sa chemise.

— Il y a tant de choses que l'on ne peut pas voir, dit-il à voix basse, mais auxquelles on croit, tant de lieux qui dégagent une impression inexplicable, une présence, une absence. Parfois, il faut du temps pour apprendre cela, comme un enfant qui comprend tout à coup, pour la première fois, que la balle qu'il a lancée par-dessus la clôture n'a pas disparu. Je m'asseyais souvent avec ma mère dans le jardin de grand-mère Escher, dans le Cambridgeshire, et nous sentions sur notre visage le vent puissant venu des montagnes de l'Oural. Le vent est invisible, mais les montagnes de l'Oural ne le sont pas ! Et pourtant, pourquoi faudrait-il croire aux montagnes de l'Oural que nous ne pouvons pas voir quand nous sommes assis dans un jardin du Cambridgeshire, et ne pas croire en d'autres choses, en une connaissance personnelle que nous ressentons de façon aussi aiguë ? Rien n'existe sans être relié à autre chose. Pas une seule molécule, pas une pensée.

— « Un jardin doit posséder un sentier », disait ma mère, et elle avait raison. Un sentier qui s'est peu à peu imprimé dans la terre, des cailloux à demi enfouis, de l'herbe qui commence à pousser dans les interstices, dit Jeanne, un sentier sculpté dans la terre par un usage constant. Comme les marches de pierre au fil des siècles se creusent en leur milieu. Imagine de simples bottes capables d'éroder la pierre – comme certaines histoires se creusent en leur milieu après avoir été racontées pendant des siècles. Le sol sait où nous avons marché…

Le soir, plutôt que de lire une histoire pour m'endormir, il nous arrivait à ma mère et moi de feuilleter des catalogues de semences. Elle en commandait certains en Angleterre, simplement pour rêver, et elle me murmurait un jardin. J'en imaginais avec elle chaque détail, le lierre, le banc sous le saule, les pétales de fleurs tombant comme de la neige dans l'air chaud du printemps. Jusqu'à ce que je m'endorme.

Avery caressa le visage de Jeanne. Il se pencha, retira ses sandales et remonta le drap sur ses jambes nues.

— Laisse-moi te raconter une histoire de jardin, dit Avery, une histoire pour t'endormir.

Jeanne ferma les yeux.

— Chaque printemps, quand mon père était petit, il attendait le retour des moineaux dans ce jardin du Cambridgeshire. Dès mars, il était sur des charbons ardents. Jour après jour, il jetait diligemment les miettes de la collation dans le lierre. Un matin, enfin, le mur se mettait à chanter.

Avery avait déjà imaginé, au cours de ces premiers mois avec Jeanne, ce que signifierait la chance de vieillir près d'elle : non pas un regret face aux changements que subirait son corps, mais la connaissance intime de tout ce qu'elle avait été. Parfois, sa douleur était si aiguë qu'il lui semblait qu'il faudrait attendre d'être un vieillard avant de posséder entièrement la jeune chair de Jeanne. Ce serait son secret, forgé durant toutes les nuits passées côte à côte.

Dans l'appartement de l'avenue Clarendon, quand Avery n'arrivait pas à trouver le sommeil, Jeanne lui parlait à l'oreille pendant qu'il lui caressait le bras. Elle récitait une liste de toutes les plantes indigènes d'Ontario qui lui venaient à l'esprit : foin-des-fous, aster à feuilles sagittées, aster fausse bruyère, aster ponceau, centaurée bleuet, gant de bergère, grand boutelou, laitue scariole, plante compas dont les feuilles s'alignent toujours sur l'axe nord-sud. Sporobole à fleurs cachées, galane, millepertuis à grande fleur, hélénie automnale, séneçon, laîche des renards, carex en ombrelle, schizachyrium à balais… et le sommeil s'éloignait plus encore, et Avery commençait à la toucher à dessein.

~

Jeanne était incapable d'échapper à la chaleur du désert ; au-dessus du sable jaune, l'air était un liquide chatoyant, une transparence palpable. Dès le petit matin, il faisait quarante-cinq degrés Celsius à l'ombre. Jusque dans la nuit glaciale, Jeanne sentait ses os cuire, même quand sa peau était fraîche.

Debout sur le pont de la péniche, tout habillée, elle versa de l'eau du fleuve sur ses cheveux. Pendant quelques secondes d'extase, le froid atteignit son cerveau et elle sentit son squelette glacé comme le métal. Mais l'effet ne semblait durer que le temps qu'elle était sous l'eau.

Pour la réconforter, Avery lui parla des thermophiles.

— Ce sont des bactéries unicellulaires qui vivent à la chaleur – à des températures de cent dix degrés Celsius – dans des cheminées thermales chauffées par le magma, la roche en fusion. Elles se trémoussent de plaisir et nagent avec délices dans des bains rendus brûlants par la lave bouillonnante, se gavent d'acide sulfurique et de fer en fusion. Elles s'installent au cœur des volcans et dans les cheminées qui crachent de la vapeur sur le plancher océanique. Quand tu as chaud, il ne faut pas penser à des choses froides, comme des manchots empereurs ou la barrière de glace de McMurdo – ça ne fonctionne pas, ça te donne encore plus chaud, c'est tout. Pense plutôt aux thermophiles !

— Je me sens déjà mieux...

Parmi les quelques livres que Jeanne et Avery avaient apportés dans le désert – textes de référence et guides mis à part –, il y avait *Mediterranean Food,* le livre de recettes d'Elizabeth David, choix de Jeanne, et *L'expédition du Kon-Tiki,* de Thor Heyerdahl, choix d'Avery.

Il y avait une certaine logique dans le fait de lire, au crépuscule, perché sur une colline dans l'ancien océan qui était maintenant le désert, à un endroit où des baleines dotées de pieds avaient déjà nagé, un livre consacré au minuscule *Kon-Tiki,* flottant sur l'immensité du Pacifique, « où le plus proche solide était la Lune ». Pour prouver que l'océan, parcouru de courants prévisibles, avait pu relier des peuples préhistoriques plutôt que de les isoler, Heyerdahl avait construit un radeau en suivant dans les moindres détails le dessin d'un pétroglyphe. L'embarcation, rapide, traversa l'océan en cent jours. Pendant un orage, l'équipage dans son frêle esquif gravit des montagnes et franchit des vallées d'eau, « ignorant où nous nous trouvions car le ciel était recouvert de nuages et l'horizon n'était qu'un chaos de rouleaux », lisait Avery à voix haute tandis que les couleurs du désert flamboyaient, plus chaudes, radiantes, et que l'air se refroidissait. « Quand la nuit fut tombée et que les étoiles scintillaient dans le ciel noir des tropiques, la phosphorescence apparut autour de nous... et le plancton luisant ressemblait tant à des morceaux de charbon rond embrasés que nous avons malgré nous relevé nos jambes nues… »

Jeanne apprit bientôt combien l'insomnie d'Avery était chronique ; peu importait son degré d'épuisement physique, les possibilités mathématiques d'erreur continuaient de se combiner et de se recombiner dans son esprit. Elle entreprit donc de lui faire la lecture, d'abord sur les arbres fruitiers du désert – sujet qui se révéla trop intéressant pour l'endormir – puis sur les herbes, et elle finit par lui lire des pages d'Elizabeth David, dont la voix sereine annonçant tant de plaisir assuré paraissait l'apaiser. « Il n'y a rien comme une bonne recette pour vous faire croire que tout va finir par s'arranger », disait Avery. « Même les mots "Donne quatre portions" sont de l'espoir à l'état pur. »

Dans la petite cabine de la péniche, des livres au milieu des draps, Jeanne lisait à Avery la recette du *cappon magro,* « célèbre salade de poisson génoise composée d'une vingtaine d'ingrédients et assemblée en un splendide édifice baroque ». Elle dépliait ses jambes le long des siennes en l'assurant que « l'on peut se procurer des bols à herbes en bois assortis de hachoirs chez Madame Cadex, 27 rue Greek, W1 », comme si l'envie pouvait leur prendre de passer à la boutique le lendemain matin, comme si le marché le plus proche ne se trouvait pas à sept cents kilomètres, par-delà les cataractes et le désert. Avery sombrait dans le sommeil, d'étranges possibilités d'accomplissement murmurées à son oreille : « Si par chance vous arrivez à dénicher un melon d'eau et des mûres durant la même saison, essayez ce plat… » Il écoutait les descriptions de piments luisant d'huile. Enfant, la seule huile d'olive qu'Avery connaissait se vendait dans les échoppes d'apothicaires, dans de petits flacons bruns, et servait aux ablutions (sa mère l'utilisait pour lui nettoyer les oreilles) ; en raison du rationnement, des quantités de viande et de poisson telles qu'en mentionnait Elizabeth David étaient une absurdité (cochon entier rôti à la broche). Mais cette absurdité recelait un idéal, et cet idéal, une possibilité ; et, oui, le fait que toutes les recettes donnaient quatre portions était porteur d'espoir – ne serait-ce que d'espoir de restants.

Et, bien sûr, Elizabeth David s'était mariée en Égypte.

Ce n'est que plusieurs mois plus tard, avec cette réaction à retardement que nous avons souvent face à des faits trop évidents pour être vus, que Jeanne se rendit compte que sa chère compagne de cuisine portait le même nom que sa mère, et que lorsqu'elle écoutait Avery lire dans le désert sur les raies noires grandes comme une chambre et sur le plancton phosphorescent s'accrochant au dos des dauphins, les métamorphosant en « nuages » et en « fantômes luminescents » tandis qu'ils nageaient près du radeau en formation si rapprochée que la mer était toute blanche dans l'obscurité, elle écoutait aussi les miracles de son père, sa voix basse près d'elle dans le *Moccasin,* à bord duquel ils revenaient d'Aultsville.

~

Ils devaient se revoir à Morrisburg ; ils se connaissaient depuis quatre mois. Jeanne avait pris le train et devait attendre Avery au comptoir du casse-croûte près de la petite gare. Avery la regarda marcher dans cette direction, vêtue d'un pull lâche qui flottait presque jusqu'à ses genoux, sa natte auburn se balançant de gauche à droite dans son dos. Il roula lentement près d'elle et baissa sa vitre.

— Je dois aller à Montréal pour une entrevue d'emploi, dit Avery. Monte.

Jeanne le regarda.

— Je sais que tu n'as rien apporté, mais je peux t'acheter des trucs… tu peux porter mes vêtements…

Le vent était fort sur le fleuve, dans les arbres un éclaboussement d'ombre alternait avec un soleil automnal précoce. La peau nue de Jeanne était froide sous sa jupe de coton.

Ils roulèrent pendant environ une heure puis s'arrêtèrent au bord de la route. Avery sortit une table pliante de la voiture et la déposa dans un champ. On aurait dit que le dessus de la table flottait dans l'herbe haute. Jeanne y disposa les pommes sures Spy et les mûres, le pain et le fromage, deux assiettes de fer-blanc et un couteau.

Jeanne regarda le champ ondulant et les nuages bas dans le ciel ; elle retint des mèches de ses cheveux d'une main. Au milieu du vent, les fruits parfaits restaient immobiles et solides sur la table.

Plus tard, ils roulèrent dans la lumière suspendue du crépuscule, le soleil tombant dans les kilomètres qui s'étiraient derrière eux. Elle ne pouvait chasser de son esprit l'immobilité des pommes, le mouvement autour d'elles.

Une nature morte appartient au temps... Et la nature immobile de cette journée, songea-t-elle, de cette unique journée : elle nous appartient.

Ils continuèrent à rouler vers le nord dans l'air frais du début de la nuit.

— Pendant la guerre, dit Avery, pendant que mon père était parti, j'ai vécu dans le Buckinghamshire avec ma mère, ma tante Betty et mes trois cousins.

Tous les mardis midi, à Londres, il y avait des concerts dans la National Gallery vide ; toutes les semaines, des centaines de personnes s'y présentaient sans faute pour rester debout dans les pièces dépouillées de leurs tableaux et écouter. Comme ma mère souhaitait que nous comprenions l'importance de ce geste – des gens se rassemblant pour écouter de la musique malgré la menace de bombardement –, à treize heures tous les jeudis, moi et mes cousins Nina, Owen et Tom faisions semblant de payer un shilling (un cercle de carton avec la tête du roi tracée au crayon de cire des deux côtés) à la porte du salon. Puis ma mère et ma tante exécutaient pour nous des duos qu'elles avaient répétés pendant toute la semaine. Ma tante jouait du violon, et ma mère, du piano. Une fois les partitions épuisées, on écoutait des disques sur le phonographe. Après, on prenait le thé à la table de la salle à manger où l'on avait disposé, sur une nappe blanche propre, le service à thé des grands jours et la vraie argenterie de ma tante.

Malgré les bombardements – un obus atterrit dans la petite cour de la Gallery et n'explosa que six jours plus tard, alors que, ironie du sort, la Royal Engineers Bomb Disposal Unit était en train de dîner –, pendant six ans et demi il y eut un spectacle toutes les semaines ; trois cent trente-huit concerts. Ma mère en concevait une fierté personnelle, car nos concerts de salon avaient sans doute été presque aussi nombreux.

Quand ils roulaient ensemble aux lisières du paysage laurentien inondé, Avery arrêtait parfois et sortait sa boîte d'aquarelle – plus petite qu'un calepin, carrée, avec un couvercle à pentures, cadeau de son père – qu'il avait presque toujours avec lui. Souvent, Jeanne ne voyait pas tout de suite ce qui avait attiré son attention, un bâtiment de ferme isolé, un arbre, les nuages. Pendant qu'Avery peignait, elle prenait le temps d'observer. Elle tenait un journal de plantes. Jeanne avait l'habitude de passer de longues heures dehors, mais ce sentiment de connivence au milieu d'un champ était tout neuf.

Ils développaient les repas que Jeanne avait emballés pour eux – cheddar Edwards, pain de farine de tournesol, pommes McIntosh, biscuits de blé entier – et mangeaient par terre, ou dans la voiture s'il pleuvait, et ce n'est que longtemps après, dans le noir, en retournant à l'avenue Clarendon, qu'ils se décrivaient l'un à l'autre ce que, avec leurs regards différents, ils avaient vu.

Cet engagement de l'esprit provoquait en elle un plaisir presque bouleversant. Jeanne ne pouvait plus regarder le monde sans voir des paraboles hyperboliques et des rapports portée-profondeur, des effets d'entraînement et des aspirations d'air. Elle apprit qu'un immeuble ne devait jamais osciller de plus de 1/500e de sa hauteur, sans quoi le vent risquait de créer des vacuums alternés qui feraient chanceler l'immeuble jusqu'à un mètre d'un côté et de l'autre. « On a déjà vu, dit Avery, des employés de bureau qui souffrent du mal de l'air dans de hautes tours. » Il lui raconta les ponts à bascule et les ponts tournants, les dômes de Gauss et les barbes d'acier, et comment un pont entier pouvait être supporté par un centimètre de métal. Il expliqua la différence entre les vents centennaux et les vents dont tenait compte le design ; il expliqua que l'air s'engouffrant entre les gratte-ciel se comportait exactement comme de l'eau précipitée dans une gorge étroite. Il lui exposa la mécanique du sol et lui conta l'étrange histoire du Théâtre national de Mexico, construit sur des fondations sablonneuses. Le poids du lourd théâtre de pierres avait comprimé le sable, en expulsant l'eau, et l'édifice s'était enfoncé de trois mètres. Mais quand on eut construit un nouvel escalier menant à l'entrée affaissée, l'édifice se mit à remonter, et l'on dut construire un autre escalier afin que les spectateurs puissent monter jusqu'à l'entrée : tous les nouveaux bâtiments autour du théâtre avaient aussi expulsé l'eau de leurs fondations, exhaussant le théâtre. Jeanne comprenait désormais que le monde était toujours sur le point de voler en éclats. La seule chose qui assurait la cohésion de la matière était le fait qu'elle avait atteint ses limites.

Jeanne possédait aussi des secrets de la matière. Elle lui parla de la plante la plus timide du monde, la margose, ou melon amer, dont les graines ne peuvent supporter ne serait-ce qu'une étincelle de lumière ; un éclair suffit à les replonger en dormance et elles hiberneront jusqu'à ce qu'elles soient sûres de l'obscurité nécessaire à leur germination. Cela fait d'elles des plantes désertiques parfaites, car un peu d'humidité leur suffit pour établir un solide système racinaire avant de pousser et d'affronter le brûlant soleil du désert. Elle lui raconta les champignons qui rongent le bois, réduisant en poudre des bâtiments entiers, et un lichen que le vent des steppes souffle en monticules, et qu'on ramasse pour le faire cuire comme du maïs soufflé. Certaines plantes sont cultivées par l'homme depuis des siècles ; d'autres, tel l'olivier, sont millénaires. L'exemple le plus extrême en est sans doute le cèdre du Japon vieux de sept mille deux cents ans, bien que certains prétendent que le coco de mer des Seychelles puisse être âgé de plus de quatorze mille ans.

— J'ai entendu parler du cèdre du Japon, dit Avery dans la voiture par un soir de septembre à l'est de Kingston, parce que je viens de lire sur les temples, sur le sanctuaire d'Ise. Il y a deux clairières voisines au sein de l'épaisse forêt de cèdres du Japon, que l'on considère comme sacrée. Une clairière est recouverte de petits cailloux blancs brillants. Dans la seconde se dresse le temple d'Ise. Tous les vingt ans, depuis presque trois millénaires, le temple est démantelé et incendié, et une nouvelle construction identique est érigée dans la clairière voisine. Puis l'on recouvre le site vide de petits cailloux blancs et il n'y reste plus qu'un seul poteau, caché dans une petite hutte en bois ; c'est le pilier sacré qui sera utilisé pour reconstruire le temple quand son tour reviendra, vingt ans plus tard. On ne le considère pas comme une réplique, on estime plutôt qu'il a été recréé. Cette distinction est essentielle. Une croyance shinto veut qu'un temple ne soit pas un monument, mais qu'il vive et meure dans la nature, comme toute vie, et qu'il renaisse continuellement de façon à rester pur.

Les champs luisaient sourdement sous la lune et la voiture était plongée dans l'obscurité. Jeanne gardait la vitre baissée et sur ses jambes nues l'air de la nuit était froid ; elle adorait ce froid, c'était comme se trouver sur le pont d'un navire.

— Parfois, poursuivit Avery, quand je regarde un bâtiment, j'ai l'impression de lire dans les pensées de l'architecte. Pas seulement ses choix techniques, mais davantage… comme si je connaissais son âme. Enfin, nul homme ne peut connaître l'âme d'un autre – peut-être pas son âme mais l'état de son âme. J'ai honte de dire cela, ça semble tellement bête, mais certains choix me frappent par leur caractère douloureusement personnel, et les voilà, dans la pierre et le verre, où tout un chacun peut les voir… l'esprit d'un homme mis à nu dans le positionnement de chaque embrasure et de chaque fenêtre, dans la relation géométrique entre fenêtres et murs, dans le rapport entre la musculature d'un bâtiment et son squelette, la prise en compte de ce qu'éprouverait un homme en plaçant sa chaise ici ou là dans une pièce, suivant la lumière. Je suis convaincu que nous ressentons les tensions d'une construction quand nous sommes à l'intérieur.

Personne ne peut appréhender un édifice tout d'un coup. C'est comme quand on prend une photo : on ne prête attention qu'à quelques éléments, six ou douze, tout au plus, et pourtant la photo enregistre tout ce qui se trouve dans notre champ de vision. Et ce sont ces mille autres détails qui nous ancrent bien plus profondément que ce que nous avons conscience de voir. C'est ce que nous percevons inconsciemment qui nous donne l'impression de connaître l'esprit qui a conçu un bâtiment. Parfois, on dirait que l'architecte a sciemment tenu compte de ces mille autres détails dans son plan, prévoyant non seulement les différents types de lumière possibles sur une façade de pierre, ou sur un sol, ou le remplissage des fissures d'un ornement, mais comme s'il avait su voir exactement la manière dont les tentures flotteraient dans la pièce près de la fenêtre ouverte, provoquant très précisément cette ombre, tournant une certaine page d'un certain livre exactement à ce moment de l'histoire, et que la grisaille de la pluie dominicale pousserait la femme à se lever de table et à attirer le visage de l'homme vers sa chaleur. Comme si l'architecte avait prévu chaque minuscule effet du temps qu'il fait, et du temps sur la mémoire, chaque combinaison d'atmosphère, de vent et de température, de sorte que nous sommes attirés vers différents endroits d'une pièce selon l'heure du jour, la saison, comme s'il pouvait inventer le souvenir, créer le souvenir ! Et cette compréhension de chaque possibilité qu'offrent la lumière, la température, la saison – chaque calcul de climat – est aussi la conscience de chaque possibilité de la vie, de la vie possible dans un tel bâtiment. Et de cela découle une soudaine et profonde liberté. C'est comme tomber amoureux, le sentiment qu'ici, ici enfin, il est possible d'être soi-même, et que la véritable mesure de son existence peut être atteinte – aspirations, différentes manières de désir – et que la bonté morale et le travail intellectuel sont possibles. Un sentiment d'appartenance total à un lieu, à soi-même, à une autre personne. Tout cela dans un bâtiment ? Impossible, mais aussi mystérieusement vrai. C'est ce qu'une construction nous donne, ou nous prend, une érosion graduelle, un oubli de certaines parties de nous-mêmes…

Ils franchirent ainsi les kilomètres d'obscurité, le Saint-Laurent, puis le lac Ontario d'un côté de l'autoroute, les champs des fermiers de l'autre ; un paysage gravé par un amant en est un à nul autre pareil sur la terre.

— Ce fleuve où personne ne se baigne, dit Avery, ce nouveau Saint-Laurent avec ses tombes… Je comprends parfaitement pourquoi Georgiana Foyle préfère ramer jusqu'à la tombe de son mari plutôt que de la déplacer. Même s'il lui faudra maintenant être enterrée toute seule… Cela la tourmente. Mais elle a raison. Le corps de son mari appartient à ce lieu parce que c'est le lieu auquel sa vie appartenait.

— La relation qu'entretiennent les êtres humains et les plantes est si ancienne, dit Jeanne ; pas seulement entre la semence et le semeur, mais avec la création des premiers jardins d'agrément. Qui a été le premier à désirer certaines plantes pour le plaisir, à séparer ces plantes de la nature sauvage, comme la prière sépare certains mots du reste de la langue ? Pourquoi les Égyptiens utilisaient-ils une feuille de palmier pour représenter une voyelle ? Jusqu'au huitième millénaire environ avant Jésus-Christ, le blé n'était qu'une espèce de graminée sauvage. Mais, par accident, cette graminée a été fécondée par de l'égilope cylindrique, et les quatorze chromosomes de chacune des plantes se sont combinés pour en donner vingt-huit : l'amidonnier. L'amidonnier s'est à son tour croisé avec une autre graminée pour en arriver à quarante-deux chromosomes, et c'est le blé à partir duquel nous faisons notre pain, la miche de blé entier que nous avons mangée ce midi. Mais ce genre d'accident était plutôt rare. Comme les graines du nouveau blé ne pouvaient pas facilement se disséminer ou se fertiliser elles-mêmes, elles ne se répandaient pas. Ainsi, l'homme et la plante avaient besoin l'un de l'autre. Ce minuscule accident a mené à la sédentarisation, à la faux, à la charrue, à la roue et à l'essieu, au tour de potier, à la roue à aubes et à la poulie, à l'irrigation.

— Au droit de puisage et au droit foncier, dit Avery. Aux canaux, aux barrages et aux voies maritimes.

— Depuis quelque temps, je lis sur la pluie, dit Jeanne. Cette odeur profondément distinctive, quand la pluie commence tout juste à tomber, deux scientifiques l'ont analysée. Ils l'ont baptisée « petrichor », du grec pour *pierre* et pour le « sang » qui coule dans les veines des dieux. C'est l'odeur d'une huile que produisent les plantes partiellement putréfiées, soumises aux processus d'oxydation et de nitratation, une combinaison de trois composés. Les premières gouttes s'infiltrent dans la pierre ou le bitume et libèrent cette huile végétale, que l'on sent tandis qu'elle est rincée par la pluie. On ne peut la sentir que lorsqu'elle est emportée par la pluie.

~

À l'automne, Avery refit son bagage et s'en fut au nord, dans le roc et l'obscurité, le vert le plus sombre du nord du Québec, pour travailler sur le barrage de la rivière Manicouagan. Plusieurs samedis matins,

Jeanne et Avery roulèrent l'un vers l'autre. Les motels au bord des autoroutes possédaient un attrait singulier, rien de plus qu'un rectangle de briques planté dans la forêt nordique, la porte de devant de chacune des chambres donnant directement sur l'autoroute ; et pourtant l'odeur fraîche et astringente des sapins, la froideur de siècles d'ombre, semblaient pénétrer jusqu'aux briques et aux blocs de ciment d'une joie vive et propre. L'un s'approchait et apercevait la voiture de l'autre attendant dans le stationnement ; cette vue suffisait à les submerger de bonheur. « Faisons en sorte de toujours nous retrouver dans des motels, avait dit Avery, même quand il y aura cent ans que nous sommes ensemble. » Jeanne se rendait à ces rendez-vous dans le vieux Dart bleu de son père, ses manuels de botanique souvent ouverts sur le siège du passager de sorte que, la première heure de rêverie passée, elle pouvait baisser les yeux et en mémoriser le contenu pour ses cours à l'université. C'est ainsi que le lexique botanique se greffa aux kilomètres qui passaient, aux petites villes et aux stations d'essence : Esso et *Equisetum,* le restaurant Voyageur et *Athyrium,* Grenville et *Gymnocarpium,* Sainte-Thérèse et *Selaginella,* Pointe-aux-Trembles et *Thelypteris.*

Parfois Avery roulait vers le sud jusqu'au marais Holland, et ils passaient la fin de semaine ensemble dans la maison de ferme blanche en compagnie de sa mère, Marina Voss Escher.

Avery tout seul était une chose, un univers avec des pans de chemise sortis du pantalon et des notes dans sa poche, à découvrir lentement. Avery et Marina ensemble formaient un autre univers.

Avery avait toujours vécu à trois, jusqu'à la mort de son père. Jeanne avait toujours vécu à deux, qui se languissaient de la troisième. Maintenant ils étaient trois, et chacun sentait combien cela était naturel.

— Quand mon père est arrivé au Canada pour travailler à la voie maritime, expliquait Avery, mes parents ont cherché un endroit qui plairait à ma mère. Elle a choisi les champs noirs du marais Holland. Ils ont emménagé dans la vieille maison de ferme et mon père lui a construit un atelier pour qu'elle puisse y peindre. La maison est d'un blanc éclatant et se dresse comme un bateau sur cette bonne terre noire. Un canal coule au bout du jardin. Les légumes dans les champs sont d'une couleur et d'une majesté telles qu'ils peuvent t'ouvrir les yeux d'un coup sec. Après la mort de mon père, ma mère croyait qu'elle ne resterait que temporairement dans cette maison ; mais plus elle attendait et moins elle avait envie de partir. Elle a trouvé du travail comme illustratrice pour un éditeur de livres pour enfants de Toronto. Elle a acheté une chaloupe à rames et l'a amarrée dans le canal au bout du jardin.

L'isolement lui convient…

Les forêts des contes que peignait Marina étaient pétries d'histoire. Dans ses peintures, on pouvait presque entendre la terre broyer les os. Avec pour seules armes un quignon de pain, un petit panier, une canne de marche ou une chanson, sans ressources et avec les handicaps de l'innocence, une enfant allait à la rencontre des terreurs des bois épais, sombres et malheureux, dans les sentiers tortueux qu'on ne doit pas quitter et qui pourtant mènent à l'inévitable effroi.

Les illustrations de Marina étaient de la couleur des plantes en décomposition, terre détrempée par la pluie, froid d'ombre. Les couleurs qui se cachent sous les pierres. En scrutant la pénombre de sa peinture, on discernait, presque invisibles, des moitiés de visages, des mains tordues, des yeux fous, des désirs exerçant leur volonté sur les événements de l'histoire. Un mauvais sort est-il autre chose qu'une monstrueuse volonté à l'œuvre ?

Jeanne regardait le corps compact et puissant de la mère d'Avery, dans son tablier aux rayures gaies, qui versait de l'eau chaude dans la théière en mastiquant un biscuit, et elle demanda :

— D'où viennent ces forêts ?

Marina répondit sans hésiter :

— De chez nous.

Quand Avery travaillait dans le nord, Marina accueillait Jeanne dans son atelier, lui installait une table et lui donnait à faire des exercices d'observation. Puis elle la laissait dessiner librement. Une feuille après l'autre, de rapides esquisses tombaient par terre. Puis de nouveau lentement – un seul dessin chaque matin. Elles se promenaient, elles cuisinaient ensemble. Marina formulait des opinions pardessus le bruit de l'eau tandis qu'elles lavaient les légumes. « Quelle est la signification de la cuisine dans un conte pour enfants ? C'est le corps de la mère ! »

— William a passé une si grande partie de l'enfance d'Avery au loin, racontait Marina, qu'ils ne se connaissaient pas vraiment. Mais, après la guerre, William emmenait Avery partout avec lui dans son Norton Big Four. Il l'installait dans son side-car bleu Swallow, avec son équipement, et ils montaient en Écosse et descendaient jusqu'au pays de Galles pour les projets hydroélectriques : Glen Affric, Glen Garry, Glen Moriston. Le barrage Claerwen, le barrage Clywedog. William a travaillé aux premières centrales électriques souterraines d'Angleterre, à Strathfarrar et à Kilmorack. Mais il a toujours envié ses collègues qui œuvraient à construire le métro de Londres.

Nous nous sommes rencontrés à bord d'un train en Écosse, en route vers Jura, continua Marina. William voyageait avec son père. L'île de Jura est longue et étroite. Elle compte une seule route. Il n'est pas étonnant que nos chemins se soient croisés de nouveau. Comme il approchait, j'ai vu qu'il s'agissait de l'homme à qui j'avais parlé dans le train. Ce n'était pas une vraie route à l'époque, plutôt un sentier, en vérité, bordé de chaque côté par la tourbière trempée. J'ai soudain été envahie d'une telle timidité que, sans y penser, je me suis jetée en bas de l'accotement. Bien sûr, je me suis dit aussitôt qu'il penserait que j'avais perdu la tête. Je me suis étendue sur le sol humide, serrant mon livre contre ma poitrine, et j'ai fermé les yeux. William s'est glissé près de moi. Il s'est contenté de me regarder et m'a demandé : « Qu'est-ce que vous lisez ? » C'était outrageusement drôle, mais au même moment j'ai compris, d'un coup, à quel point j'avais redouté que sa première question soit : « Êtes-vous juive ? »

J'avais presque vingt-trois ans. J'avais répondu à une annonce demandant une dame de compagnie pour une femme âgée qui ne pouvait plus vivre seule. Il se trouve que j'étais l'unique candidate parce que la dame, Annie Moorcock, habitait un lieu si reculé. Mais cela, à mes yeux, faisait l'intérêt de la chose. Et je n'ai pas été déçue. C'était un éden merveilleusement désolé. L'île, longue de quarante-six kilomètres et large de onze, abrite quelque deux cents habitants et des milliers de cerfs rouges. Je préparais les repas, je m'occupais du ménage et je lui faisais la lecture. Le père d'Annie Moorcock avait travaillé sur un navire dans les îles et elle me racontait des histoires de mer et des histoires de Jura du temps de sa jeunesse. Mais le vrai cadeau, pour moi, fut qu'elle avait comme passe-temps la peinture. Elle m'a un peu enseigné. Je me suis mise à vouloir peindre la pluie – sujet infaillible dans cette île. J'ai peint des centaines de toiles de pluie. L'éclosion grise, patiente, de la pluie sur le bois, sur la pierre, sur la tourbière, sur la mer… Cette obsession inquiétait la vieille dame qui, un jour, m'a apporté une brassée de fleurs sauvages – il lui en avait sans doute coûté un formidable effort pour les cueillir. Elle a dit : « Voici des fleurs. Pourquoi est-ce que tu n'essaierais pas de les peindre ? » et j'ai répondu que je ne saurais pas peindre des fleurs, qu'elles n'auraient pas l'air vraies. « Mais tu es une bonne peintre, tu es déjà bien meilleure que moi. Ce sera charmant – est-ce qu'il faut absolument qu'elles aient l'air vraies ? » À cette époque, j'étais farouchement convaincue que oui, elles devaient avoir l'air vraies. Puis elle m'a tendu les fleurs et c'est à ce moment qu'un déclic s'est produit. Tout à coup, j'ai su ce qu'il fallait que je fasse : peindre non pas les fleurs, mais la main qui tenait les fleurs.

C'est ainsi que, pendant des semaines, j'ai dessiné et peint les mains de la vieille femme.

Ce n'est qu'au moment où j'ai appris sa mort que j'ai compris que ce que j'avais vraiment voulu, c'était peindre les mains de ma mère. Des mains que je ne me rappelais pas avoir observées attentivement, des mains dont j'étais incapable de me souvenir.

Quelque temps après, j'ai rêvé que je disposais des fleurs coupées dans un vase plein d'eau ; lorsque je les en ressortais, il y avait de la terre accrochée à leurs racines.

En l'absence d'Avery, Jeanne commença à passer son temps au marais Holland. Elle assistait à ses cours à Toronto, puis faisait une petite heure de voiture pour se rendre à la maison de Marina, chaque fois reconnaissante du plaisir qu'elle éprouvait à aller vers un lieu où elle serait la bienvenue. Souvent, elles passaient la journée à parcourir le marais dans toute sa longueur ou sa circonférence, Marina s'arrêtant pour croquer un détail des champs, ou d'une branche et du ciel que Jeanne reconnaîtrait plus tard dans ses peintures. Elles achetaient du lait et du pain à la ferme voisine, où on les invitait à entrer prendre un café, offre que Marina déclinait presque toujours. « Ils nous invitent par politesse, expliquait-elle, ce n'est que politesse de refuser. »

Un soir, après une promenade hivernale au bord du canal dont les eaux coulaient toujours, ligne capricieuse dans la neige, elles s'assirent pour se réchauffer les pieds au feu de la cuisine.

— Voilà qui va t'intéresser, dit Marina. J'ai lu dans le journal qu'il existe en Allemagne un mouvement pour expulser le rhododendron et le forsythia, pour les arracher de tous les jardins publics et privés, parce que ce ne sont pas des plantes indigènes et que, à ce titre, elles constituent une menace pour la « pureté du sol allemand ».

Le journal disait que le cerisier est arrivé en Europe depuis l'Asie Mineure et qu'il y a probablement plus de mille cinq cents ans qu'il pousse en Allemagne, et que la pomme de terre est originaire du Pérou. Crois-tu que ces ennemis du rhododendron vont renoncer à la pomme de terre dans leur ragoût ? On va lui bricoler un extrait de naissance allemand, tu peux en être sûre.

Quand je suis partie en Angleterre, laissant ma famille à Amsterdam, ma mère m'écrivait toutes les semaines. Ses lettres étaient comme de petites brochures, pleines de bribes d'informations où se révélaient ses intérêts et ses indignations. J'adorais ces lettres. Aujourd'hui encore, je n'arrive pas à croire que j'ai pu la quitter sur le quai de la gare centrale avec une telle insouciance, un tel dédain juvénile pour le destin. Je croyais avoir tout le temps du monde pour revenir à elle, mais c'était la dernière fois que je verrais son visage et qu'elle me serrerait dans ses bras.

Marina s'essuya les yeux sur son tablier et s'assit à table.

— Les filles ne cessent jamais de pleurer leur mère, dit-elle, et j'ai passé dix ans de plus avec la mienne que toi avec la tienne. Avec le temps, nos mères nous manquent davantage, pas moins.

Tout à coup, elle sauta sur ses pieds et se précipita vers le four. Les biscuits aux graines s'étaient ratatinés jusqu'à n'être plus que des morceaux de charbon. Elle ouvrit la fenêtre et l'air de l'hiver emplit la cuisine.

— C'est comme un sortilège, dit Marina. Rien ne gruge le temps comme le passé.

Les rhododendrons m'ont rappelé que, juste avant la guerre, ma mère – qui, comme toi, adorait les fleurs – m'a écrit, furieuse contre un professeur qui associait végétation « primitive » et homme « primitif ». L'un de ses exemples était l'« homme de la toundra », où l'espèce humaine, disait-il, avait manifestement stagné à un stade moins avancé de l'évolution. Il affirmait que le seul jardin allemand légitime était le « jardin enraciné dans le sang et le sol », « *der Blut-und-Bodenverbundene Garten* ». Il y a une raison si je te raconte tout cela. Durant la guerre, il y avait des « règles d'aménagement paysager » strictes en vigueur dans tous les territoires occupés, particulièrement en Pologne. Non seulement les « étrangers » devaient être expulsés (y compris les Polonais eux-mêmes), mais le sol devait être purifié de la même façon. C'est dans ce but qu'on a décrété une purge botanique contre *Impatiens parviflora,* une minuscule fleur des bois, et c'est là la signification de la petite fleur que tu vois cachée quelque part dans chacune de mes peintures.

Peu de temps après leur conversation au sujet d'*Impatiens parviflora,* Jeanne alla regarder de nouveau les livres pour enfants que Marina avait illustrés. Les images regorgeaient de détails : fourrure d'animal lustrée d'huile, gouttes d'eau renfermant des paysages, ombres menaçantes dans les replis des tissus. Sur chaque visage, peint avec une si grande empathie, exprimant un moment humain suspendu –

une telle désolation, une joie si profonde –, Jeanne sentait ses propres yeux qui la dévisageaient.

Dans chaque enfance, il y a une porte qui se ferme, avait dit Marina. Et aussi : seul le véritable amour attend tandis que nous traversons notre chagrin. Là réside l'authentique loyauté entre les êtres. Dans toutes les épopées, dans tous les récits qui ont survécu à plusieurs générations, on retrouve la même vérité : l'amour doit attendre que les plaies guérissent. C'est cette attente que nous nous devons les uns aux autres, non pas accompagnée d'un sentiment de pitié ni d'un jugement, mais comme si l'on avait rendez-vous avec le pardon. Combien de personnes sont prêtes à en attendre une autre de la sorte ? Bien peu.

— On devient soi-même quand des choses nous sont données ou qu'elles nous sont enlevées. Je suis née à Berlin, racontait Marina. En 1933, mon père était tellement dégoûté par la tournure que prenaient les événements qu'il a convaincu ma mère de déménager. Pour elle, c'était très difficile de laisser ses sœurs et ses amies. À Amsterdam, mon père occupait un poste dans l'entreprise de mon oncle, une manufacture de chapeaux. Avant qu'ils partent, mon père nous avait dit qu'il ne serait peut-être pas si pénible de quitter son poste de professeur à l'université – emploi dont il supposait qu'il serait bientôt aboli de toute façon – parce qu'il n'y avait qu'un pas entre remplir des têtes et les coiffer. La remarque n'a pas eu l'heur d'amuser ma mère.

Ma sœur, âgée de treize ans seulement, est évidemment restée avec eux. Quant à moi, qui avais dix-neuf ans, j'ai décidé peu après le déménagement d'aller plutôt à Londres pour y pratiquer mon anglais. J'étais heureuse de vivre dans une autre langue parce que l'année précédente j'avais eu la sottise de tomber amoureuse d'un garçon qui avait soudain décidé, en 1933, que, tout bien réfléchi, il ne pouvait épouser quelqu'un de mon « espèce ». Un étudiant de mon père qui avait déménagé en Angleterre assurait qu'il serait ravi d'accueillir une préceptrice pour ses enfants qui sache parler à la fois allemand et anglais. Je suis donc allée vivre à Twickenham pendant un an. Puis ma mère a voulu que je revienne à Amsterdam, mais je n'y étais pas tout à fait prête. C'est à ce moment-là que j'ai répondu à l'annonce et que je suis partie travailler pour Annie Moorcock, au large de la côte écossaise.

J'ai pris le bateau à Port Askaig. Le voisin d'Annie, M. Muldrew, est venu me chercher au quai de Feolin et nous avons roulé lentement sous la pluie, passé Craighouse et Ardfarnel. M. Muldrew serrait un chiffon dans sa main, sortant continuellement le bras par la vitre pour essuyer la bruine du pare-brise, tout en manœuvrant le volant et en changeant les vitesses de son autre main, jusqu'à ce que nous ayons atteint la maison en pierres des champs.

J'ai été étonnée de découvrir qu'à l'intérieur tout n'était que raffinement et proportions harmonieuses :

des fleurs fraîches sur une table ronde en bois ciré posée sur une carpette ronde, dans un hall d'entrée orné de lambris et de tentures. Si j'avais été surprise par cette élégance, je ne m'attendais absolument pas à découvrir dans cette maison de l'île isolée qu'est Jura la bibliothèque d'Annie Moorcock. Il s'y trouvait de belles étagères encastrées allant du sol jusqu'aux chevrons, d'autres au-dessus de la porte, d'autres encore se déversant dans la pièce voisine. Il y avait des dizaines de milliers de livres.

Bien qu'elle n'ait pas eu honte de son obsession, la vieille femme était tout de même quelque peu gênée, comme il sied lorsqu'on avoue un plaisir intime.

« Je ne suis plus capable de me pencher pour prendre les livres sur les tablettes les plus basses, a-t-elle expliqué, et je ne saurais dire combien cela me chagrine, ces livres qui me sont aussi inaccessibles que ma jeunesse. »

Ce premier après-midi, racontait Marina, nous nous sommes assises dans la cuisine et Annie m'a jaugée. Je pouvais deviner que tout se passerait bien entre nous, et qu'il y aurait peut-être plus : une affection.

Le fait qu'elle vivait seule dans l'île ne plaisait pas à ses enfants, mais elle refusait de quitter sa bibliothèque et ne supportait pas l'idée de la déménager. Moins d'une heure après mon arrivée, en cette fin d'après-midi pluvieuse de novembre, j'ai compris que je n'avais pas été embauchée simplement pour tenir compagnie à une vieille dame en lui faisant la lecture, en préparant ses repas et en l'aidant à s'habiller et à faire sa toilette, mais aussi en vue d'un objectif secret connu d'elle seule. En prenant le thé, elle m'a dit, une note de triomphe dans la voix, que j'étais là pour l'aider à cataloguer ses livres, tâche à laquelle elle se préparait depuis un certain temps. En effet, elle avait une table qui débordait de piles de papiers pliés où le nom du destinataire se lisait en lettres bien nettes. Pendant des mois, nous avons glissé ces notes et de nombreuses autres dans les volumes : messages à ses filles, à son fils et à ses huit petits-enfants. Nous avons dressé la liste décidant du sort de chaque volume – auquel de ses enfants ou de ses petits-enfants profiterait le plus un livre donné ? – dans l'espoir qu'il offre fugitivement réconfort, assistance ou répit à celui qui l'ouvrirait par un soir d'hiver plusieurs années plus tard. « Même si j'espère que ma Thea aux joues roses (qui n'avait que six ans à l'époque) n'aura jamais besoin de John Donne, quelque chose en elle, une petite ombre, me dit que ces mots pourraient un jour lui être utiles. »

Ainsi s'écoulaient les semaines, dans cette très singulière tendresse.

Annie avait rassemblé une extraordinaire collection de livres animés destinés aux enfants, qui comprenait plusieurs volumes publiés par Ernest Nister, à Nuremberg. Elle possédait même un exemplaire du

Cirque des animaux savants, de Meggendorfer, que son père avait rapporté d'un voyage en Allemagne quand elle était enfant. Lorsque la Première Guerre mondiale avait éclaté, on avait cessé d'imprimer des livres de contes britanniques en Allemagne, et Annie possédait quelques-uns des premiers livres animés publiés en Angleterre dans l'entre-deux-guerres, presque toute la série des *Bookano Stories* et tous les numéros du *Daily Express Children's Annual,* où les animaux jaillissaient de leurs plis en *V.* Il m'arrive souvent de regretter qu'elle n'ait pas vécu assez longtemps pour voir les œuvres de Vojtěch Kubašta, l'architecte tchèque qui a étudié à Prague avant de se consacrer aux livres animés pour enfants, et dont j'ai découvert les volumes à Londres après la guerre. Sa *Belle au bois dormant* et sa *Blanche-Neige,* entre autres, où les yeux des chiens roulent dans leur tête, où les nains mélancoliques recouvrent tout à coup leur bonne humeur grâce à la manipulation d'une languette et où de longues tables vides se trouvent en un instant magiquement chargées de nourriture, procédé particulièrement prisé en ces années de disette et de privations.

C'est grâce à Annie Moorcock, à l'extraordinaire hasard de notre rencontre, que j'ai pu conjuguer les deux choses qu'elle adorait et m'a données à adorer : la peinture et les livres pour enfants. Il me semble parfois qu'elle ne serait pas d'accord avec l'usage que j'ai fait de sa générosité, en réalisant des images qui lui aurait fait détourner la tête de désespoir. Mais il y a d'autres jours où je peux sentir sa bénédiction en travaillant, parce que c'était l'être le plus perspicace que j'aie jamais rencontré, et ce don qu'elle possédait était ignoré de presque tous ceux qui la connaissaient, jusqu'à ce que sa bibliothèque parle pour elle, avec tant d'éloquence et tant d'amour, après sa mort.

J'ai rencontré William et son père pour la troisième fois en trois jours, racontait Marina, à la boutique de M. McKechnie, alors que je prenais le courrier et qu'ils s'approvisionnaient en prévision de la difficile marche jusqu'à Corryvreckan.

Ils se sont invités à prendre le thé. Annie les a tout de suite aimés. Elle savait que William et son père étaient ingénieurs et, après qu'ils ont eu exploré la bibliothèque, elle a disposé sa collection de livres animés sur la table. Ils ont tous les trois entamé une discussion sur l'ingénierie du papier : points de pivotement, bras oscillants, différents types de plis et de replis, roues et points d'appui. Le visage d'Annie s'est transformé, une métamorphose digne de l'un de ses livres magiques s'est opérée, un épanouissement absolu, comme si elle avait attendu des décennies cet après-midi de conversation où William et son père étaient assis là, leur tasse de thé chancelant fiévreusement sur leurs genoux, témoins empressés de l'œuvre de sa vie. Après leur départ, son ravissement a mis des heures à se dissiper. Quand les ombres ont grandi entre les arbres, Annie s'est retirée dans sa chambre, apaisée. Je n'ai jamais plus revu le même plaisir sur son visage.

Jeanne et Marina restèrent assises à scruter le feu, enveloppées de l'odeur de laine humide et de térébenthine.

— Plus tard, le père de William m'a aidée à retrouver mes parents et ma sœur… mais ils étaient déjà morts, à Föhrenwald…

Pour le meilleur ou pour le pire, dit Marina en se levant lentement de son fauteuil, l'amour est une catastrophe.

~

Chaque fois qu'Avery descendait du Québec, Marina et Jeanne le recevaient avec un festin amoureusement préparé qu'il accueillait avec gratitude : tartes et pâtés, soupes et ragoûts faits avec des légumes du marais, citrouille en purée cuite au four avec du beurre et du sirop d'érable, servie chaude et accompagnée de crème. Après, ils passaient la soirée autour de la table de Marina à écouter les histoires d'Avery.

Un jour, alors qu'il marchait dans les bois surplombant la rivière, Avery avait rencontré un jeune homme, un adolescent, qui travaillait avec ses oncles à fabriquer des pylônes destinés au barrage. Avery l'avait regardé courir entre les arbres, reprenant inlassablement le même parcours.

— Il a vu que je le regardais, dit Avery, et est venu me voir sans gêne ; il paraissait illuminé de l'intérieur par l'urgence.

« Je vais être pilote de course, m'a-t-il dit. Je ne vais pas couler du ciment toute ma vie. Un jour, j'aurai assez d'argent pour m'acheter une auto à moi. »

Il m'a regardé un moment et a décidé que je comprendrais.

« Il y a des pilotes qui défient la mort – ce sont ceux qui ne dureront pas. Et puis il y a les pilotes qui respectent la mort – ce sont ceux qui ne gagnent presque jamais. » Il a commencé à se balancer d'avant en arrière, suivant des yeux le circuit qu'il venait juste de courir. « Et puis, a-t-il continué, il y a les pilotes qui se sont tellement gorgés, empiffrés de la mort qu'ils n'ont plus faim d'elle. Ce sont ceux qui sont déjà des fantômes. »

« Comment sais-tu cela ? » lui ai-je demandé.

Le jeune homme dans la forêt semblait venu d'ailleurs, il était blanc comme un champignon et avait les yeux d'un bleu artificiel.

« Est-ce que les fantômes sont ceux qui gagnent ? » ai-je demandé.

Le jeune homme a ri. « Souviens-toi de mon nom, a-t-il dit. Souviens-toi de Villeneuve ! » Et il est reparti à la course, un bras étendu au-dessus de la falaise escarpée de la gorge.

~

Jeanne et Avery étaient étendus ensemble sur le plancher de l'appartement de l'avenue Clarendon. C'était une froide soirée d'automne où soufflait un vent annonciateur de pluie. Marina avait peint des abat-jour de papier pour Jeanne, cuivre, garance et or, qui donnaient l'impression à cette dernière, quand elle était dans son salon, d'assister aux dernières minutes d'un coucher de soleil. Avery tendit le bras et ferma le livre de Jeanne.

— Il y a un nouveau projet... Un nouveau type de projet... Je veux que tu viennes avec moi, dit-il.

— Tu as l'air tellement inquiet, répondit-elle.

— C'est loin d'ici.

Avery prit la main de Jeanne et l'ouvrit, paume vers le haut, sur ses genoux.

— S'il te plaît ferme les yeux...

— Ton pouce est l'Atlantique, ton petit doigt, le Pacifique. Le bout de tes doigts est l'Égypte, et le bas de ta main, l'Afrique... Ta ligne de cœur est le désert d'Arabie, ta ligne de destinée est le Nil...

Avery et Jeanne se marièrent dans la maison du marais. Ce fut une cérémonie civile à laquelle assistaient deux invités qui servirent de témoins, les voisins de Marina, côté est, qui gardaient gentiment un œil sur elle depuis son veuvage. Jeanne les regarda arriver par la fenêtre, leurs bottes dessinant un sentier brun derrière eux dans la neige du marais. Ils laissèrent leurs foulards de laine et leurs gants de cuir à sécher sur le radiateur, et Jeanne, debout près d'Avery, attendant que la cérémonie commence, se jura de se souvenir de la vue de ces menus objets : des symboles de bonté. « Il n'y a personne que tu veux inviter ? » avait demandé Marina, et Jeanne, dans sa solitude, avait éprouvé de la honte. « Peu importe, avait dit Marina, maintenant on s'est trouvés. Comment vas-tu m'appeler ? Juste Marina, ou bien mère Marina, ou que penses-tu de Marina-Ma ? » Les deux femmes trouvèrent ce dernier nom extrêmement amusant, adorèrent sa sonorité japonaise, l'humour qu'il recelait, le délicat orientalisme qui semblait si éloigné de la femme trapue aux cheveux gris frisottés, coupés à la garçonne.

— Ta ligne de cœur est le désert d'Arabie, ta ligne de destinée est le Nil… Pas à l'échelle, bien sûr… Ici, dit-il en traçant un cercle autour du renflement à la base de son pouce, il y a le Sahara…

Au cours des mois précédant leur départ, d'abord pour l'Angleterre puis en direction de Khartoum, Jeanne emballa son diplôme nouvellement obtenu, sous-loua l'appartement de l'avenue Clarendon et emménagea dans la maison blanche avec Marina. Ni l'une ni l'autre n'arrivaient à dissimuler le plaisir que leur procurait cet arrangement. Elles passaient de longues journées dans l'atelier de Marina, elles marchaient le long du canal dans la neige, ensemble elles s'asseyaient emmitouflées dans des couvertures sur des chaises longues et contemplaient le marais. L'une comme l'autre n'en croyaient pas leur bonne fortune d'avoir tant d'affinités. Se trouver si à l'aise avec cette femme plus vieille, mère et fille – ce sentiment rendait Jeanne quasi ivre de bonheur.

L'été précédent, elle avait apporté à la maison du marais tous les pots qui encombraient son salon et planté chacune des pousses du jardin de sa mère dans une section de la terre de Marina. Avery avait construit une clôture blanche peu élevée autour, pour que Jeanne ait l'impression que ce carré de terre lui appartenait.

— Ici, dit Avery au crépuscule à la lumière de la lampe, traçant un cercle autour du renflement à la base de son pouce, c'est le Sahara… Et ici, ajouta-t-il en embrassant le creux de sa paume, se dresse le grand temple d'Abou Simbel…

Le Nil se brise sur des rocs extrêmement résistants, créant des fissures, des gorges écumantes, des îles de pierre : ce sont les cataractes infranchissables, dit Avery, portes de la Nubie. Au-delà, le fleuve est lent et ses berges sont cultivées, champs et forêts de dattiers. Les collines ici – Avery esquissa une ligne vers le bas de sa paume – sont douces : terrasses de limon, de grès, de quartzite. Ici, entre la ligne de destinée et la ligne de cœur, la Méditerranée rencontre l'Afrique ; le désert est jonché des ruines de deux cultures. Dans ta main tu tiens des églises chrétiennes aux fresques raffinées, des temples coptes, des forteresses, des pétroglyphes de l'âge de pierre, des tombes sans nombre…

Sur des centaines de kilomètres à l'est et à l'ouest, entre la mer Rouge et l'océan Atlantique, le sable, sans allégeance, ravit tout. De minuscules grains de quartz, sourds à la religion, à la royauté ou à la misère, réduisent en poussière même les monuments faits de la pierre la plus dure, et des dynasties entières ont été érodées jusqu'à devenir invisibles…

La cataracte d'Assouan, et le fait que le temple avait été sculpté à même le flanc d'une falaise, ont protégé Abou Simbel pendant des siècles. Le Sahara a lentement grimpé la falaise jusqu'à ce qu'on ne voie plus que l'extrémité du sommet du temple…

La nuit se déploya tandis qu'Avery expliquait tout ce qu'il savait. Jeanne percevait dans sa voix la soif qu'il avait de cette chance qui lui permettrait d'être non pas celui qui construirait le barrage mais celui qui sauvegarderait le temple. Enfin, il la regarda, en quête d'une réponse.

— Je n'ai rien avec moi, dit Jeanne, mais je peux porter tes vêtements…

~

Ils arrivèrent à Londres en janvier. Owen, le cousin d'Avery, n'était pas en ville, et ils logèrent dans son appartement, un repaire à la mode, aux pièces peintes dans des teintes sombres, pleines de chandeliers et de tapis de soie, de meubles en teck, avec des montagnes de coussins près des foyers. Seule la cuisine n'avait jamais été rénovée et dans les armoires Avery reconnut les assiettes de tante Bett, ébréchées et délavées, reliques de leur enfance. C'était une nostalgie à laquelle Avery ne s'était pas attendu de la part d'Owen, et il fut reconnaissant de cette découverte, comme si cela signifiait que les détails les plus insignifiants de leur vie ensemble durant la guerre n'avaient pas été oubliés.

Le crépuscule dans la chambre d'Owen, la fenêtre ouverte sur la pluie, les toits noirs et luisants, un rai de soleil couchant. Dans cette pénombre pluvieuse et cette ultime lumière inattendue, les oiseaux s'égaillant juste avant l'obscurité, tous deux éprouvaient un désir d'un nouveau genre, indissociable de la ville. Indissociable de Londres, janvier 1964. Le désir éprouvé dans des rues étrangères, son corps jamais mieux connu par un autre.

Au cours de leurs derniers jours en Angleterre, après avoir habité avec tante Bett à Leighton Buzzard, Avery et Jeanne traversèrent en voiture la vallée de la rivière Usk. Ils s'arrêtèrent à un pub suspendu au-dessus du chemin de fer dans l'épaisse forêt en surplomb de la voie ferrée. Sur la porte était affiché un avertissement : *Nous vous recommandons fortement de ne pas emmener vos enfants ici après 21 h.* Jeanne était inquiète – quelle violence s'éveillait ici et se répandait dans la forêt à la nuit tombée ? – mais, comme ils n'étaient passés devant aucun autre établissement depuis des kilomètres, ils entrèrent tout de même. Avery commanda un verre de bière et Jeanne, après avoir remarqué que la barmaid buvait une tasse de thé derrière le bar, demanda une théière. Son inquiétude ne l'avait pas quittée. La forêt noire les entourait de toutes parts ; ils entendirent un train passer dans la vallée. Puis, sur le mur au-dessus du bar, Jeanne remarqua une autre affiche : *Nous vous recommandons fortement de ne pas emmener vos enfants ici après 21 h, pour ne pas déranger les clients qui souhaitent profiter de la tranquillité de cet établissement.* La barmaid, qui l'observait, lui fit un clin d'œil. « Ouais, dit-elle, le soir les gens emmènent leurs moutards hurlants et on ne peut pas boire une pinte en paix. »

Ils restèrent assis en silence pendant que le bruit du train diminuait dans la forêt.

— Mon père et moi avons pris le train de Rome jusqu'à Turin, dit Avery. Nous étions dans un compartiment en compagnie d'un jeune couple. La manière dont ils étaient assis côte à côte révélait toute leur histoire, la main du jeune homme sur la cuisse de sa compagne tandis qu'il faisait semblant de lire le journal, sa tête à elle sur l'épaule de son compagnon tandis qu'elle faisait semblant de dormir. Le désir fébrile qui les habitait était si palpable qu'il nous a emplis de gêne, mon père et moi, d'une gêne que j'étais trop jeune pour comprendre, et nous nous levions sans cesse pour faire les cent pas dans les corridors qui tanguaient.

Enfin, nous sommes arrivés à l'immense gare de Turin. Comme nous n'avions qu'une petite valise pour nous deux, nous avons décidé de parcourir à pied la courte distance nous séparant de l'hôtel où mon père devait assister à une réunion d'affaires. Pendant que nous traversions la vaste gare, j'ai soudain aperçu un panonceau que j'aurais pu rater si j'avais marché plus vite. Il y avait une seule phrase, peinte sur un panneau de bois, qui précisait que c'est de cette gare qu'étaient partis les déportés durant la guerre et qui donnait le nombre – en centaines de milliers – de personnes qu'on avait envoyées à la mort depuis le lieu même où nous nous trouvions. C'était une petite notice, à peine visible, et à ce jour je ne saurais dire comment il se fait que je l'ai remarquée. Quand nous sommes sortis dans la rue baignée de soleil, à quelques pas des portes de la gare, j'ai trébuché sur les pavés et je suis tombé. Je me suis fait une coupure au visage et on a dû me faire des points de suture. Il a fallu que mon père m'emmène à l'hôpital, il a raté son rendez-vous, et voilà l'histoire de la cicatrice que j'ai au menton. Tout ce que je voulais, c'était quitter cet endroit, dit Avery. Ça me semblait une ville absolument effroyable.

Jeanne était silencieuse. Il semblait à Avery que son silence, ce silence qui lui était maintenant familier, était celui de son cœur occupé à réfléchir.

— Les lieux sans nombre, dans les villes, qui ont été témoins de morts violentes, dit Jeanne, pas seulement des endroits où des horreurs se sont produites en temps de guerre, mais toute cette autre misère qui n'est jamais commémorée : un accident de voiture, une violence qu'on inflige – comment peut-on marquer ces endroits ? Il serait sans doute impossible de faire un coin de rue sans mettre le pied dans un lieu de deuil ; on ne saurait tous les marquer.

Une tristesse s'abattit. Avery prit la main de Jeanne.

— Allons, dit-il.

Dehors, le vent s'insinuait entre les feuilles les plus hautes. La petite cicatrice sur le menton d'Avery disparut dans la vive lumière du soleil d'après-midi.

— Avant que nous quittions Turin, dit Avery, mon père, souhaitant me remonter le moral, m'a emmené au célèbre café Baratti & Milano, avec ses vitrines pleines de chocolats et de nougats, ses tables et ses chaises en bois sculpté, ses nappes amidonnées et ses lourds couverts d'argent. Les chariots de gâteaux opéras et de mousses, les petits-fours, les pâtisseries en pâte phyllo et les flans au citron, les hauts gâteaux au sommet orné de motifs délicats. Mon père souhaitait me changer les idées, mais la sombre élégance du lieu m'a déprimé. En regardant les serveurs en habits noir et blanc porter leurs plateaux d'argent, il me semblait que la pièce ne devait pas avoir changé depuis cinquante ans. Je ne pouvais m'empêcher de me demander combien d'enfants avaient bu leur dernière tasse de chocolat dans ce lieu, peut-être sur la chaise même où j'étais assis. Je ne cessais de penser : La ville m'aurait-elle paru sinistre si je n'avais pas vu ce panonceau à la gare ? Aurais-je tout de même éprouvé ce pressentiment, cette présence, cette appréhension, ce sentiment d'être en un lieu hanté que nous éprouvons parfois – inexplicable, ineffable – dans certains endroits, sous une certaine lumière ? Toujours est-il que mon père a bu son thé, et que j'ai mangé ma glace au chocolat dans son bol d'argent ouvragé couvert de condensation. Nous avons quitté l'hôtel tôt le lendemain matin, après une nuit sans sommeil – mon père parce qu'il avait raté son rendez-vous et moi en raison de mon appréhension – et nous avons marché jusqu'à la gare. Mon père, qui se rappelait sans doute Londres durant le Blitz ou d'autres endroits dont je ne savais rien, a dit : « Certains lieux sont imprégnés de chagrin. » Je me souviens précisément qu'il a utilisé le mot *imprégnés,* et nous avons marché quelque temps en silence, ma main dans la sienne. Puis j'ai songé : Il y a certaines personnes comme ça, imprégnées de chagrin, malgré l'expression de leur visage.

~

Quand Hassan Dafalla, commissaire responsable de l'émigration, prit connaissance des données du recensement par un matin de mai de l'an 1961, il apprit que la totalité du territoire nubien – sans exception – était enregistré au nom d'un individu mort depuis des siècles. Cette statistique le toucha profondément et, le rapport toujours à la main, il sortit de son bureau à Wadi Halfa pour contempler les terres.

Hassan Dafalla était un homme enclin à la réflexion, et le gouvernement soudanais n'aurait pu mieux choisir la personne à qui échoirait la tâche de réinstaller une nation entière. C'était un homme de sentiment – d'empathie, de justice et d'une extraordinaire patience pour les détails importants. C'est Hassan Dafalla qui s'assura qu'une ration supplémentaire de grains soit livrée aux boulangeries avant le voyage, et qui prit les mesures nécessaires pour qu'il y ait un wagon d'accouchement muni de lits d'hôpital dans le train, pour les femmes enceintes. C'est Hassan Dafalla qui tendit un paquet de linceuls au conducteur du train, au cas où ils seraient nécessaires pendant l'émigration longue de plus de mille deux cents kilomètres depuis les villages de Nubie jusqu'au nouveau territoire à Khashm el-Girba, près de la paresseuse rivière Atbara. L'Atbara était une rivière saisonnière qui chaque année se réduisait en poussière. C'est Hassan Dafalla qui insista pour que l'on affiche dans la nouvelle ville les noms des villages de préférence à des numéros, même si l'on ignora son ordre. Et c'est encore Hassan Dafalla qui resta debout, muet, à la vue des nouvelles maisons, des blocs de ciment vides posés en rangées sur le sol, sans aucun lien avec celui-ci, comme des cageots de transport. C'est lui qui encaissa le choc aigu, à couper le souffle, de l'échec ; et qui saisit que la vie peut être dépouillée de signification, dépouillée de mémoire.

Les maisons du projet de la « Nouvelle Halfa » avaient des toits en pente faits de fer-blanc ou d'amiante et des pièces trop petites pour les familles qui devaient les occuper ; c'est ainsi que les lotissements furent divisés. Et quand Hassan Dafalla vit qu'il n'y avait pas un seul arbre à Khashm el-Girba, il revint avec un cadeau : trente mille pousses. On planta huit cents pousses de dattiers le long de la route principale, lors d'une célébration de l'arbre. Il s'agissait là à ses yeux d'un cadeau honteusement inadéquat pour ceux qui pleuraient leurs palmeraies au bord du Nil.

Quand on eut la certitude que le haut barrage d'Assouan serait construit, les recenseurs furent dépêchés de village en village. Ils notèrent le nombre d'habitants que comptait chaque demeure, le nombre de têtes de bétail, et dressèrent un rapport minutieux du mobilier de chaque famille. Comme tout devrait être transporté – par camion, par navire et par train –, le nombre de wagons et de trains nécessaires devait être calculé précisément.

Hassan Dafalla avait étudié ces chiffres avec attention. Dans la région soudanaise sous sa juridiction, on dénombrait : 27 villages, 70 000 âmes ; 7676 maisons, dont le nombre moyen de pièces était estimé à 5,8 ; le nombre de résidants par pièce était de 0,9 dans la ville de Wadi Halfa et de 1,1 dans les villages. Parmi les animaux devant être transportés, on comptait : 34 146 chèvres, 19 315 moutons, 2831 têtes de bétail, 608 chameaux, 415 ânes, 86 chevaux, 35 000 poules, 28 000 pigeons et un total combiné de 1564 canards et oies.

Il fallait compter et décrire tous les arbres fruitiers de sorte à pouvoir déterminer une compensation adéquate pour chacun. Les dattiers étaient classés dans l'une ou l'autre des catégories suivantes : arbres femelles aptes à porter des fruits, y compris les jeunes femelles de cinq ans, arbres ne portant pas de fruits (mâles et femelles plus âgées), gaules indépendantes (de trois à quatre ans), petites pousses (de un à trois ans) et très jeunes pousses encore fixées aux racines de leur mère.

De tous les villages inclus dans le déplacement de masse, les habitants d'un seul – Degheim – refusèrent de coopérer, même si, évidemment, l'eau finirait par avoir raison d'eux. Les femmes de Degheim, dans leurs *gargaras* noires, s'attroupèrent pour hurler : « *Fadiru wala hagumunno Khashm el Girba la !* » – Plutôt mourir que d'aller à Khashm el-Girba ! –, créant un immense nuage de poussière en lançant dans les airs la terre qui n'était plus la leur.

Le premier village du district de Wadi Halfa à être évacué fut Faras. Le trajet serait d'une durée biblique, quarante heures, un exode aux proportions épiques.

Hassan Dafalla avait réquisitionné vingt mille sacs de jute, vingt mille bobines de corde et quinze mille paniers pour le voyage. Vingt camions avaient été mis en service pour transporter les bagages jusqu'à la gare. Plus de cent porteurs furent nécessaires pour charger les camions puis les cinquante-cinq wagons, les soixante-six wagons de provisions et les deux cent seize wagons à bestiaux de même que les wagons de fourrage et d'eau destinés aux animaux ; avant tout cela, les villageois de la rive ouest devraient traverser la rivière en bateau à vapeur. Les habitants des îles Kokki – loin dans les gorges étroites de la deuxième cataracte où nulle embarcation suffisamment grosse pour transporter leurs bagages ne pouvait les atteindre – fabriquèrent à l'aide de rondins et de peaux gonflées d'air des radeaux sur lesquels ils firent flotter leurs possessions jusqu'à la rive.

Le 6 janvier 1964. Sur la rive est du Nil à Faras, le train attendait, avec le wagon-infirmerie réservé aux malades, aux vieillards et aux femmes susceptibles d'accoucher incessamment. Sur la rive ouest, des porteurs se mirent à transporter les sacs, les matelas et les paniers de toutes tailles qui s'empilaient devant la porte de chacune des demeures, traversant le village jusqu'à l'endroit où le vapeur était amarré.

Hassan Dafalla regarda les Nubiens retirer les grandes clefs de bois de leurs serrures et disparaître de nouveau dans leur maison pour la voir une denière fois. Il les regarda rester assis en silence dans le cimetière. Sur le vapeur, tous les yeux contemplaient le spectacle du village qu'ils quittaient ; assurément, songea Hassan Dafalla, il y a peu d'endroits sur cette terre qui ont été scrutés par tant de personnes à la fois, avec un même sentiment. Il savait pourtant que l'histoire regorgeait de scènes semblables. La gare fourmillait de villageois de Faras Est venus souhaiter un voyage sans incident à leurs voisins, et qui entreprendraient bientôt le même trajet. Il les regarda monter tous dans les wagons en peinant pour regarder en arrière, tandis que le conducteur fixait des branches cueillies dans les vergers de dattiers de Faras à l'avant de la locomotive en criant : « *Afialogo, heir ogo !* » – santé, prospérité. Il regarda le train s'ébranler lentement, jusqu'à ce qu'il disparaisse dans le désert.

Ils suivraient la ligne principale de Khartoum jusqu'à la jonction d'Atbara, puis la ligne de Port-Soudan jusqu'à la jonction de Haya, avant de prendre vers le sud en direction de Kassala et de Khashm el-Girba. Dans chaque village le long de la ligne de chemin de fer, les gares étaient bondées de gens qui agitaient la main, criaient leur appui et, toutes les fois que le train s'arrêtait, apportaient aux passagers du thé et des offrandes de nourriture : sacs de sucre, de farine, d'avoine et de riz, beurre, huile, fromage et miel. « *Afialogo, heir ogo, adeela, adeela.* » À Aroma, tous les hommes de la tribu Hadendowa se rassemblèrent sur leurs chameaux, chacun avec une épée, un trait de lumière, à son côté. Brandissant leurs bâtons vers le ciel, ils frappèrent sur leurs tambours de cuivre au rythme du mot « *Dabaywa* » – bienvenue. Ce ne fut pas différent à Sarra Est, Dibeira, Ashkeit, Dabarosa, Tawfikia, Arkawit et El Jebel. À la gare d'Angash, à Haya et à Kassala, les fermiers chargèrent généreusement le train de sacs d'agrumes et de légumes jusqu'à ce qu'il ne reste plus un centimètre d'espace libre dans les wagons pleins à craquer. La nuit tombait. Tout à coup, au pont de Butana, tous les passagers se penchèrent vers les fenêtres pour apercevoir la rivière Atbara. Ceux qui avaient cessé de sangloter se remirent à pleurer à la vue d'un cours d'eau si dérisoire, si sale et si maigre comparé au Nil qu'ils laissaient derrière eux. À l'autre bout du pont, au loin, ils distinguèrent pour la première fois la rangée de maisons blanches qui les attendaient : le lotissement nº 33.

Endeuillées, les femmes nubiennes retirèrent leur *gargaras* noires fluides comme le Nil et descendirent du train vêtues des saris sans ornement du centre du Soudan.

Quelques jours après l'évacuation, Hassan Dafalla retourna à Faras pour méditer sur tout ce qu'il avait vu. Le soleil tapait dans le silence. Il vit les trous aux endroits où l'on avait arraché les assiettes décoratives des murs. Il vit les traces des hyènes partout.

Après avoir passé plusieurs jours plongé dans ses pensées, Hassan Dafalla alla rendre visite aux habitants exilés à Khashm el-Girba. « Nous avions une soif mutuelle de nous voir, écrivit-il plus tard dans son journal, comme si nous avions été séparés pendant très longtemps. »

À neuf heures, le matin de l'évacuation de Sarra, le commissaire Hassan Dafalla avait découvert, des heures avant le moment où le train devait partir, le village déjà déserté. Il resta là, sous le choc, devant la stupéfiante irréalité qu'il ne s'y trouvait personne pour émigrer. La veille au soir, tous les bagages avaient été chargés dans le train ; des wagons et des camions lourds étaient garés dans le sable, braillant de bétail. Pourtant, au matin, il n'y avait plus un seul villageois en vue. Désemparé, le commissaire Dafalla escalada la colline qui dominait le village pour y réfléchir. Quand il atteignit le sommet, il fut de nouveau ébahi, cette fois de découvrir un bassin vert luisant là où la veille il n'y avait que pierres et sable. Il voyait désormais des centaines de feuilles de palmier, tremblant dans la chaleur, empilées sur les tombes du cimetière. Formant un grand cercle autour de celui-ci, les villageois dansaient le *zikir*. Pendant deux heures encore, le commissaire Dafalla resta assis sur la colline à regarder les villageois de Sarra faire la lecture et chanter pour leurs morts. Tout à coup, le bassin vert se déversa et se reconstitua sous la forme d'une rivière, tandis que tous les habitants de Sarra gravissaient la colline en une file gémissante, portant leurs feuilles de palmier des tombes jusqu'aux trains.

Les aliments de base que les Nubiens avaient cultivés d'experte manière devraient désormais être achetés au marché : lentilles, fèves, pois chiches, lupins, pois. Dans le nouveau lotissement, il n'y avait pas de terrasses où les femmes pouvaient s'asseoir ensemble, pas de Nil avec ses anses et ses îles vertes, où l'on pouvait se rendre dans les felouques à voile et observer les vapeurs qui allaient vers l'Égypte ou en revenaient, chargés de marchandises. Maintenant, il n'y avait plus que la gorge escarpée de la rivière Atbara, aux rives arides, les buissons d'acacia secs et couverts d'épines, et la savane pluvieuse. Il n'y avait ni forêts de palmiers dattiers ni les infinies collines du Sahara. Les femmes abandonnèrent définitivement l'élégante *gargara* parce qu'elle ne faisait plus que traîner dans la boue.

Leur conception du temps se modifia ; la façon dont ils regardaient le ciel et les étoiles était désormais différente. Leur calendrier copte fut remplacé par le calendrier stellaire arabe. Ils apprirent à prévoir les chutes de pluie, les féroces pluies tropicales, par la direction des éclairs : l'éclair à l'est amène l'orage, mais l'éclair dans les autres directions le repousse.

Ils durent renoncer à leurs lits tapissés de feuilles de dattier et dormir dans des lits à cadres d'acier et à ressorts.

Plusieurs mois avant l'inondation, un archéologue polonais avait découvert une église en briques de terre enfouie non loin du village de Faras. L'un des murs arborait une magnifique peinture à la chaux colorée. À l'aide d'une solution chimique destinée à imprimer l'image sur un voile de mousseline, le professeur Michalowski entreprit de faire une copie de la peinture quand il découvrit avec étonnement une deuxième image sous la première. Chaque fois qu'il copiait la peinture sur le mur, il en apparaissait une nouvelle dessous. Quatre-vingt-six couches de peintures furent ainsi mises au jour.

Les Nubiens, qui avaient tout abandonné pour l'énergie hydroélectrique qu'offrirait le nouveau barrage, étaient eux-mêmes dépourvus d'électricité. Les fils passaient juste devant les nouveaux lotissements ; quelques poteaux et quelques fils supplémentaires auraient suffi à acheminer le courant jusqu'à leurs maisons. Mais les Nubiens durent attendre sept ans avant de pouvoir allumer une lampe.

~

Souvent, dans l'ombre de la péniche, Jeanne regardait les Nubiennes qui descendaient au fleuve. Le spectacle de leurs robes noires semblait trancher la chaleur, bien que Jeanne ne pût expliquer à quoi était due cette impression puisqu'elles aussi tremblaient telle une eau noire à la surface du sable brûlant.

Les regarder éveillait chez elle un émoi ; c'est-à-dire qu'elle aurait voulu que les femmes la voient.

Elle se sentait comme une enfant en leur présence, et en présence du désert qui les habitait. Ces femmes avaient une connaissance intime de l'espace du désert et de l'intemporalité du fleuve, deux immensités distinctes. Et la troisième immensité : le ciel. Pourtant une forme de compréhension la liait également à elles ou, à tout le moins, un désir de comprendre. Elle les regardait se déplacer avec une grâce fluide et savait qu'elles aussi se débarrasseraient bientôt de la *gargara.*

Quelle part du corps d'une femme lui appartient, quelle part est l'argile pétrie par un regard d'homme ? Jeanne était incapable d'expliquer l'isolement qu'elle ressentait, ce manque en elle-même. Il lui semblait qu'un certain mystère de la féminité était pour elle perdu à jamais ; elle croyait que cela était dû au fait qu'elle avait été élevée par son père seul. Elle aurait voulu arracher ses vêtements et se rouler dans le sable, pour perdre son odeur dans le désert et ainsi, pendant quelques moments, s'y sentir chez elle. Elle aurait voulu qu'Avery comprenne quelque chose qu'elle-même était incapable d'expliquer ; elle le savait et ne pouvait le blâmer de ne pas comprendre.

Elle se demandait combien de temps il faudrait à la chaleur pour lui faire suer sa nordicité, évaporer le souvenir que conservait son corps des forêts et des lacs boréals, transformation aussi chimique que celle consistant à cuire un aliment. Comment le lieu peut-il pénétrer notre peau de la sorte, jusqu'au plus profond de notre verbe ? Cela ne paraissait pas possible, et pourtant elle sentait que c'était vrai. Il lui semblait que si elle se tenait debout, nue, à côté des femmes du Nil, même un homme aux yeux bandés saurait qu'elle était une étrangère.

Les ingénieurs européens ne se souciaient nullement d'être des étrangers ; ils apportaient leurs règles à calculer dans le désert et parlaient l'ancien langage des bâtisseurs, un langage chiffré plus vieux que les temples. Les hommes qui étaient venus les premiers dans ce méandre du fleuve peindre un trait en travers de la falaise plus de trente siècles plus tôt auraient pu se tenir aux côtés de ces ingénieurs, regarder leurs diagrammes par-dessus leur épaule, et comprendre leur dessein presque instantanément. Ainsi Avery, un ancien bâtisseur égyptien regardant par-dessus son épaule, ne pouvait ressentir la disgrâce de Jeanne, un sentiment de n'être pas digne qu'elle-même n'arrivait pas à exprimer. Elle savait obscurément que ce n'était pas mesquin, que ce n'était pas personnel, bien qu'elle eût cette impression aussi, et tous les mots dont elle disposait pour décrire ce qu'elle ressentait puaient le personnel. Bientôt, elle cessa de tenter d'expliquer cette impression à Avery. Elle cessa, comme on s'interrompt au milieu d'une phrase, et il ne le remarqua pas. Et le fait qu'il ne le remarque pas, saisit-elle, était soulagement pour Avery. Quelle part du fait que l'on ne remarque pas est une forme de soulagement ?

~

Parfois, quand il était simplement impossible de fabriquer une pièce de fortune pour remplacer celle qui était brisée, les ingénieurs jouaient aux cartes ou tiraient au sort pour décider à qui échoirait l'aventure d'écumer le marché de Wadi Halfa à la recherche de vis et de têtes de boulons, de pistons et de fil de fer. On accorda un congé de quatre jours à Avery, qui prit l'avion avec Jeanne d'Abou Simbel à Wadi Halfa.

Ils étaient déjà allés plusieurs fois au marché et Jeanne avait toujours l'impression qu'un grand vent avait soufflé dans cette ville poussiéreuse, y déposant les détritus de tout un monde, de tout un siècle, soulevés par sa puissance. Fiches et piles électriques, casquettes en tweed, boîtes de poudre dentifrice, bouquets d'herbes et sachets de papier pleins d'épices, escarpins de soirée ornés de boucles d'argent, œufs, tabac à pipe, patins à glace, monticules de figues, de dattes et d'abricots au doux parfum, vestons d'intérieur, énormes piles de tissus importés de Turquie, d'Asie, d'Union soviétique, bas nylon d'Italie, laine, calicot et guingan anglais, et les longs rouleaux de fin coton sombre – aussi sombre que l'ombre froide d'une colline du désert – que les Nubiennes utilisaient pour confectionner leurs *gargaras.* Vendeurs de café avec leurs transistors à plein volume, chacun criant pour se faire entendre, chiens aboyant après les marchands de viande, marchands de viande criant après les chiens, le verre cliquetant des vendeurs de boissons gazeuses, moulins broyant le café et les céréales, le bruit des haricots et des pois cassés que l'on versait dans des sacs, les marchands de thé entrechoquant leurs tasses. Chauffeurs de taxi qui se querellaient au sujet du prix d'une course, ânes brayant, les pots d'échappement pétaradants des petites autos françaises, les cris d'un match de football que disputaient des garçons et, soudain, tout près de son oreille, le doux arabe d'une jeune fille qui faisait la lecture à son grand-père aveugle, assis avec elle derrière une table où s'élevait une montagne de chaussettes et de boutons, deux articles dont les habitants du désert n'ont nul besoin. Jeanne réfléchit au gagne-pain du vieillard, qui reposait sur les Occidentaux aux fils décousus, et songea combien l'habillement européen en était venu à dépendre totalement, sottement, du bouton.

Le marché de Wadi Halfa était un lieu où le moindre caprice humain avait trouvé une tablette. C'était un catalogue de désirs, un marché du cassé et du perdu, hanté par les espoirs des acheteurs comme des vendeurs.

Paniers de quincaillerie à la fois rutilante et rouillée, ressorts, vis, clous, pinces, pentures ; pièces de bateaux et d'automobiles, ventilateurs électriques. Des pièces « de rechange » prélevées sur des machines où elles ne demandaient nullement à être remplacées ou bien sur de la machinerie abandonnée, inutile, dans le désert. Et c'est là qu'Avery trouvait souvent le verrou de la taille qu'il lui fallait, même s'il devait pour cela acheter tous les ventilateurs électriques qu'il arrivait à dénicher pour les piller à la recherche de la pièce désirée. Et c'est là que ce qui restait du mécanisme du ventilateur, désormais inutile, se retrouverait de nouveau, au marché de Wadi Halfa, avec des pales qui avaient bien peu de chances d'être de nouveau fixées, à moins que quelqu'un d'autre, à son tour, vingt ans plus tard, ne pille le moteur d'Avery.

Clefs à molette, mouchoirs de poche, crayons de plomb, fers à repasser à vapeur. Cigarettes soviétiques et vieux journaux, désuets depuis des années, en provenance de toute l'Europe. Laque, parfum, huile à machine, fin papier bleu destiné au courrier par avion, bordé de mucilage…

Jeanne regardait les débris laissés par le temps et le commerce avec une fascination qui tourna rapidement à la mélancolie, car par quel moyen autre que la tragédie ou une inconcevable négligence un objet tel qu'une bague de fiançailles ou une poupée d'enfant pouvait-il finir ses jours dans le lointain marché du désert de Wadi Halfa ? Le marché ne semblait être qu'une conscience, un ensemble de souvenirs, hanté par la trahison meurtrière et le mauvais sort, par une inconsolable solitude, des vies entières flambées par une seule erreur ; et les regrets plus doux – nostalgiques, élégiaques. Elle restait debout, un bonnet de petite fille à la main, ou un cardigan porté pendant plusieurs années par un homme dont Jeanne s'imaginait qu'il devait s'asseoir, les coudes sur la table, pour boire seul, ou bien une broche ciselée suffisamment lourde pour déchirer la soie d'une blouse, offerte par un fiancé ou héritée d'une tante, trouvée dans un panier débordant de semblables articles. Elle était oppressée à la pensée de la perte anonyme, de l'épreuve ou de la mort qui avaient emmené jusqu'à un étal à Wadi Halfa ce peigne d'ivoire ou cette montre où étaient gravés les mots *de ton père qui t'aime* ; les souvenirs qu'elle imaginait portés par ces objets, la tristesse des choses. Il lui arrivait d'acheter un article simplement pour le sauver de ce qui lui semblait être la douloureuse apathie de son environnement, ce marché où les clients préféraient ne pas connaître l'histoire d'un objet.

Dans la chaleur de fin de journée qui déclinait lentement, Avery et Jeanne étaient étendus sur leur lit dans l'annexe de l'hôtel Nil, cette annexe étant elle-même un objet récupéré pour être utilisé dans un nouveau contexte, kidnappé d'une histoire à une autre, car leur chambre se trouvait à bord du *Steam Ship Sudan,* un vieux vapeur de la compagnie Thomas Cook, ancré de façon permanente pour accueillir les clients lorsque l'hôtel principal était plein.

Ils ne se lassaient jamais de cela, la prise de possession d'une chambre d'hôtel, le lit inconnu, le geste d'ouvrir une besace et de porter leurs quelques objets dans une nouvelle histoire.

Ils se réveillèrent le lendemain au son du dépôt de rails de Wadi Halfa, le martèlement du métal, l'aiguillage de wagons s'entrechoquant et sifflant tandis que l'on préparait les trains pour leur long voyage jusqu'à Khartoum.

Jeanne sentait la sueur sur son cuir chevelu et sous ses seins malgré le ventilateur qui tournait lentement au-dessus de leurs têtes.

Avery posa un livre à la couverture vert mousse en travers des hanches de Jeanne.

— Rosario Castellanos, dit-il. Il retourna le livre et lut :

« Parce que de toute éternité tu étais destinée à être mienne.
Avant les âges du blé et des alouettes
et même avant les poissons...
Quand tout reposait sur les genoux
du divin, confondu et emmêlé,
toi et moi reposions là complets, ensemble.
Mais à ce moment vint la punition de l'argile...
Parce que de toute éternité tu étais destinée à être mienne
ma solitude était un passage sombre,
un élan de fièvre inconsolable... »

Un chien aboya à travers les mots des poèmes.

« ... J'ai appris
Que rien n'était à moi : ni le blé, l'étoile,
sa voix, son corps ; ni même le mien.
Que mon corps était un arbre et que l'arbre appartient
non pas à son ombre, mais au vent... »

— C'était au fond de la trousse de premiers soins que nous avons vue au marché, dit Avery, cette boîte bosselée munie d'un couvercle, parfaite pour ranger les écrous à oreilles et les boulons, et encore remplie de pipettes et de tubes d'onguent écrasés, de vieux emballages de pansements de gaze.

— De la poésie dans une trousse de premiers soins ? C'est trop parfait. Tu as inventé cela de toutes pièces.

— Non, dit Avery. Et il y avait cela aussi. Il se pencha par-dessus le bord du lit et tendit à Jeanne un mince livret de cuir – un journal. Le carnet était légèrement incurvé, comme si son propriétaire l'avait transporté dans sa poche.

— Ah, dit Jeanne, craignant de regarder à l'intérieur.

— Quelqu'un venait juste de commencer à y écrire. Pas de date, pas de nom. Veux-tu me le lire ?

Jeanne ouvrit le journal ; instantanément, ses yeux s'emplirent de larmes. L'écriture était toute petite, à l'encre bleue ; elle n'aurait pu dire si elle était de la main d'un homme ou d'une femme.

« Pour les ouvrir, nous déchirons les oranges, les figues, tous les fruits qu'on ne supporte plus de manger seuls…

« Nous nous sommes rencontrés dans tant de villes… les ports où le sommeil vide ses cargos dans la baie, la nuit et le jour de l'amour. Nous ne perdons rien de ces rencontres, pas un souffle à gaspiller. Une cale pleine dans chaque direction – ce que chacun apporte à l'autre, ce que nous rapportons chez nous. Nous ne nous reverrons pas avant longtemps. La nuit, sens mes mains, sens ma voix, porte-moi avec toi, dans un muscle et dans un mot. Et moi aussi, je te porterai…

« Dans une forêt d'étoiles et d'arcs, voici ton visage. Dans le jardin, dans le naufrage, dans les pierres sacrées, dans les figues et les roses. Au cours des longues nuits de marche, qu'est-ce qui ne chante pas pour nous ? Au cours des longues nuits de veille, qu'est-ce qui ne chante pas pour nous ?...

« Marchant avec ta bouche à l'intérieur de mes vêtements, et tous les jours possibles. La ville sous la pluie : violonistes portant smoking, la canne blanche de l'aveugle pointée vers la chaussée mouillée, les mahonnes de tôle traversant lentement le fleuve. Le possédé et le vieux, tout ou bien perdu ou bien trouvé. Avec toi, ici, perdu et trouvé... »

Jeanne referma le carnet. Après un moment, elle dit : « Je pense que tu serais capable de cueillir le livre qu'il faut à même le néant. »

Étendus côte à côte, ils écoutaient le martèlement des métallos.

— Après la guerre, ma mère et moi sommes revenus habiter à Londres, dit Avery. Nous avions un appartement minuscule, et notre table de cuisine – l'énorme table de travail en bois de mon père, où nous prenions tous nos repas – était dans une alcôve, entourée de quatre murs de livres. Sans nous lever de notre chaise, nous pouvions simplement étendre le bras en arrière et, oui, cueillir ! le livre approprié sur un rayon. C'était une idée de mon père, qui voulait ainsi s'assurer qu'il y ait toujours des discussions animées aux repas, et que je puisse, comme n'importe quel invité, trouver une référence en moins de deux. À son bout de la table, il adorait lancer des instructions comme un navigateur fou sur un petit bateau : « Un peu plus à droite, neuf heures s'il te plaît, quarante-cinq degrés à gauche... » Avec les années, certains livres épais ou particulièrement volumineux sont devenus des bornes grâce auxquelles nous nous orientions : « La couverture grise, cinq centimètres à droite de *La Nouvelle Encyclopédie illustrée pour les enfants*, en dessous de *Mille et une merveilles* ; environ vingt-cinq centimètres au-dessus de *Moteurs et puissance...* » Et quand le livre avait été récupéré avec succès sur la tablette, mon père laissait échapper un soupir, comme si l'on venait de le soulager d'une démangeaison qu'il était incapable de gratter tout seul.

Mon père illustrait ses explications à l'aide d'objets sur la table, s'y absorbant à un point tel que tous les invités finissaient, au risque de paraître impolis, par s'en aller discrètement pour le laisser à sa contemplation silencieuse et solitaire d'une centrale électrique Battersea miniature, avec ses quatre cheminées en verres à jus, ou bien d'une écluse qui avait commencé par une tranche de pain...

Mon père disait toujours : « Chaque objet est aussi un concept. » Si tu mets ensemble deux ou trois ou dix choses qui ne se sont jamais trouvées ensemble auparavant, leur rencontre produira une nouvelle question. Et il n'y a rien comme une question pour prouver l'existence de l'avenir...

Mes parents, comme tu le sais, se sont rencontrés à bord d'un train en Écosse. Ils avaient tous les deux marché sur la même route jusqu'à la même gare de campagne, une route poussiéreuse, et les bottes et les jambes de pantalon de mon père étaient couvertes d'une fine poudre. Il tapait des pieds, irrité par la poussière qui refusait de s'en détacher. Il a levé les yeux pour découvrir qu'une jeune femme le regardait, amusée. Il a d'abord cru que sa jupe était constellée de taches de boue mais, en l'examinant de plus près, il a vu que de petites abeilles étaient brodées sur le tissu. Ses chaussures à elle étaient immaculées et brillantes. Avait-elle flotté jusqu'à la gare? «Ne soyez pas ridicule», a-t-elle répondu. Elle lui a expliqué qu'elle avait ciré ses chaussures avec une pâte spéciale, faite maison, qui «repoussait» la poussière. Ça avait quelque chose à voir avec l'électricité statique. Est-ce qu'il n'avait jamais entendu parler de l'électricité statique? Mon père rétorqua qu'au contraire il en connaissait un bon bout sur l'électricité – il avait commencé en tant qu'ingénieur électrique, après tout –, mais qu'il n'avait peut-être pas suffisamment prêté attention aux chaussures. «Ce n'est pas étonnant, a dit ma mère. Ça prend une femme pour combiner deux choses aussi pratiques.» Et c'est à ce moment-là que mon père a acquis une perle de sagesse qu'il allait respecter pendant le reste de sa vie et me transmettre: «Il n'existe pas de faits qui soient trop éloignés l'un de l'autre pour qu'on ne puisse les combiner.»

Mon père possédait une équanimité enviable. S'il se faisait mal en s'asseyant sur un de mes jouets laissé entre les coussins du canapé, par exemple, ou s'il trébuchait sur un objet que j'aurais dû ranger, il le ramassait, prêt à me semoncer. Mais, en inspectant la chose de plus près, il oubliait tout blâme et restait là à se demander comment c'était fait, par qui, et où, et il se mettait à réfléchir au type de machinerie nécessaire pour produire en masse un tel article, il imaginait des améliorations possibles à apporter à sa conception… Il travaillait avec des machines à longueur de journée et rentrait à la maison pour continuer à jongler et à ruminer ; il pénétrait les mécanismes à l'aide d'un sixième sens. Il avait les mains rompues aux écrous et aux boulons, aux circuits, à la soudure, aux ressorts, aux aimants, au mercure, au pétrole. Il réparait les walkies-talkies, les poupées, les bicyclettes, les radios à ondes courtes, les moteurs à vapeur ; on aurait dit qu'il pouvait sonder le cœur de n'importe quelle machine d'un seul coup d'œil. Des enfants du voisinage laissaient leurs objets cassés sur le seuil de notre porte, une note dessus ou glissée à l'intérieur : « ne sonne pas », « roue coincée », « ne pleure plus ». Quand la chose était réparée, mon père la remettait dehors pour que son propriétaire satisfait puisse la reprendre.

Ma mère était rompue à un autre art. Il arrivait que mon père ait des crises de désespoir intime, de déception professionnelle, de colère devant un travail mal fait. J'étais sensible à l'entreprise de restauration à laquelle se livrait ma mère : l'assiette de biscuits, la tablette de chocolat sur le bureau de mon père, une note scellée, un détail architectural, une valve ou un loquet magnifiquement peints sur l'enveloppe, et puis la maison entière semblait rajustée, comme les aiguilles d'une horloge. Le chaos retrouvait la place qui était sienne, c'est-à-dire qu'il m'était à nouveau réservé, à moi et, quand ils venaient en visite, à mes cousins, quatre gamins qui aimaient construire des choses et les faire exploser, ou bien faire exploser des choses et les reconstruire. C'est quand nous mettions au point des plans moralement discutables que nous travaillions le mieux ensemble, comme le cambriolage de la confiserie qui nécessitait, entre autres tâches ardues, que nous creusions un tunnel du bout de notre jardin jusqu'à la rue. Nous avions progressé d'environ cinq mètres quand l'hiver est arrivé. Le tunnel s'est effondré pendant les pluies printanières et est resté là, telle une cicatrice boueuse.

Avery chercha la main de Jeanne, la main qui avait déjà servi de carte du Sahara. Par la fenêtre ouverte, ils entendaient les nouveaux arrivants à la gare de Wadi Halfa qui hélaient des porteurs et, pendant un moment, Jeanne songea à l'énorme horloge qui dominait la petite salle d'attente.

— J'adorais quand mon père se servait des mains de ma mère lorsque ses doigts à lui ne suffisaient pas, au cours de démonstrations compliquées où il lui pliait les phalanges pour en faire des points d'appui, dit Avery. Des années plus tard, je me suis rappelé cette habitude et me suis demandé si mon père avait utilisé d'autres parties du corps de ma mère pour des démonstrations secrètes auxquelles je n'ai jamais assisté. J'aime l'idée que je suis peut-être le résultat d'une équation complexe.

C'est au marché de Wadi Halfa que Jeanne eut l'idée de son herbier rassemblant des plantes aux propriétés curatives. Ce serait un cadeau pour Avery, peut-être arriverait-elle à persuader Marina de l'illustrer : un inventaire botanique imaginaire pour traiter des maux tout à fait réels mais insaisissables. Elle était en train de regarder un ouvrage de Linné – quelqu'un avait écrit dans les marges en espagnol – quand l'idée se présenta à elle. Baumes, teintures, onguents, infusions, pommades, compresses, inhalations, pour ceux qui sont loin de chez eux ou pour ceux qui sont cantonnés à la maison, pour ceux qui sont cloués au lit par des journées d'été, ou, en automne, par des jours de pluie. Pour ceux affligés de douloureuses nostalgies de température accompagnées de désespoir, de regret, de honte. Pour ceux qui n'ont pas eu de contact humain depuis deux mois, un an, plusieurs années – question de dosage. Pour ceux qui ont tout perdu d'avoir été mal compris. Pour ceux qui ne peuvent plus sentir le vent, même sur leur peau nue. Un onguent à base de l'astringent *Torreya* pour ceux qui souffrent d'avarice. Des pommades de mousse pour ceux qui sont devenus daltoniens, pour ceux qui ont la larme trop facile, pour ceux qui ont perdu leur faculté de perception, pour ceux qui ont perdu la faculté d'éprouver de l'empathie, de pardonner ou de se pardonner à soi-même. Faire infuser l'écorce ou, dans les cas urgents, appliquer directement sans infuser. Sans danger pour les enfants et les autres animaux. Sans effet sur les hommes aux cheveux longs ; résultats immédiats ; faire une nouvelle application toutes les heures ; pour ceux affaiblis par trop d'espoir, pour ceux affaiblis par trop de désespérance, pour ceux qui sont enclavés et aspirent à la mer, pour ceux qui ont peur de la mer, pour ceux qui ont peur de l'opéra. Pour ceux qui ont peur de la musique chantée par des femmes à la voix basse qui ont tout perdu. Pour ceux qui mangent trop de chocolat, pour ceux qui ne mangent pas assez de chocolat. Pour ceux qui ont oublié comment prier, appliquer sur les mains et les genoux le lait de la cosse de l'*Humilitas immensita,* un tubercule à l'odeur puissante qui traite les maux des yeux, du cœur, des mains, des oreilles, des organes génitaux, des lèvres, de l'esprit. Pour ceux qui éprouvent le vertige de la perte, très puissant – pour un usage unique –, ne pas conduire de machinerie lourde ni prendre de décisions importantes sous son influence. Des feuilles d'*Illuminatus* pour ceux qui sont perdus ou engagés sur le mauvais chemin, choisir seulement les petites feuilles près de la tige qui émettent une faible lueur, efficace même en cas de bourbiers moraux. Avec fleurs tape-à-l'œil… Des plantes aux parfums puissants… N'utiliser que l'écorce interne… Jeter les graines et la pulpe… Bon substitut alimentaire pour ceux qui ne peuvent pas manger d'ail. N'utiliser que la tige de la plante, faire bouillir dans de l'eau salée, faire bouillir dans de l'eau sucrée. S'il y a ébullition, vous devez reprendre du début. Pour réduire l'enflure. Appliquer directement sur la zone à traiter. Huile apaisante pour pieds trop longs dans chaussures mal ajustées, pour celles qui ont trop longtemps attendu en file que les toilettes se libèrent. Pour réduire l'apparence des cicatrices. Cosses laiteuses, tiges laiteuses, feuilles et tiges qui exsudent une sève claire, gueules-de-loup contre la gueule de bois, épis, ronces, chardons. Onguents pour ceux qui ne décolèrent pas, baumes pour ceux qui ont perdu toute sensibilité dans les mains et ou qui souffrent de rigidité corporelle. Compresses pour ceux qui ne peuvent cesser de sangloter, et favorisant aussi les larmes chez ceux dont les yeux refusent de pleurer. Infusion pour ceux qui ne peuvent se rappeler leurs rêves, ou ceux qui ne peuvent les oublier. Baume *Consolatum empathatum,* pour les yeux qui en ont trop vu, ou trop peu. Astringent à base d'épines pour ceux qui font semblant d'être atteints d'une maladie grave afin de s'attirer la sympathie des autres et qui punissent ceux qui leur refusent cette pitié sollicitée sous de fausses représentations. Appliquer directement sur la langue. Appliquer directement sur les paupières. Éviter le contact avec les yeux. Répéter jusqu'à ce que l'envie de feindre soit passée. Appliquer de nouveau le soir. Effets doubles et souvent diamétralement opposés, selon la gravité de l'affliction.

Avant l'aube, le troisième matin de leur séjour à Wadi Halfa, ils retrouvèrent, comme convenu, leur ami Daub Arbab dans le hall d'entrée de l'hôtel Nil. Il avait pris l'avion de Khartoum, où il était allé chercher une commande de scies mécaniques et de scies à main Sandvik à dents de 25 mm, employées pour les coupes les plus délicates. La cargaison avait déjà été égarée une fois, et l'on avait dépêché Daub afin qu'il s'assure qu'elle serait livrée sans encombre. Cette mission s'accordait bien avec le plan de Daub, soit visiter Wadi Halfa aussi souvent qu'il en aurait l'occasion avant l'inondation. Cette fois, il avait engagé un chauffeur de camion pour conduire Avery et Jeanne vers le nord jusqu'à Dibeira, où Avery voulait voir de ses yeux le canal où les Nubiens avaient chargé leurs pompes d'irrigation sur des barges.

— Ce n'est pas loin, dit Daub, et sur le chemin du retour nous nous arrêterons pour faire nos tristes adieux au plus bel endroit qui soit sur cette terre.

Ils roulèrent sous les froides étoiles de l'aube, vers le nord depuis Wadi Halfa jusqu'aux villages maintenant désertés de Dibeira et d'Ashkeit.

— En Nubie, dit Daub, toute querelle qui éclate est réglée par la famille entière, y compris les femmes et les enfants. Les crimes violents sont extrêmement rares mais, dans de tels cas, on fait une exception et seuls les hommes se réunissent pour décider de ce qu'il convient de faire. Le coupable est mis au ban de façon si complète qu'il sera forcé, pour survivre, de quitter la communauté. Les affaires ne sont jamais soumises à la police. Ainsi, la Nubie s'est toujours protégée et a toujours conservé son indépendance.

L'économie repose sur la division de la propriété. C'est un arrangement très satisfaisant qui préside à la répartition des biens immobiliers, du capital et du travail. Mais il arrive souvent que la distribution de la récolte soit compliquée, car seules les plus vieilles femmes du village se souviennent des termes alambiqués de la transaction originale. Grâce à ces ententes, l'histoire de chaque famille reste vivante. Elles font en sorte que même celui qui s'exile pour travailler gardera sa place dans le village.

Voici une histoire typique de Nubie, continua Daub. Deux hommes partageant un *escalay* se disputaient au sujet de la répartition de l'eau. Pour irriguer également la terre de chacun des deux hommes, l'eau devait passer d'un fossé à l'autre. Ils débattaient quant à savoir qui bénéficiait de la part la plus importante quand leur oncle surprit leur discussion. Il demanda que l'on apporte une grosse pierre qui, déposée au milieu du canal, sépara l'eau en deux ruisseaux, mettant du coup fin à la querelle. En 1956, quand éclatèrent les hostilités entre l'Égypte et l'Angleterre au sujet du canal de Suez, les Nubiens suivirent les événements avec attention ; d'un pas vif, ils faisaient la navette du champ jusqu'au village afin de se réunir autour d'une unique radio à ondes courtes. Un vieillard observa cette agitation toute une matinée et finit par demander à l'un des jeunes hommes de quoi il retournait. « Grand-père, les Anglais disputent le canal de Suez à l'Égypte. » Le vieil homme secoua la tête. « Est-ce que personne ne va mettre une pierre au milieu ? »

Je vais vous raconter une autre histoire, dit Daub. Mon père avait été engagé par l'armée britannique afin de suivre l'entraînement militaire et de servir d'interprète. Il était très jeune et très malin. Un officier britannique a remarqué combien il avait l'esprit vif, l'a aidé à émigrer en Angleterre et à s'y trouver un emploi. Mon père a fini par épouser une Anglaise. C'est ainsi que je suis né et que j'ai grandi à Manchester. J'ai travaillé très dur, étudié pour devenir ingénieur. Puis j'ai décidé de venir en Égypte. Mon père était à la fois malheureux et secrètement satisfait de cet état de choses. Il disait : « Ici, en Angleterre, tu as tout, et là-bas... » Il laissait sa phrase en suspens. Je savais qu'il songeait, avec envie : là-bas, il y a le fleuve, les collines et le désert. Et avec une secrète satisfaction, aussi, parce que tous les pères, en une part d'eux-mêmes, souhaitent que leur propre enfance soit comprise par leur fils.

De loin, Avery et Jeanne virent que, comme d'autres villages nubiens, Ashkeit avait été construit au pied de collines rocailleuses, et qu'une épaisse forêt de dattiers s'étendait jusqu'au fleuve.

Et de loin ils virent que, comme d'autres maisons nubiennes, celles d'Ashkeit étaient des cubes lumineux – la lumière du soleil et de la lune avait imbibé les murs de plâtre de sable et de boue chaulés, lisses et magiques telle une glace qui ne fond jamais. Juste sous le toit, de petites fenêtres étaient découpées dans les murs à des fins de ventilation, suffisamment grandes pour laisser entrer une brise, mais suffisamment étroites et hautes pour empêcher la chaleur et le sable de s'infiltrer à l'intérieur. Chaque maison était munie d'une porte de bois digne d'une forteresse et d'un verrou en bois long d'un mètre, qui contenait, avant l'évacuation, une énorme clef en bois. Jeanne et Avery savaient que derrière l'entrée impressionnante se trouvait une vaste cour centrale à partir de laquelle rayonnaient les différentes pièces.

Daub s'arrêta à quelque distance du village. Il se tourna vers eux.

— Il y a quelque chose dans vos deux visages, dit-il ; je l'ai vu même la première fois que nous nous sommes rencontrés, quelque chose qui m'a donné envie de vous emmener ici.

« Décris-moi un paysage que tu aimes », avait demandé Jeanne à Avery la première fois qu'ils s'étaient allongés ensemble dans son lit de l'avenue Clarendon ; et il avait murmuré les forêts de pierre de son enfance ; le jardin de sa grand-mère ; le champ au bout de la route où habitaient ses cousins à la campagne et où il avait passé la guerre – il y avait un certain endroit, un repli dans les collines dont il n'arrivait pas à détacher les yeux, une sensation qu'il était incapable de nommer, rattachée à ce lieu.

Jeanne connaissait la façon de voir d'Avery, sa manière d'arriver dans un lieu et de lui faire une place dans son cœur. Il permettait au lieu de le changer. Jeanne l'avait perçu dès leur première rencontre, et à plusieurs reprises depuis. Dans le lit du Saint-Laurent et dans les comtés noyés ; en Grande-Bretagne, debout sous la pluie au bout du monde à Uist, essayant de nommer le moment où la dernière molécule de lumière disparaît du ciel ; dans les Pennines ; dans l'île de Jura ; et quand ils marchaient dans le noir absolu du marais nouvellement labouré de Marina. Et quand Avery la regardait dans l'obscurité, lui faisant une place à l'intérieur de lui.

Maintenant, à Ashkeit, Jeanne ressentait le choc, la dévastation que peuvent causer à une âme la beauté, une réponse que l'on est incapable de tenir entre ses doigts. Le désir d'un foyer était bien pire ici, insoutenable. Car sitôt trouvé, il serait perdu. Le village, la façon dont les maisons émergeaient du désert – on aurait dit qu'elles étaient nées du besoin qu'en avait Avery dans son cœur. Et aussi la fraternité avec ceux qui les avaient construites.

Les maisons étaient semblables à des jardins qui auraient jailli du sable après une averse. Des formes de pure couleur – intenses et distinctes –, qu'on aurait dites découpées par les ciseaux de Matisse, étaient peintes sur les murs d'un blanc éblouissant. Des motifs cannelle, rouille, vert phtalocyanine, rose, bleu d'Anvers, fauves, crème, garance, noir de fumée, terre de Sienne, et l'antique ocre jaune, peut-être le plus vieux pigment que l'homme ait utilisé. Chacun était un cri de joie. Des décorations – dessins au lavis d'un vert vif, aussi éclatant que l'œil pouvait le supporter, motifs géométriques, plantes, oiseaux et animaux – étaient incrustées dans les murs recouverts de chaux, avec des mosaïques serties dans le plâtre tels des bijoux, et des coquilles d'escargots, et des cailloux polis. Au-dessus des portails étaient fixées des assiettes de faïence aux dessins recherchés, jusqu'à trente ou quarante pour décorer une seule maison, semblables aux pierres d'un collier se détachant sur la peau blanche – poreuse, vivante, fraîche – du plâtre. Ici, l'amour que l'on ressent pour un lieu s'exprimait avec une telle liberté, fourmillant de sens ; des maisons si parfaitement adaptées à leur environnement, par leurs matériaux et leur conception, qu'elles ne pourraient jamais être déplacées. C'était un ensemble d'art, de vie domestique, de paysage – une beauté qui ne donnait pas envie de se prosterner devant elle, mais de se hausser pour la rejoindre. En voyant les maisons d'Ashkeit, Jeanne comprit comme jamais auparavant ce qu'Avery voulait dire quand il affirmait connaître intimement constructeur et construction au premier regard. Et Jeanne savait qu'il pensait la même chose qu'elle : que c'était Ashkeit qu'ils auraient dû sauver, même si le village n'aurait jamais pu exister en un autre lieu, même si, déplacé, il se serait effrité, comme un rêve.

Avery s'approcha de Daub, debout seul au bord du fleuve.

— Il me faudra toute ma vie, dit Avery, pour apprendre ce que j'ai vu aujourd'hui.

Mais Jeanne prit le bras d'Avery et doucement le tira pour qu'il s'éloigne, car leur ami Daub pleurait.

Jeanne et Avery attendirent Daub à la lisière du village. Ils s'assirent ensemble dans le sable crépusculaire d'Ashkeit. L'air devint plus profond. Pendant un long moment, cette lumière resta suspendue, comme le visage de celui qui écoute au moment précis de la compréhension. Et puis la lueur des étoiles, nouvelle peau, se répandit dans le ciel telle de la glace sur de l'eau. Avec quelle absence de remords le sable se refroidit, le froid environnant de milliers de kilomètres de désert, un froid sans fin. Avery songea à son instituteur en Angleterre, qui avait coupé une pomme et en avait montré un quartier à la classe : c'est la quantité de terre qui n'est pas recouverte d'eau ; puis il avait coupé ce quartier en deux : c'est la quantité de terre arable, puis encore : la quantité de terre arable qui n'est pas couverte d'habitations humaines ; et, enfin, la quantité de terre qui nourrit tous les habitants de la planète ; guère plus qu'un bout de pelure.

Comme la découverte en soi d'une connaissance latente à la lecture de quelques mots sur une page, comme une forme émergeant de l'argile du sculpteur, ainsi avaient monté leurs sentiments d'hébétude et d'inexorabilité tandis qu'ils avaient mieux distingué le village d'Ashkeit en s'en approchant. C'était la même sensation qu'avait éprouvée Avery la première fois qu'il avait vu Jeanne, marchant seule sur la rive du fleuve. Inexplicablement, à ce moment, il sut que ce lieu recelait une signification, pour lui et pour elle, comme s'il s'agissait d'un accomplissement de son propre cœur. Comme s'il avait causé l'événement – à ce moment et en ce lieu. Mieux : comme si le lieu lui-même avait donné naissance à Jeanne.

C'était aussi la certitude qu'ils seraient changés à jamais, leurs corps déjà changeaient ; accordés l'un à l'autre.

Il imaginait presque que les maisons d'Ashkeit avaient émergé du sable au moment même de son regard, nées de l'intensité de son désir.

Jeanne regarda les formes blanches des maisons se dissoudre dans le crépuscule ; elle songea à la feuille du sumac, qui semble composée de six feuilles séparées mais ne constitue, du point de vue botanique, qu'une feuille unique. Il en était de même d'Ashkeit. Jeanne prit la main d'Avery. Il avait les yeux fermés, mais parce qu'il sentait la main de Jeanne dans la sienne il voyait aussi sa main en esprit. La même chose était vraie des maisons de Nubie : pas un paysage ne pouvait éveiller seul un tel sentiment. C'était ce qu'il éprouvait, enfant, dans le repli d'une colline du Buckinghamshire, à la tombée de la nuit, familière comme un visage. Cette terre, cette Jeanne Shaw.

Et à ce moment, il s'imagina qu'il savait, que son corps savait, ce que signifiaient Ashkeit, Dibeira et Faras, tous les villages.

En s'asseyant dans les collines du Buckinghamshire avec son père, même s'il n'avait rien dit de son sentiment pour ce lieu, il savait que son père l'avait éprouvé aussi. Comment Avery aurait-il pu l'expliquer ; c'était comme si ce qu'il ressentait en ce lieu n'aurait pu naître nulle part ailleurs.

Quand viendrait l'eau, les maisons se dissoudraient tel du bromure. Mais elles ne disparaîtraient pas dans le fleuve, qui aurait gardé un souvenir d'elles. Car même le fleuve aurait disparu.

Daub les avait rejoints et Jeanne était assise entre les deux hommes, entre la terre et les étoiles. Elle songea aux enfants nés dans ce village et qui ne pourraient jamais y revenir, ne pourraient jamais assouvir ni expliquer le sentiment sans nom qui les submergerait, au cœur de leur vie d'adultes, peut-être en se réveillant d'une sieste un après-midi, ou en marchant sur une route, ou en entrant dans la maison d'un inconnu.

— Un être humain peut être détruit petit à petit, dit Daub en regardant le village abandonné qui luisait dans le sable. Ou tout d'un coup.

Connaissez-vous le début des *Métamorphoses*? demanda-t-il. « J'ai formé le dessein de conter les métamorphoses des êtres en des formes nouvelles. »

Ils entreprirent le voyage de retour à Wadi Halfa dans le désert au crépuscule.

Avery parlait du désespoir de l'espace créé par le monde bâti ; espace perdu trop étroit pour accueillir autre chose que des détritus, sombres allées menant des terrains de stationnement à la rue ; l'infini espace mort des garages souterrains ; les corridors entre les gratte-ciel ; l'espace autour des conteneurs à déchets industriels et des conduits de ventilation… l'espace que nous avons emprisonné entre nos constructions, comme des graines de futilité, de petites niches sur la terre où personne n'est censé vivre, une pause, un vide…

Avery imaginait une époque, dans un avenir pas si lointain, où les calculs des ingénieurs pourraient être manipulés si habilement que matériaux, tension, contrainte et charge trouveraient un nouveau vocabulaire ; une époque où des bâtiments aux formes surprenantes jailliraient du sol telle l'éruption soudaine d'un volcan ; une époque où l'on confondrait l'originalité pompeuse avec la beauté, comme on avait jadis confondu l'austérité avec l'autorité.

— Ce n'est ni l'originalité ni l'autorité que je recherche dans un bâtiment, dit Avery. C'est la restauration. Quand on se trouve dans un lieu... Il s'interrompit. Je suppose que c'est exactement ce que je veux dire : me trouver, dans un lieu.

— Nous voulons que nos constructions vieillissent avec nous, dit Daub.

Au nord de Sarra, la route grimpait jusqu'au faîte des collines, et Daub arrêta le camion. Il faisait presque nuit. Là, depuis cette hauteur, ils contemplèrent les vergers du Nil et, au-delà, le vaste Sahara. Jeanne comprit tout à coup que les couleurs du badigeon à la chaux à Ashkeit étaient aussi saisissantes que le vert de la plaine inondable.

— Bientôt, dit Daub, tout ce que nous voyons sera sous l'eau. On a une illusion de paix. Mais des ennuis se préparent et, comme la plupart des ennuis dans le désert, ils sont causés à la fois par les vivants et par les morts.

Mon père avait une habitude, dont je me rends compte que j'ai héritée : celle de découper des articles dans les journaux. Il élaborait une idée sur le monde, une théorie, et puis il tombait sur toutes sortes de « preuves » dans les journaux – par coïncidence, bien sûr, mais ça l'amusait. Et c'est devenu une petite obsession.

Une fois, il a brandi une photo de journal où l'on voyait un enfant au teint basané, sa chevelure enveloppée dans un foulard ou un châle, qui tenait un paquet de linge.

« Qu'est-ce que tu vois ? m'a demandé mon père.

— Une personne déplacée pendant la guerre en Europe ?

— Un réfugié palestinien, 1948. »

Il m'a montré une autre coupure, qui ressemblait beaucoup à la première.

« Et là ?

— Encore un Palestinien ?

— Non. Un petit Juif à son arrivée en Israël après un séjour dans un camp de réfugiés en Allemagne. Et ça ? »

Il a brandi une photo montrant une file de gens alourdis de valises et de besaces, qui, à l'évidence, contenaient la totalité de leurs possessions.

« Des immigrants en Israël ?

— Non, des Juifs arabes forcés de quitter l'Égypte, aussi en 1948. Et cette photo, un petit Polonais, un chrétien, dans un camp à Tashkent ; et celle-ci, un petit Yougoslave dans un camp de réfugiés au Kenya ; et un autre à Chypre, et dans le camp du désert à El Shatt en 1944 ; et ici, un enfant grec dans le camp de Nuseirat, près de Gaza, encore en 1944. Un bon nombre de fois, a dit mon père, j'ai trouvé des visages presque identiques. Ces deux-là : l'un vient d'un camp de réfugiés au Liban, l'autre, d'un camp de réfugiés à Backnang, près de Stuttgart. Quand on ne voit que leurs visages, rien d'autre, est-ce qu'ils n'ont pas l'air de jumeaux ? C'est cette ressemblance qui m'a poussé à commencer cette collection, des photos que tout le monde voit tous les jours, dans les journaux ou les magazines, des réfugiés de tous les côtés. »

Saviez-vous, dit Daub, que les premiers plans du haut barrage ont été dessinés par l'Allemagne de l'Ouest pour apaiser l'Égypte après qu'elle eut versé une compensation à Israël à la fin de la guerre ? Il y a tant de collusion, de tous les côtés, il serait peut-être possible d'y faire la lumière, si une seule et même personne disposait de toutes les informations.

Me voilà, citoyen britannique dont le père est né au Caire et dont le grand-père est mort à Londres pendant le Blitz, assis dans le désert soudanais en compagnie d'une Canadienne et de son mari britannique, à discuter des réfugiés au Kenya, à Gaza, en Nouvelle-Zélande, en Inde, à Kataba, en Indonésie…

Daub appuya sa tête sur ses bras posés sur le volant. La brise souleva les cheveux derrière son cou et Jeanne ressentit un choc à cette vue ; un endroit de vulnérabilité. L'on peut vivre une vie entière, songea-t-elle, sans jamais être touché à cet endroit.

— J'étais à Faras lors de la première évacuation, je travaillais à Halfa à l'époque, dit Daub, et je suis allé y assister. J'ai vu une mère et sa fille se faire leurs adieux. Elles vivaient dans deux villages à une courte distance de marche l'un de l'autre. La fille avait déménagé pour vivre avec la famille de son mari quand ils s'étaient mariés, mais la mère et la fille se voyaient encore très souvent, ce n'était qu'une petite marche entre les deux villages. Mais il se trouve que ces deux villages étaient de part et d'autre de la frontière séparant le Soudan de l'Égypte, cette frontière invisible au milieu du désert, et ainsi la mère était déplacée à Khashm el-Girba et la fille, à mille cinq cents kilomètres de là, à Kom Ombo. Tous ceux qui regardaient cette scène savaient qu'elles ne se reverraient jamais. Après que la fille, qui était très enceinte, a monté dans le train et que le train a disparu dans le désert, la mère a regardé à ses pieds et a vu la besace qu'elle avait voulu lui donner, pleine d'objets de famille, laissés derrière.

Daub les regarda puis tourna les yeux vers les collines qui s'élevaient au-dessus de Sarra. Il faisait maintenant nuit, et le sable était pâle sous les étoiles.

— En assistant à cette scène, j'ai pensé à la collection de photos de mon père. Tout ça continue et perdure, ainsi que l'avait compris mon père, comme les détritus de la Deuxième Guerre mondiale qui a fini en morceaux, en miettes, semant dans son sillage l'horreur et la misère en des endroits reculés, ces camps de réfugiés fétides partout sur la planète, semblables à des flaques d'eau stagnantes après une inondation.

Le lendemain soir, ils rentrèrent en avion à Abou Simbel. Du ciel, le camp apparut, baigné de sa lumière artificielle, une conflagration dans la nature sauvage qui remplit le minuscule avion aussi soudainement qu'un projecteur. Jeanne regretta les ténèbres du désert qu'ils avaient laissées derrière : palpables, vivantes, une obscurité qui respirait.

~

On avait compensé les tensions à l'intérieur de la falaise à Abou Simbel grâce à des échafaudages de métal, et le plafond du temple avait été dégagé des murs pour relâcher les efforts. On ignorait toutefois, en retirant le premier bloc – le 12 août 1965 –, si le temple n'allait pas se fendre en deux. Avery se tenait sur la crête du batardeau. La pierre avait été tranchée si finement, la rainure était à ce point invisible qu'on aurait d'abord dit que le treuil seul s'enfonçait magiquement dans le roc pour faire émerger de l'ensemble un bloc parfait.

Mais Avery n'avait pas éprouvé que du soulagement pendant qu'on soulevait les pierres ; dès la première découpe du premier bloc – le GA1A01, Grand Temple, Traitement A, Zone 1, Rangée A, Bloc 1, lourd de onze tonnes –, une angoisse avait pris naissance. Au fur et à mesure que grandissait la cavité lacérée et que s'approfondissait l'absence béante au creux de la falaise, l'impression qu'avait Avery d'altérer une force intangible, de défaire quelque chose qui ne pourrait jamais plus être produit ou reproduit allait s'accentuant. Le grand temple avait été sculpté à même la lumière du fleuve, sculpté à même une profonde croyance en l'éternité. Tous les ouvriers partageaient cette croyance. Ce simple fait le troublait – il était incapable d'imaginer quelque édifice au cours de sa vie ou dans l'avenir construit avec une telle foi. La pierre était vivante pour les sculpteurs, de manière non pas mystique, mais matérielle ; leur rapport à la pierre avait influé sur les molécules de la pierre. Non pas mystique, mais mystérieuse.

La chaleur et le poids de Jeanne habitaient ses rêves. Et, au début, le souvenir fleurissait en lui, des images d'enfance si fortes qu'il pouvait décrire en détail à Jeanne les objets sur une tablette. Mais au fur et à mesure que les blocs du temple se multipliaient autour d'eux, même elle devint impuissante à chasser ce qui chez Avery devenait pis que de l'anxiété – une dépossession.

Il s'était attendu à ce que l'entreprise de sauvegarde offre un antidote, une expiation au désespoir qu'entraînait la construction du barrage. Il avait imaginé un rite de passage, un pèlerinage, un argument que son père aurait pu respecter. Il lui apparaissait plutôt que la reconstruction était une nouvelle désacralisation, une rédemption aussi fausse, sans repentance.

— Il existe des graines, couvertes de cire, disait Jeanne en tentant d'aider Avery à trouver le sommeil, qui peuvent survivre dans l'eau sans germer ; comme le lotus, capable de rester au fond d'un lac pendant plus de mille deux cents ans puis de se mettre à pousser ; des graines capables de survivre même dans l'eau salée, comme la noix de coco qui peut traverser l'océan en flottant, entièrement protégée, un globe dur comme la pierre, pour prendre racine sur la plage où elle échouera. Il y a une plante – une sorte d'acacia – qui subsiste même une fois que toutes ses graines ont été mangées et qu'il n'en reste plus que l'enveloppe ; après que les fourmis l'ont vidée et abandonnée, le vent s'y engouffre et elle siffle…

Le désert était une immensité, le fleuve en était une autre. Dans les collines au-delà du vacarme du camp, Jeanne et Avery levaient les yeux vers une troisième immensité : les étoiles.

L'importance du lieu : le sentier battu dans le jardin, avenue Hampton, les berges asséchées du fleuve, une chambre d'hôtel. La déclivité derrière la maison d'Avery dans le Buckinghamshire, une vue que son esprit connaissait encore de façon viscérale.

Montant la pente, Jeanne guida Avery sur une courte distance. Ils se tinrent près d'un éparpillement de pierres. Debout à ses côtés, regardant le fleuve en contrebas qui coulait dans la lumière blanche des génératrices, elle dit :

— L'endroit exact où nous nous tenons présentement est le lieu où tu as appris que nous aurions un enfant.

Et elle sourit devant la mine ébahie d'Avery.

À sept semaines, cent mille nouvelles cellules nerveuses se forment chaque minute dans le cerveau ; à la naissance, elles sont au nombre de cent milliards. La moitié des chromosomes de Jeanne avaient été rejetés pour former son « corps polaire ». À huit semaines, chaque organe de leur enfant existait, chacune des cellules possédant ses milliers de gènes.

Au fil des mois, le bébé continua à grandir et à tendre la peau de Jeanne, qui sentait non seulement son corps, mais la forme de son esprit se modifier. Elle imagina prendre sa place aux côtés des femmes nubiennes, son ventre comme une lune blanche auprès de la splendide noirceur enflée des autres mères.

La fatigue l'envahissait rapidement ; une fois, elle ne réussit pas à se rendre jusqu'à la boutique du camp mais s'assit pour se reposer à l'ombre de la génératrice, avec une soif telle qu'elle aurait pu boire le ciel. Elle sombra dans le sommeil assise, appuyée contre la machine, ses jambes lourdes dans le sable. Elle ne dormit pas longtemps – un quart d'heure, peut-être – et se réveilla honteuse. Elle s'était montrée inconvenante et fut soulagée de ne voir personne aux alentours.

Comme elle s'apprêtait à se relever, Jeanne trouva près d'elle une cruche d'eau. À ce moment seulement elle remarqua la longue trace de *gargara* autour d'elle dans le sable.

Le lendemain, un ouvrier nubien qu'elle ne reconnut pas se présenta à la péniche ; une femme l'accompagnait.

— Mon mari n'est pas ici, dit Jeanne.

L'homme aussi était gêné. Il désigna la femme à ses côtés d'un signe de la tête.

— Je viens à cause de ma femme. Elle veut que je vous dise qu'elle vous a vue et que vous n'êtes pas comme les autres épouses. Vous êtes toujours seule. Elle veut que je vous dise que c'est elle qui vous a apporté l'eau hier quand vous dormiez. Elle voit que vous allez bientôt avoir un enfant. Elle veut que je vous dise que quand l'enfant sera né, elle peut vous aider.

La femme près de lui souriait sans retenue. Elle était jeune, de dix ans la cadette de Jeanne, au moins. À la vue de sa bonne humeur juvénile, Jeanne eut les larmes aux yeux. Il fallut quelques minutes pour venir à bout de la consternation qu'avait provoquée chez l'homme l'émotion de Jeanne, mais les choses eurent tôt fait de se tasser, et Jeanne et la jeune femme se parlèrent par le truchement du mari.

— Une semaine après la naissance de l'enfant, il est porté au fleuve. On doit apporter la *fatta* et la manger près du Nil, mais pas en entier – on doit la partager avec le fleuve. On doit allumer le *mubkhar* et soulever l'enfant au-dessus sept fois. Après, il faut laver les vêtements du bébé dans le fleuve et rapporter un seau d'eau à la maison pour que la mère puisse se laver le visage. L'enfant doit être tenu au-dessus du *rubaa* de dattes et de maïs, et tout le monde dit le «*Mashangette, mashangetta*» et on passe l'enfant au-dessus de la bonne nourriture sept fois. Et puis – c'est le plus important –, la mère doit se remplir la bouche d'eau du fleuve et la faire passer de sa bouche à celle de l'enfant. Ce n'est que lorsque l'eau de la rivière coule de la bouche de la mère à celle de l'enfant que l'enfant devient protégé.

— Vous feriez tout cela pour moi? demanda Jeanne en réprimant ses larmes.

La femme eut l'air très contente, et puis soudainement triste. Elle parla avec son mari.

— Oui, oui, la rassura l'homme. Elle sera comme votre mère et fera en sorte que l'enfant soit protégé.

~

Désormais il arrivait souvent à Jeanne de se réveiller pendant la nuit, fébrile, son corps étranger à elle-même. Avery la distrayait avec des histoires d'enfance de ses cousins et de sa tante Bett. Il s'agenouillait, nu, sur les couvertures, et mimait ses récits.

— Un matin, alors que nous n'avions rien d'autre à faire que d'attendre le repas du midi, nous nous sommes assis dans l'herbe haute et avons discuté du frère de tante Bett, oncle Victor. Pour une raison ou pour une autre, il exerçait une fascination morbide sur nous, et c'était habituellement Owen qui commençait.

Avery imita le port de tête altier d'Owen.

« On dit qu'il est mort quand un livre est tombé d'un rayon de sa bibliothèque et l'a assommé.

— Quel livre c'était ? » ai-je demandé.

Owen a soupiré avec dédain.

« On s'en fiche, a-t-il dit. Là n'est pas la question, pas vrai ? »

Owen, expliqua Avery, était troublé à l'idée qu'un homme qui avait été soldat pendant la Grande Guerre et qui avait survécu aux combats puisse trépasser de façon si peu héroïque.

« Là est tout à fait la question, ai-je objecté. Par quel livre choisirais-tu de mourir ? »

Il y a eu un moment de silence où nous avons tous réfléchi à cette question.

« La Bible, je suppose, a dit Tom.

— Oh, ne sois pas si mélodramatique, a dit Owen.

— Je choisirais les *Sonnets portugais* de Browning, a proposé Nina.

— Pas assez épais », ai-je fait remarquer.

Et puis nous avons entendu ma mère qui appelait et, comme d'habitude, Owen, qui était plus vieux que nous de presque huit ans, a eu le dernier mot.

« Je choisirais *Gray's Anatomy* ou une encyclopédie médicale, juste au cas où il y aurait un mince espoir de me ressusciter. »

Jeanne rit.

« Maintenant on peut jouer à l'île-dessert », disait Nina comme chaque fois que la table avait été desservie. On appelait le jeu comme ça, expliqua Avery, parce qu'on y jouait en attendant le pouding, qui en était un véritable, à cette époque. « Je serai la première, disait Nina, parce que j'y ai réfléchi et que j'ai une bonne idée. Si je pouvais emporter un seul objet dans une île déserte, j'emporterais des aiguilles à tricoter. »

Avery imita les garçons levant les yeux au ciel.

«Ça prend bien une fille pour imaginer un truc aussi ridicule, a dit Owen. Quel gaspillage.

— À quoi est-ce que ça servirait? ai-je demandé à Nina sans méchanceté. La laine s'épuiserait vite et, après, il ne te resterait plus rien.

— Qu'est-ce que tu veux dire? a rétorqué Nina sur un ton indigné. Il te reste un bon pull chaud, ou une couverture, et tu as encore les aiguilles à tricoter. Et on peut s'en servir pour beaucoup de choses…

— Comme d'une lance pour terrasser un sanglier», a suggéré Tom. Après sa sœur, il était le benjamin, et il prenait toujours sa défense.

«Ou pour creuser des trous pour y planter des graines, a dit Nina.

— Et pour te curer les ongles après, a ajouté Tom.

— Mais tes ongles n'auraient pas besoin d'être nettoyés si tu t'étais servie des aiguilles à tricoter», ai-je fait remarquer.

Ma mère et tante Bett approuvaient ces discussions. «Voilà qui est bien raisonné», commentaient-elles sur un ton encourageant. Ou: «Peut-être qu'on devrait encore réfléchir à cela.»

«Ou tu pourrais t'en servir pour percer un soufflé, a dit Owen d'un ton sarcastique.

— Un soufflé! s'est écriée Nina. Oui, il y a peut-être des œufs d'autruche dans l'île!

— Ah ah ah ! se sont esclaffés tous les garçons.

— Très bien, a dit tante Bett. Ça suffit. Des aiguilles à tricoter, c'est une très bonne idée, Nina... et il est fort possible qu'il y ait des œufs d'autruche dans l'île.

— Ah ah ah ! » s'est esclaffée Nina.

— On dirait que ta famille sort tout droit d'une histoire pour enfants, dit Jeanne.

— C'est exactement ça, dit Avery. Je pense que ma mère et tante Bett en ont discuté et qu'elles ont décidé que nous serions tous des enfants comme dans les livres. Elles étaient résolues. Nous, les enfants, étions leur effort de guerre. Pourquoi pas ? Il y a tous ces différents manuels du propriétaire – Dr Spock et consorts, alors pourquoi pas Arthur Ransome ou T. H. White ? Ça ne peut que fonctionner. Pour que les enfants deviennent des adultes braves, dotés d'un bon sens moral, intelligents, tout ce qu'il faut, c'est leur donner une mission commune...

— Ainsi qu'une tablette de chocolat et une lampe de poche. Ah, fit Jeanne, ça explique tout.

— Je pensais que tout le monde avait grandi dans une famille comme la nôtre, dit Avery. Ç'a été un choc de découvrir que ce n'était pas le cas.

— Est-ce que ta tante Bett a eu une enfance triste ? demanda Jeanne.

— Toutes les enfances sont tristes quand on les compare à la mienne.

Puis Avery lui raconta l'histoire du huitième anniversaire de Nina.

— Quand est arrivé le colis d'anniversaire que lui avait envoyé son père, qui était dans la Royal Air Force et stationné dans un lieu secret, Nina a tenu la boîte à bijoux sur ses genoux en regardant la ballerine prendre vie chaque fois qu'elle soulevait le couvercle. Et puis elle est restée assise, immobile, s'ennuyant cruellement de son père. Je m'imaginais souvent que Nina était ma petite sœur. J'ai essayé de voir la boîte avec les yeux de mon père ; il lui aurait parlé de celui qui l'avait sculptée, des mains de celui qui avait collé la gaze rose du tutu sur les longues jambes de la danseuse de bois, enroulé le feutre autour de la laque noire. Qui était l'homme ou la femme qui avait enfoncé les minuscules clous de laiton dans le bois ?... Je lui ai pris la main et je l'ai conduite au salon, où la radio était allumée. Le concert du soir commençait. L'Orchestre symphonique de Londres. Nina, qui était sourde d'une oreille, avait l'habitude de s'asseoir à côté de moi, son oreille inutile couverte d'une main et sa bonne oreille ouverte au son. Elle rejetait ses mèches derrière cette oreille, de sorte que pas un cheveu ne se mette en travers du chemin de la musique.

« Nous sommes à la campagne, lui ai-je dit, en train d'écouter un orchestre de Londres et un violoniste de Russie qui se trouvent en ce moment dans une salle de concert en Hollande. Voilà l'électricité. Tous ces musiciens à des centaines de kilomètres d'ici, qui jouent pour nous dans une petite boîte de bois, dans notre petite maison à la campagne. »

Nina a soupiré : « Raconte-moi encore l'histoire de Maria Abado.

— Tous les oiseaux de nuit peuvent voir le fantôme de Maria Abado. Si elle est là, les oiseaux nous le diront. Partout sur la planète, les oiseaux se souviennent d'elle et disent son nom. Les coucous et les touracos, les colious, les huppes, les timides couroucous, les grues et les grèbes, les tinamous, les engoulevents, les pétrels et les casoars. Les avocettes, les gros-becs, les oies des neiges, les étourneaux sansonnets qui migrent en traversant la Méditerranée à bord des bateaux. Les cigognes du Bosphore, les tétras des savanes, les turnix indiens, les bécassines des marais. Le diamant à cinq couleurs des villages africains, qui construit une grotte à l'aide de feuilles de palmier. Le paradisier bleu qui se perche la tête en bas, oiseau de paradis des îles Aru. Maria est née dans un village de l'autre côté de la montagne. Elle a apprivoisé les oiseaux lorsqu'elle était enfant et, au moment de sa mort, elle était leur sainte patronne.

— Est-ce que c'était vraiment une sainte ?

— Je ne sais pas, mais les oiseaux lui faisaient confiance, dans le but de réparer sa confiance brisée.

— Pourquoi sa confiance était-elle brisée ? Est-ce que c'était à cause d'un cœur brisé ?

— Seuls les oiseaux le savent. Mais on dit que tous les oiseaux chantent son histoire, pour peu qu'on tende l'oreille. »

Clouée au lit par la fatigue et la lourdeur de son ventre, Jeanne songea combien leur enfant serait fortuné d'avoir de tels cousins.

— Malgré que nous ayons été si proches pendant la guerre, dit Avery, je ne les ai pas vus depuis des années. Nina vit toujours en Angleterre, mais Tom est parti en Australie, où il travaille en télévision. Et j'ai bien rencontré Owen à Londres, peu après la mort de mon père...

Nous nous sommes croisés par hasard, dans Fulham Road. La dernière fois que je l'avais vu, c'était aussi par hasard, un après-midi, au cinéma. Sa femme, Miri, et lui étaient assis quelques rangées devant moi, mais je n'avais pas pu me résoudre à les déranger. Ils étaient si absorbés l'un par l'autre, si passionnés, que j'avais l'impression de commettre une intrusion juste en les observant.

Comme toujours, Owen était vêtu d'un habit impeccable, et il portait un pardessus coûteux et des gants de cuir. Même quand il commençait dans la vie et qu'il était aussi pauvre que nous tous, sa garde-robe était une source de taquineries infinie : « Parmi les personnes que tu vois dans une journée, combien mettront jamais les pieds chez vous ? » disait Owen sur un ton défensif. « Mais le monde entier voit comment on est habillé ! Je peux vivre avec rien, sans chaise et sans théière, même sans chauffage ! Mais je vais m'habiller comme si j'avais tout l'argent du monde. C'est une chose que mère m'a apprise, et je sais de quoi je parle, vous verrez, vous verrez. » Et Owen, avocat d'entreprise, nous a bien montré, à tous.

« Comment va Miriam ? ai-je demandé ce jour-là. La dernière fois que je vous ai vus ensemble, je ne vous ai pas salués, vous aviez l'air si heureux, j'ai pensé que vous vous étiez sauvés des enfants pour un tête-à-tête en amoureux et je n'ai pas pu me résoudre à vous déranger. C'était à une projection d'*Anastasia.* »

La circulation déferlait autour de nous, la chaussée devant The Conran Shop fourmillait de gens faisant leurs emplettes.

« *Anastasia,* avec Ingrid Bergman ? » Owen a ri. « Tout juste la veille du jour où nous devions divorcer ! Miri et moi voulions passer une dernière journée ensemble. Ç'a peut-être été le plus beau jour de notre mariage – peut-être encore plus beau que le début, qui est toujours semé d'espoirs effrayants. Nous connaissions la fin, ce qui est beaucoup plus rassurant qu'un avenir. Alors nous nous sommes regardés, et ça nous a frappés. Nous étions tous les deux si contents que ce soit fini, pourquoi faire de la peine aux enfants à cause d'un bout de papier ? Le lendemain, nous avons annulé notre rendez-vous avec les avocats et nous avons continué exactement comme avant. Toutes ces tractations avaient crevé l'abcès une fois pour toutes, et nous étions parfaitement libérés de notre désir d'être ensemble. Nous pouvions désormais continuer chacun de notre côté sans faire de peine aux enfants – c'était un plan de génie.

Ainsi, Miri garde la maison de campagne et j'ai mon propre appartement pour être "près du bureau", et personne n'a besoin d'aborder quoi que ce soit de désagréable. Quand les enfants reviennent pour les vacances, je vais à la maison et puis je "retourne travailler". Notre famille n'a jamais été plus heureuse.

— Et si l'un de vous veut se remarier ?

— Avery, a-t-il dit patiemment, c'est fini tout ça, non ? Je serai toujours marié à Miri, je ne veux simplement plus avoir affaire à elle. Je ne veux pas entendre parler de ce qu'elle pense ou de ce qu'elle fait – chose certaine, je ne veux pas entendre un mot de plus sur ses bonnes causes. Ces sempiternelles collectes de fonds pour tel ou tel organisme charitable. Je lui disais toujours : "Est-ce qu'on ne peut pas juste prendre un repas tranquilles ?" Mais, a-t-il ajouté en se radoucissant, elle aimait les bons films, elle aimait vraiment les bons films, aussi passait-on beaucoup de temps au cinéma ; elle était alors formidable, très brillante, j'entendais son cerveau bourdonner. Elle ne parlait jamais, jamais durant un film. »

Owen a souri, désormais très à son aise dans ses souvenirs. « Ne vois-tu pas ? Je la connais si bien. Les choses qui m'agaçaient jusqu'au désespoir font maintenant ma joie. Il n'y a rien qu'elle fait qui me surprenne – même quand elle essaie de me prendre de court. Les choses qui m'irritaient à mort m'amusent maintenant que je suis loin, me remplissent de compassion, voire d'affection. Quand je suis à la maison, je la regarde, je connais le moindre de ses gestes. C'était la même chose avec mon père : » – oncle Jack, précisa Avery – « si on allait souper au restaurant et qu'il y avait un choix de pommes de terre, chaque fois, chaque fois sans exception, quand la serveuse lui demandait s'il les voulait bouillies, pilées, rôties ou frites, il hésitait, faisait une pause considérable, comme s'il était vraiment en train de réfléchir aux diverses possibilités et, bien sûr – chaque fois, chaque fois sans exception –, après un long silence plein d'attente, il disait : "Pilées". Comme s'il était vraiment possible qu'il puisse dire autre chose. Pendant près de trente ans, ça m'a rendu fou. Maintenant, c'est l'un des souvenirs les plus chers que j'ai de lui. Et si tu veux savoir, a dit Owen, c'est le plus grand secret dans la vie. C'est de cela qu'on parle quand on se répand en jérémiades sur l'amour. Voilà qui il était, tu vois ; voilà qui est Miri, tu vois ? Et ça n'a strictement rien à voir avec moi ! »

Owen ricanait, gloussant presque de jubilation.

« Quand je pense aux colères que je faisais, a continué Owen, quelle perte de temps… Lorsque Miri ouvre la bouche pour se lancer dans un sermon – contre le mauvais chauffeur de taxi qui l'a insultée alors qu'elle se rendait dans les boutiques deux ans plus tôt, ou le caissier à la banque, ou la femme membre du comité n° 104, tous les étrangers qui l'irritent tellement et qu'il lui arrive rarement de croiser plus d'une fois –, quand elle commence à déblatérer, je sens désormais monter une vague d'amour pour elle, une sympathie et une affection réelles, et j'arrive à hocher la tête, à faire "tss tss", à lui tapoter la main pour la calmer, sachant enfin que c'est tout ce qu'elle attend de moi – c'est tout ce qu'elle a jamais attendu de moi. Ah, a continué Owen, en riant à nouveau, je suis si heureux maintenant ! »

Puis il m'a dévisagé. Avery se pencha en arrière et plissa les yeux pour l'imiter.

« C'est pareil avec toi, m'a dit Owen. Il y a des années, quand nous étions étudiants, chaque fois que tu me regardais avec tant de gravité, tant de sérieux, et que tu me demandais comment j'allais, ça m'énervait à tous les coups. Maintenant, je me rends compte que ce que tu me demandais en réalité n'était pas "Comment vas-tu ?" mais "Es-tu amoureux ?" C'est tout ce qui t'intéressait, et tu avais raison, c'est la même question. Maintenant, je le vois. Je te regarde dans les yeux encore aujourd'hui et je vois que tu avais raison, vingt ans plus tard. Et aujourd'hui, chaque fois que je pense à toi, c'est ce que je me rappelle et ça me fait sourire. C'est tout ce qu'il nous faut faire dans cette vie – trouver la caractéristique unique chez chaque ami, sa qualité intrinsèque, et puis les aimer pour cette qualité. Quand ma mère vérifiait que la porte était bien verrouillée, même après avoir tourné la poignée une dizaine de fois, même quand elle avait fini par s'asseoir à l'avant de la voiture, à sa place dans le siège du passager, aux côtés de mon père plein d'indulgence, il fallait encore qu'elle sorte et qu'elle aille vérifier la porte une dernière fois – et ça ne lui suffisait pas de regarder mon père le faire, il fallait qu'elle s'en charge elle-même. Ça me faisait serrer les mâchoires, j'attendais sur la banquette arrière en grinçant littéralement des dents. Mais elle avait grandi avec rien, et maintenant elle possédait une jolie maison pleine de jolies choses – bien sûr qu'elle devait vérifier à répétition que la porte était verrouillée. Quelle personne saine d'esprit aurait laissé cela au hasard ? L'important n'était pas le fait qu'elle vérifie la serrure, mais le fait qu'elle avait jadis été tellement pauvre et qu'elle ne l'avait jamais, jamais oublié. Il faudrait un cœur de pierre pour rester insensible à cela. Songe à toute la colère que j'ai gaspillée inutilement à cause des serrures quand j'aurais dû être en train de penser à la pauvreté.

« Mais c'est comme ça, la vérité : elle n'est jamais dans la même pièce que toi, elle n'est jamais sur la banquette arrière à côté de toi, elle n'est jamais là quand tu as besoin d'elle. Elle apparaît toujours des années plus tard, comme un oiseau marin qui plonge à un bout du lac et qui refait surface à un autre. Tu agrippes la vérité à deux mains et elle réapparaît derrière toi…

« Et maintenant, je suis en retard. J'ai rendez-vous avec une femme dans un restaurant à la campagne et c'est au moins à une heure de route. »

Owen est monté dans sa voiture et il s'apprêtait à s'éloigner quand j'ai frappé à la vitre. « Comment va Nina ? »

« Elle n'a pas changé, a dit Owen. Elle pleure pour tout ce qui n'a pas de chez-soi. Et bien qu'elle soit sourde d'une oreille, elle est certaine qu'elle entend tout. » Il a hoché la tête pour lui-même, pensant déjà au trafic qu'il y aurait.

« Oui, a dit Owen, qui attendait sa chance de s'intégrer au flot des véhicules, c'est écrit sur ton visage. Quand tu demandes à quelqu'un comment il va, ce que tu demandes en réalité, c'est : "Es-tu amoureux ?" »

~

Il y avait maintenant des réunions où il était question de l'éclairage et de la ventilation des temples reconstruits, facteurs dont il fallait tenir compte lors de la fabrication des dômes de ciment. Ces dômes devaient être cylindriques au-dessus de la façade du grand temple, puis s'élargir graduellement jusqu'à former une sphère ; nulle partie du dôme ne pouvait toucher le temple, sans quoi la moindre pression exercée pendant que la falaise se tassait risquait d'endommager les fragiles plafonds. Chacun des dômes supporterait le poids d'une falaise – une charge de cent mille tonnes métriques.

— Mon père et moi, dit Avery – yeux grands ouverts dans la nuit, avec Jeanne, dont la peau du ventre naissant était sèche et chaude et douce comme l'argile –, étions ensemble sous la pluie d'Écosse, chaussés de nos bottes à semelle épaisse ; il admirait le grand accomplissement de l'ingénierie humaine là où moi je voyais une force brute, grossière, et la sujétion d'une rivière. Cet effritement de la foi avait été si graduel que je ne saurais dire quand il avait commencé, mais ce moment-là me frappa. J'aimais et j'admirais mon père sous tous les rapports, sa réalité solide et sensible : sa laine mouillée et son odeur de fumée de pipe, sa carrure imposante, ses casquettes de toile ou de tweed, son autorité qui, encore aujourd'hui, me remplit d'émerveillement. Et, plus profond que tout, même si je n'avais pas les mots pour le nommer quand j'étais enfant, ce que j'en suis venu à interpréter comme un engagement complet dans tout ce qu'il voyait – dans chaque lieu où il allait et chaque personne qu'il rencontrait. Je le regardais accroupi et creusant la terre, attablé en compagnie d'hommes d'affaires, ou assis dans l'herbe avec des enfants, sollicitant l'opinion d'étudiants, d'instituteurs, de fermiers, de maires – et d'animaux de ferme et d'oiseaux ! Il éprouvait de la curiosité pour tout être vivant et toute chose inanimée, naturelle ou créée par l'homme. Dans les grandes vallées d'Écosse, dans les villes des collines d'Italie et d'Inde, dans les marais d'Éthiopie et d'Ontario, à des manifestations publiques ou seul dans le désert, je voyais qu'il savait trouver le moyen d'appartenir à tous les lieux. Je le regardais réfléchir, calculer tandis qu'il observait divers éléments se combiner et se recombiner. Il déroulait des cartes sur ses genoux, étendait des plans sur des tables de camp, et je le regardais modifier le paysage d'un trait de crayon, détourner des rivières et étrangler des chutes, amener des forêts dans le désert et vider des lacs entiers. Modifier des nappes phréatiques vieilles de millions d'années. Et j'aurais voulu couper les barrages comme on fait sauter une couture dans une étoffe, donner du souffle à la gorge asphyxiée, ramener toute l'eau d'un seul coup de gomme à effacer, faire réapparaître les maisons, les tombes, les jardins, les gens. Il s'asseyait près de moi et, transporté, me serrait le bras. Il m'emmenait avec lui sur les sites, dans les réunions que l'on tenait dans des huttes Quonset ou dans des restaurants coûteux, à la première explosion de roc, aux cérémonies d'inauguration.

En regardant un pont, mon père était capable d'en entendre la vibration. Il était capable d'entendre ce véritable métier à tisser créé par la chaîne et la trame cliquetant dans la travée. C'était instinctif, du domaine de l'intuition. Mais ce n'est pas pareil pour moi, dit Avery. Il faut que je travaille sans relâche. Je n'ai pas ça dans le sang. Je suis comme un pianiste qui doit constamment regarder ses mains. J'ai toujours voulu sentir ce qu'il sentait. Enfant, je désirais plus que tout lui appartenir, prouver le lien qui nous unissait. J'avais l'impression que je l'aimerais toujours plus qu'il ne m'aimait. J'ignore pourquoi je pensais cela. Il me voulait à ses côtés partout où il allait ; il voulait tout me montrer, tout m'enseigner.

— Tu voulais qu'il soit fier de toi, dit Jeanne. Peut-être que tu ne pouvais pas voir combien il voulait que tu sois fier de lui.

— Mon père était très bon dessinateur, il avait un coup de crayon extraordinaire. On pouvait percevoir la structure à l'intérieur de la machine, connaître le fonctionnement d'un objet. Quand il s'essayait à peindre des paysages, ma mère affirmait qu'elle pouvait sentir les immenses forces de gravité et d'inertie, mais elle déplorait aussi que quelque chose manquait, quelque chose qu'il n'arrivait pas à capturer – ses dessins ne respiraient pas, d'une certaine manière, voilà ce qu'elle disait ; il n'y avait pas d'oxygène, pas de vent dans ses paysages, comme s'ils se trouvaient sous une cloche de verre. Il le constatait lui aussi mais semblait incapable d'y remédier. C'est le même sentiment qu'on éprouve en regardant des peintures d'animaux sauvages – ils n'ont jamais l'air vrais, même si tous les détails sont d'une précision stupéfiante. C'est sans doute dû au fait qu'on ne peut pas s'approcher à ce point d'un animal dans son environnement, qu'on ne peut observer ce genre de détails dans la réalité. Nous savons qu'ils sont en vie précisément parce qu'ils bougent trop vite ou qu'ils sont trop loin pour que nous puissions observer tous ces détails. La convention m'a toujours irrité – jeune, elle me remplissait d'indignation : jamais nous n'aurions pu être si proche d'un couguar, à cinq pas, dans la nature ; jamais nous n'aurions pu le peindre sur son rocher d'après nature. Je piquais des colères à ma mère à cause de cela. Le portrait était impossible car la relation entre l'observateur et le sujet était impossible. Une photo est possible, mais pas une peinture. Et enfin, même s'il semblerait que je me suis éloigné de mon propos, les peintures de mon père ont toujours provoqué chez moi la même impression, comme si elles avaient quelque chose de pas tout à fait vrai, tandis que celles de ma mère… eh bien, elles étaient trop vraies.

Jeanne, qui était étendue sur Avery, roula sur le matelas et ils s'assirent ensemble au bord du lit. Elle entendait les camions qui broyaient la colline.

— J'étais terrifié à l'idée de me trouver seul dans l'atelier de ma mère, dit Avery, et pourtant je voulais voir. On peut examiner quelques centimètres carrés de certaines de ses forêts pendant quinze minutes sans voir tout ce qui s'y trouve. C'est une peinture affamée. D'une faim sans limites. Enfant, j'étais bouleversé de savoir que ces images avaient été créées par ma propre mère, cette femme pragmatique, droite et si gaie, pour qui le simple fait de vivre – se promener, faire le lavage, cuisiner – était une fête... J'étais incapable de concilier ces deux versants de son être. Ce n'est que plus tard, quand j'ai commencé à apprendre l'histoire, que j'ai compris qu'il ne s'agissait pas uniquement de son cauchemar à elle, mais du cauchemar du monde... et ce n'est qu'à ce moment que j'ai pu dégager un sens de certaines choses que j'avais entendues, ou bien surprises, alors que j'étais enfant... Le premier matin où je me suis trouvé seul avec mon père, après la guerre, juste lui et moi, nous nous sommes assis dans les collines et avons parlé pendant une éternité des contreforts. Des contreforts ! J'adorais le mot, c'était une liqueur, sa liqueur à lui – il me traitait en adulte, c'était comme prendre un premier verre ensemble, père et fils. Nous étions assis dans un lieu qui m'avait toujours semblé être ma cachette, j'avais sillonné ces collines pendant de longues heures, j'y avais passé de nombreux après-midi seul à regarder la lumière traverser le paysage, le soleil se coucher, sous la pluie, pendant l'hiver, et je connaissais chaque terrier dans l'herbe. Et désormais je me trouvais là, avec lui, je pouvais tout lui montrer, et il pouvait se coucher sur le sol, étirer ses jambes avec un grand soupir et disserter tant que le cœur lui en disait sur les contreforts, la pierre de Coade et les chemins de fer pneumatiques. C'était une journée de félicité. J'étais tellement excité d'être avec lui, tellement timide face à lui, je voulais tant qu'il me connaisse, et il regardait tout ce que je lui montrais avec une telle attention, il prenait tout au sérieux : les souris des champs, les nuages. C'était un après-midi parfait. C'est la première fois que j'ai compris que la guerre était vraiment finie. Je croyais que ce serait le prélude à plusieurs après-midi, mais il n'y en a plus jamais eu d'autres comme celui-là. Ç'a été le seul. Nous étions très souvent ensemble, et nous pouvions passer de courts moments seuls pendant ses projets – une demi-heure par-ci par-là, mais jamais plus d'après-midi se déployant sans fin et où j'avais l'impression qu'il n'aurait voulu être nulle part ailleurs que là, avec moi.

Je veux sentir ce que mon père a senti, répéta Avery, assis au bord de leur lit sur le Nil, ce que savent les *marmisti,* ce que sait l'aveugle quand il est sur le genou de Ramsès. Ce que ma mère appelle la « connaissance de la chair ». Il ne suffit pas que l'esprit croie quelque chose, le corps doit le croire aussi. Si je n'avais pas été témoin de ce plaisir singulier chez mon père alors que j'étais enfant, peut-être qu'il ne me manquerait pas. Mais il me manque. J'imagine ce que doit ressentir un chimiste en regardant au microscope, quand son esprit arrive pratiquement à toucher ce qu'il observe. Ou un physicien, qui peut sentir l'équation par laquelle les molécules se déchirent le long d'un cisaillement comme on arrache une poignée de pain à une miche. Ou la tension dans un ménisque. Le moment où je m'approche le plus de cette compréhension, c'est quand je regarde une construction. Je perçois les conséquences de chaque choix ; le fonctionnement des volumes, la manière dont le bâtiment absorbe l'espace qu'il habite, jusqu'à la façon dont il porte ses ruines.

— J'ai eu un aperçu de ce dont tu parles à Ashkeit, dit Jeanne.

À la mention d'Ashkeit, Jeanne sentit qu'Avery capitulait.

— Je veux étudier l'architecture, dit-il. Je me sens comme un apprenti qui passe des décennies à apprendre à dessiner une main ou un bras humains avant d'avoir le droit de tenir un pinceau. Il faut apprendre à dessiner les os et les muscles avant que la chair puisse être vraie. L'ingénierie est essentielle… mais je voudrais tellement prendre un pinceau.

Mon père était si content que je veuille être ingénieur, comme son propre père. On aurait pu croire que ça n'avait pas eu d'importance qu'il ait été au loin pendant toutes ces années quand j'étais enfant.

— Eh bien, dit Jeanne lentement, tu seras encore ingénieur… mais un ingénieur avec un pinceau.

Avery se pencha en arrière et s'étendit, les pieds toujours sur le sol. Jeanne vit les os de son visage, ses vêtements qui se répandaient en plis autour de lui, elle vit l'épuisement qui l'avait pénétré si profondément que c'en était presque devenu une odeur. Il tendit son bras mince et fort, muscle et tendon, et elle se coucha aussi, comme lui, en travers du lit.

Elle songea qu'elle ne s'habituerait jamais à sa chance d'être couchée près de lui, cet... cet Escher quintessence de l'Avery... scrupuleux... à larges feuilles.

Elle entendit les Bucyrus gémir dans le sable ; une voix crier en grec, une réponse, peut-être dénuée de compréhension, en italien. La plainte geignarde d'un enfant s'élevant d'une péniche en aval sur le fleuve : « J'ai soif... » La lumière des projecteurs filtrait à travers le pont, une faible lueur. La grande usine du désert ne s'arrêtait jamais.

— Quand mon père est mort, je suis resté assis à regarder son visage, dit Avery. Je tenais ses mains. Ma mère était allongée, son visage contre le sien, et, du côté où elle était couchée, mon père était tiède. Au début, il y avait une paix palpable dans la pièce, une légèreté totalement inattendue. Et puis, après un moment à regarder son corps qui n'avait extérieurement pas changé mais était pourtant profondément transformé, le simulacre m'a semblé blasphématoire, comme une violation.

Avery regarda Jeanne. Ses cheveux coulaient sur ses bras nus, une éclaboussure d'ombre. À quel moment la transsubstantiation s'était-elle produite – à quel moment au cours des années qu'ils avaient passées ensemble cette femme, cette Jeanne Shaw, était-elle devenue Jeanne Escher ? Il savait que ce n'était pas affaire de mariage, ni même de sexualité, mais que, d'une manière ou d'une autre, cela avait à voir avec ces conversations qu'ils accomplissaient ensemble.

— Je veux bâtir la chambre dans laquelle j'aurais aimé naître, dit Avery.

Jeanne sentait la chaleur du bras d'Avery dans son dos, un fil électrique de chaleur.

— Peut-être que ce n'est pas ton père qui te fait tant de chagrin, dit Jeanne.

— Ma mère ne voulait jamais me laisser entrer dans son atelier quand j'étais enfant, mais je m'y faufilais parfois – et je le regrettais toujours. Mais ça ne peut pas être ma mère qui me hante.

Quand Jeanne eut trouvé une façon de répondre – les vivants ont des manières de nous hanter que les morts n'ont pas –, l'Avery Escher à larges feuilles s'était endormi.

Il faisait encore froid et noir sous le pont, mais Avery savait que les hommes seraient déjà en train de discuter autour des feux et qu'il devait bientôt se lever. Jeanne, réveillée elle aussi, s'étira à ses côtés et remonta la couverture sous son menton.

Avery se pencha sur elle.

— Jeanne, ce que j'ai dit au sujet de la tristesse… ce que je veux dire, c'est qu'un bâtiment et l'espace qu'il possède devraient nous aider à vivre, ils devraient permettre de tenir compte des choses ; je ne sais pas même comment en parler, quels mots employer ; simplement, certains lieux rendent certaines choses possibles, voire probables – je n'irais pas jusqu'à dire qu'un lieu peut favoriser un comportement, mais il en est d'une certaine façon complice. Y a-t-il une différence entre rendre les choses possibles et les créer ? Est-ce qu'un certain type de pont incite au suicide ? Je sais que lorsque je me trouve à l'intérieur d'une construction imposante, je ressens une tristesse mortelle, et elle est à ce point spécifique que quand je quitte l'endroit – que ce soit une église, un château ou une maison – et que je retourne dans la rue, je vois tout ce qui m'entoure avec une clarté qui ne peut m'avoir été conférée que par l'expérience du lieu.

Et quand j'ai parlé de bâtir la chambre où j'aurais aimé naître, continua-t-il, ce que je voulais dire, c'est que ce serait un lieu pour renaître…

Jeanne tendit les doigts vers la main d'Avery. Elle se demandait où leur enfant verrait le jour : à l'hôpital du camp d'Abou Simbel, à l'hôpital du Caire, mieux équipé, ou à Londres, peut-être avec la tante d'Avery, Bett, dans les parages. Ils avaient encore le temps de décider, mais Londres était peut-être préférable, peut-être Marina viendrait-elle ; pendant un moment, Jeanne se complut dans le luxe de cette possibilité. Mais elle savait qu'Avery ne voudrait pas s'éloigner du temple au cours des premiers mois de reconstruction.

Il lut l'appréhension sur le visage de Jeanne.

— S'il te plaît, ne t'inquiète pas, commença-t-il. Puis, avec une pointe de panique dans la voix : Comment allons-nous faire ?

~

Après l'évacuation de Wadi Halfa, les ingénieurs durent se procurer leurs fournitures à Assouan et à Khartoum.

Jeanne et Avery revenaient au camp en avion depuis Khartoum, en suivant le Nil aux rives teintées de vert là où le fleuve d'argent avait débordé de son lit.

Au village de Karina, la vive couleur cessait abruptement ; passé la ville, comme si l'histoire humaine avait aussi pris fin, l'éternel grès jaune du désert nubien. Ils volaient en ronronnant dans l'air cristallin, sans un mouvement au-dessous, hormis l'ombre de l'avion et le cercle fantomatique de l'hélice. Le pilote vira légèrement pour permettre à Jeanne et Avery de regarder derrière. La plaine inondable se déployait derrière eux, longue, verte et généreuse. Ils se dirigeaient plus avant dans ce désert que les Nubiens connaissaient aussi intimement que leurs propres corps et que le corps de leurs enfants.

Toutes les fois que Jeanne était venue à Wadi Halfa, elle et Avery avaient débarqué à l'aérodrome et suivi la route de sable blanche et raboteuse jusqu'à l'hôtel Nil. Passé les collines brunes, les falaises rocheuses plantées dans le sable que le vent d'hiver soufflait sur des milliers de kilomètres depuis des milliers d'années. Le balcon de leur chambre d'hôtel surplombait le dépôt de rails et ils s'y étaient tout de suite sentis à l'aise, dans le bruit incessant des métallos.

Cette fois, cependant, ils ne se posèrent pas mais décrivirent des cercles autour de la ville aussi immobile que les collines environnantes. Leur ombre tombait sur les maisons, tachetait les rues abandonnées. Wadi Halfa était à ce point vide et figée que Jeanne commença à avoir l'impression que la ville n'était pas réelle.

Puis, soudain, on aurait dit que les pierres dans la rue s'étaient mises à sauter, le trottoir commença à se déplacer, à glisser d'avant en arrière, le sol brun fit éruption, bouillonna, grouilla, roc et sable prirent vie.

— Qu'est-ce que c'est? cria Jeanne. Qu'est-ce que c'est?

Le sol bougeait si rapidement qu'elle avait presque la nausée en regardant par terre.

— Ils doivent être affamés, cria le pilote. Et maintenant, ils vont être laissés ici. L'eau va venir et ils vont se noyer. Il se mit à rire, un son horrible, stupéfiant, amer.

Jeanne le regarda, effrayée.

— Qui? cria-t-elle. Qui va se noyer?

— C'est des chiens! dit-il.

Jeanne avait les yeux baissés vers le sol fourmillant.

— Juste des chiens ! cria le pilote.

~

Il y avait au camp un petit garçon qui n'appartenait à personne. Il avait reçu le sobriquet de Monkey, surnom dicté à la fois par l'irritation et par l'affection. Il était partout en même temps, filant comme le vent, ou bien suspendu la tête en bas, ou bien en train de tripoter outils et cordages. Il énervait les ingénieurs, et les ouvriers se débarrassaient de lui comme on chasse une mouche du revers de la main. Il était toujours à sauter, à se balancer, à s'accroupir dans un coin. Le cuisinier le nourrissait pour qu'il ne chaparde pas.

La première fois qu'elle le vit, Jeanne se trouvait dans le magasin du camp. Il s'était tapi sous une table, à l'abri du soleil. Il avait quelque chose qui clochait, quelque chose aux os. Son dos était tordu. Mais il était agile et gracieux, et il possédait un visage animé et expressif. Les poils de ses bras et de sa nuque formaient un fin duvet semblable à celui qui recouvre la peau d'une pêche. Il avait des dents trop grandes, la bouche pleine de pierres.

Dès qu'elle le vit, Jeanne voulut lui donner quelque chose.

— On ne songe pas aux peurs des enfants, avait dit Marina un après-midi au cours de ces semaines passées seule avec Jeanne. On les écarte pour se concentrer sur leur innocence. Mais les enfants sont proches du chagrin, ils en sont plus proches que nous. Ils l'éprouvent, non dilué, et, à mesure qu'ils grandissent, s'éloignent de cette connaissance de la chair. Ils savent tout des terreurs de la forêt, de la mère-sorcière, des choses qu'on enterre et qu'on ne revoit jamais. Dans chaque peur d'enfant, il y a toujours la peur du pire : la perte de l'être qu'ils aiment le plus.

Je viens d'un pays où les hommes suppliaient non pas qu'on leur laisse la vie sauve, mais qu'on ne les tue pas devant leurs enfants. Où les gens, ordinaires à tous égards, apprenaient ce que c'est que de regarder en face un homme qui sait qu'il va vous enlever la vie. Où les gens avaient peur de fermer les yeux, mais aussi peur de les rouvrir. Bien sûr, c'était également vrai dans plusieurs autres régions du monde. Après, au Canada, un collègue de William m'a dit : « Il faut que vous peigniez ces choses. » Et j'ai dit non, je ne veux pas leur donner un sol, un nouvel endroit où prendre racine.

Même dans l'horreur, il y a des degrés. Et c'est là que les détails importent le plus, car les degrés sont notre seul espoir. Et c'est ce qui garde un homme en vie jusqu'à la dernière seconde. Savoir que, s'il a perdu une jambe, au moins il n'a pas perdu les deux. Ou que, s'il a perdu tous ses doigts, il lui reste encore les bras. Vivre une seconde de plus. La croyance n'est souvent rien d'autre – l'ultime recours.

Après la guerre, j'ai peint pour des enfants qui ne voyaient qu'effroi dans tout ce que je peignais, quelque innocente qu'ait été la scène. Une fois qu'un enfant a connu cet effroi, il ne peut plus voir aucun lieu, aucune pièce sans l'y trouver. Même quand il ne peut être vu, il le voit ; il sait qu'il est caché. Maintenant, je peins pour des enfants qui n'ont pas connu cela ; j'essaie de peindre des choses merveilleuses, de les armer d'images pour le cas où ils en auraient besoin. Pour qu'une partie de cette beauté puisse peut-être devenir un souvenir, ne serait-ce qu'une image dans un livre. Pour que cet enfant – même si, une fois adulte, il devient un assassin – puisse reconnaître quelque chose en lui quand un autre homme le suppliera de l'emmener dehors pour ne pas être tué devant sa famille.

J'ai si peu de secondes pour capter l'attention d'un enfant. Je ne laisserai pas passer cette chance.

Jeanne était assise, immobile, les yeux baissés vers ses genoux.

— Nous faisons des boutures, dit Jeanne. Je pense que c'est ce que nous faisons. Ce sont des boutures que nous apportons avec nous.

Au marché de Wadi Halfa, Jeanne avait trouvé une boîte en bois ayant jadis contenu trois pains de savon Yardley et qui maintenant recelait un assortiment d'humbles trésors qui ne pouvaient avoir appartenu qu'à un enfant : des billes de verre, un gland, une plume, une ficelle au bout de laquelle était nouée une perle de couleur, un boucle de ceinture en argent, un couteau de poche, des pierres polies, des cartes à jouer, une clef. Ça lui faisait mal de la tenir entre ses mains ; le fantôme de l'enfant en était toujours propriétaire. Mais comme elle ne pouvait se résoudre à abandonner la petite boîte dans le bric-à-brac du marché, elle l'avait achetée.

De retour au camp, elle prit l'habitude de l'emporter avec elle au cas où elle verrait Monkey.

Peuh ! dit le garçon, et il en jeta le contenu dans le sable. Puis il resta debout à regarder Jeanne, signifiant clairement qu'il ne s'abaisserait certainement pas devant elle pour récupérer les objets. L'un des ingénieurs égyptiens, qui avait été témoin de la scène, s'approcha du garçon et le prit par l'épaule, mais Monkey était fort ; il réussit à échapper à la poigne de l'homme et s'enfuit. L'ingénieur se pencha. Ne voulant pas qu'il s'agenouille à sa place, Jeanne se laissa tomber par terre pour rassembler le pitoyable trésor.

— Il n'y a rien à faire avec lui. Il devrait être puni pour son impolitesse.

— Non, je vous en prie, dit Jeanne. Je ne voulais pas l'insulter. J'aurais dû savoir qu'un garçon de son âge ne serait pas intéressé par ce genre de choses. C'est ma faute.

— Ce garçon agit trop librement. S'il était mon fils… mais mon fils ne se conduirait jamais ainsi.

Jeanne lui tendit la boîte.

— Peut-être que ces petites choses feraient plaisir à votre fils.

L'homme rit à gorge déployée.

— Mon fils a trente ans !

Et, tristement, Jeanne rit aussi.

~

Un enfant est semblable à un destin ; l'avenir d'un être et son passé. Toutes les histoires que Jeanne raconta à la fille qu'elle portait tandis qu'elle marchait au bord du fleuve sous le ciel sans relief… et l'enfant n'absorbait rien d'autre que le doux son de la voix de sa mère, un monde tout entier. Il n'y a rien dont Jeanne n'ait parlé au cours de ces premiers mois de grossesse. Elle raconta à l'enfant la neige et les pommes canadiennes, les navires égyptiens, les techniques de greffe, de topiaire et de culture en espalier. Elle lui raconta ses premières semaines avec Avery, et les excursions de celui-ci avec son père, le moteur atmosphérique de Newcomen, « Fairbottom Bobs », qu'Avery était allé voir, enfant, près d'Ashton-under-Lyne et du fleuve Medlock. Le bébé apprit que la mère de Jeanne dessinait des animaux dans l'eau savonneuse du bain de sa fille, elle apprit à connaître le père de Jeanne, qui lui lisait *Milly-Molly-Mandy* et *Mrs. Easter* dans le train. Tout était décrit, avec émerveillement et nostalgie, à l'enfant dans son sein. La brise soufflant du fleuve, différente du vent qui venait du désert, rencontrait celui-ci dans le puissant espace de la berge. Jeanne tendait l'oreille au bruit des bateaux fendant l'eau dans l'obscurité ; jamais une lumière, les marins naviguaient au son. Elle s'asseyait dans le noir, elle aussi sans lumière, et écoutait ; le murmure des coques, le poids du bébé, la carte des étoiles.

Elle était étendue, éveillée. Sa plénitude pesait maintenant sur son échine. Un monticule de terre. Elle entendit Avery sur le pont et, en un instant, il fut à la porte de la cabine. Lentement il délaça ses bottes et les laissa tomber dans le passage. Le bruit contenait toute sa lassitude.

Il hésita près du lit, calculant s'il avait l'énergie d'enlever sa chemise. Il la garda.

Presque au moment où il se coucha, il s'endormit. Sur son visage Jeanne voyait non seulement de l'épuisement, mais du désespoir. Elle sortit le crayon de la poche de sa chemise.

Jeanne se réveilla avec Avery et, après qu'il fut parti à la hutte des ingénieurs, elle s'assit seule sur le pont, encore ensommeillée, pour regarder le soleil hésiter avant d'apparaître au-dessus de la crête de la colline, le chatoiement précédant la clarté éblouissante des eaux du fleuve. Pendant quelques secondes seulement, à chaque aube, le ciel grenade s'ouvrait pour révéler ses graines toujours visibles, les étoiles.

Elle entendit une petite éclaboussure. Quelque chose, quelque connaissance qui nous est donnée par la peur, la poussa à lever les yeux et à regarder un peu plus loin en aval. Elle aperçut d'abord la tache claire de son vêtement blanc, un dôme de tissu gonflé dans l'eau noire. Elle courut vers lui et vit alors les mèches ondulantes d'une chevelure trempée qui flottaient, puis elle l'agrippa, tirant sur sa chemise, trouva ses bras, le hissa de toutes ses forces. Elle criait ; elle s'entendit hurler presque hors d'elle-même, comme si une terreur qu'elle avait toujours portée en elle sans le savoir venait enfin de se faire jour. Elle tira jusqu'à ce que sa tête foncée sorte de l'eau, elle pouvait voir la scène dans son esprit, elle pouvait se voir en train de le tirer et de peser sur le ventre du garçon jusqu'à ce que l'eau jaillisse de ses poumons, elle pouvait le voir ouvrir les yeux tandis qu'elle le tirait avec toute la puissance animale qui sommeillait en elle. Enfin, il y eut des voix au loin. Elle continua à tirer, mais le garçon était étrangement lourd, comme si quelqu'un lui tenait les pieds et tentait de le ramener sous l'eau. Elle sentit la force quitter soudainement ses bras et, sanglotante, vit la tête de l'enfant sombrer sous la surface. Si lourd. Ses lèvres sur ses dents comme s'il avait la bouche pleine de pierres. Puis les voix furent juste derrière elle, leurs bras plongèrent dans l'eau et Monkey fut hissé hors du fleuve, mort depuis longtemps.

Dans le rêve, il était évident que le garçon était mort avant de toucher l'eau. Et que Jeanne s'était efforcée de sauver son cadavre.

Mais ce qu'elle voyait aussi en rêve – la vision de sa tête émergeant de l'eau, elle-même qui le tirait sur la rive, l'eau qui jaillissait de la bouche du garçon, ses yeux qui s'ouvraient –, ces images étaient si saisissantes que son esprit était incapable de les écarter.

Quelques jours plus tard, on retrouva Monkey au fond de la carrière. Il y avait plusieurs semaines qu'il tentait le diable, traversant le gouffre en se balançant au bout d'un câble d'acier. Ce n'est qu'une fois que sa tombe fut creusée qu'ils se rendirent compte que personne ne connaissait son nom.

Assis sur le pont, enveloppés dans des couvertures, Avery et Jeanne lisaient à la lumière de la lampe – entre eux, un lien tellement calme que Daub faillit s'éloigner sans s'arrêter pour leur annoncer la mort de Monkey. Il ne resta que quelques instants ; ensuite, Jeanne tira sa chaise pour la rapprocher de celle d'Avery et s'assit face à lui.

— Le garçon est mort dans mon rêve, chuchota Jeanne.

Avery leva les yeux de ses documents et vit le visage de sa femme.

— Ce n'est pas ta faute !

Jeanne se leva, une expression étrange dans le regard.

— Le fait que tu l'aies rêvé, répéta Avery, ça ne veut pas dire que c'est de ta faute.

— Alors à quoi sert la prescience ?

Avery n'avait pas de réponse à cela. Il la serra contre lui.

— Ce n'est pas ma faute, mais j'aurais peut-être pu empêcher que ça arrive. Peut-être que tout cela est vrai à la fois.

La logique de Jeanne plana dans la lumière de la lampe et resta dans l'obscurité pendant qu'elle se mettait au lit. Elle était toujours là le lendemain, et le surlendemain ; plusieurs jours plus tard, sa première pensée au réveil : peut-être que tout cela est vrai à la fois.

~

— Ce n'est pas la chaleur, dit le médecin du camp à Jeanne des jours plus tard. Parfois, quelque chose se produit et le sort fait que le bébé ne verra pas le jour. C'est tout.

Il est des mères qui affirment sentir la seconde précise où l'enfant cesse de vivre. Certaines ont conscience que quelque chose ne va pas, ou rêvent de mort sans savoir pourquoi ; d'autres ne le remarquent que plus tard, quand le mouvement cesse – même si ce n'est qu'une impression, car lorsque le bébé atteint cette taille, il n'a de toute façon plus de place pour se déplacer dans le ventre de la mère.

Il n'existe pas de méthode sûre pour provoquer l'accouchement. Il vaut mieux laisser le corps décider de lui-même, bien que cela aussi présente un danger si le travail se fait trop attendre. Il se peut que l'on doive porter le bébé mort-né pendant des semaines, voire un mois.

Avery posa la main sur la peau tendue sous laquelle il avait senti bouger pendant de nombreuses semaines et où maintenant il ne sentait rien.

— Parfois, dit le médecin, le sort en a décidé autrement.

Avery était incapable d'arrêter de songer : Toute cette eau à l'intérieur d'elle et notre enfant mort.

— Il est temps d'aller au Caire, dit le médecin.

~

La jeune Nubienne qui avait offert de bénir l'enfant dans le Nil trempa des feuilles de palmier dans le fleuve et enveloppa le ventre distendu de Jeanne de fraîche verdure. Les feuilles absorbaient la chaleur de sa peau. À de multiples reprises, la femme fit ce geste pour elle, jusqu'à ce que Jeanne s'endorme.

Plus besoin d'interprète entre les deux femmes désormais.

Jeanne comprenait qu'elle devait partir ; attendre son heure à l'hôpital du Caire. Mais elle resta plutôt pendant des jours dans la pénombre de la péniche. Et Avery, bien qu'inquiet et effrayé, ne pouvait lui refuser ce droit.

Elle ne savait pas comment porter le deuil ; elle était incapable de séparer le corps du bébé du sien. Ce qui avait été une plénitude vulnérable, sa silhouette, lui semblait maintenant une difformité. Ce poids, maintenant un enfant coulé dans la pierre.

Elle se rappelait une femme d'une quarantaine d'années de son quartier à Montréal, qui marchait partout à reculons, sa mère âgée toujours à ses côtés pour la surveiller. L'amour plein de résignation sur le visage de cette mère tandis qu'elle contemplait sans fin le visage abîmé de sa fille. Quand Jeanne était enfant, ce spectacle lui faisait peur. Maintenant, vingt ans plus tard, une vague de pitié se soulevait dans son cœur.

Assise dans la cabine plongée dans la pénombre, elle était incapable de distinguer âme et fantôme.

Elle se souvenait de la jeune femme de Faras, à bord du train, voyageant à jamais sans la besace de sa mère.

Avery travaillait pendant des heures sur le pont et n'entendait pas un bruit au-dessous de lui. Mais en descendant, il découvrait que ce n'était pas le silence du sommeil, mais celui de la disparition. Jeanne assise dans le lit, regardant dans le noir : une vigile. Quand il voulait s'approcher d'elle, il la sentait se flétrir imperceptiblement devant son contact. Comme si elle avait dit à voix haute : Mon corps est une tombe.

Le pilote se tenait à quelque distance, il attendait.

— Es-tu sûre que tu dois y aller seule ? demanda Avery.

— Oui, dit Jeanne. Son visage était de pierre, les larmes fuyaient de ses yeux. Nous ne savons pas combien de temps il faudra attendre.

Il fit un pas vers elle.

— Si tu t'approches de moi, dit-elle, je ne serai pas capable de partir.

Un moment passe, avec toutes ses possibilités. Tout ce que l'amour nous permet, et ne nous permet pas.

Avery souffrit en voyant la main du pilote toucher le bras de Jeanne qu'il aidait à monter dans l'avion.

Nul ne sait ce qui déclenche le travail. Finalement, simplement, les puissantes hormones sont libérées.

Agrippant les mains d'une étrangère – une infirmière qu'elle n'avait jamais rencontrée et qu'elle ne reverrait jamais –, soudain Jeanne ne crut pas que son enfant était mort. Elle se hâta d'aller au-devant du mal ; chaque contraction était une preuve que l'enfant luttait pour naître. Dans la douleur, Jeanne avait le sentiment insoutenable, presque extatique, d'être tendue vers un but. Mais le bébé ne se présentait pas. Pendant tout le travail, Jeanne refusa de renoncer à cette nouvelle révélation, l'impression que l'enfant était vivant. Elle sentit la présence d'une âme qui lui était redonnée, envahissante, se nourrissant de l'oxygène dans son sang. Tandis que les heures se succédaient, elle concentra sa croyance directement dans la douleur – une volonté d'une puissance animale. Elle sanglotait de gratitude et de joie. Et puis une attention presque surnaturelle, frémissante, une sorte de prière. La présence de l'enfant emplit la chambre, elle sentait la certitude du cœur de l'enfant battre dans son propre sang.

Le lendemain matin, ils l'ouvrirent. Le scalpel traça une incision rouge sous son ventre, et ils expulsèrent l'enfant mort.

Les infirmières emmaillotèrent l'enfant, une fille, comme si elle était vivante, dans des couvertures de coton à l'odeur douce, et attendirent qu'Avery arrive. Jeanne tenait la figure creuse contre son propre visage, elle serrait l'enfant maintenant sans poids et refusait de lâcher prise, étreinte que nulle infirmière, nulle sage-femme n'osaient rompre. Avec une tendresse infinie, Jeanne caressait les joues parfaites que la mort avait enfoncées de ses pouces.

Les infirmières se refusaient à lui prendre l'enfant de force. Ils assistèrent – les infirmières, Avery – à la souffrance de Jeanne. Ils ne pouvaient l'épargner ; pour des raisons diverses, ils ne pouvaient totalement partager sa douleur. Leur empathie était teintée d'un soupçon d'effroi.

Les infirmières allaient et venaient, impatientes d'emporter l'enfant. L'obscurité gagna la chambre ; elles entrèrent pour allumer la lumière, attendant encore.

Avery était assis dans un fauteuil près du lit. Quand enfin Jeanne s'endormit, il prit leur fille de ses bras.

Dès son réveil, Jeanne appela désespérément une infirmière pour qu'on lui ramène son enfant, l'enfant qui était morte deux fois. Puis elle lut la culpabilité, le malheur, la trahison sur le visage d'Avery.

Après, Jeanne fut incapable de s'occuper d'elle ; elle resta à l'hôpital, en proie à une telle apathie qu'elle n'arrivait pas à se brosser les dents. Son lait monta. Ses seins durcirent. Le bébé fut envoyé à Montréal, où Marina reçut et enterra sa petite-fille, Elisabeth Willa Escher, près des parents de Jeanne, dans le cimetière de Saint-Jérôme. Jeanne n'était plus dans le service de la maternité, en compagnie des femmes enceintes pleines de vie. Elle occupait maintenant une chambre avec des femmes en attente, plus ou moins proches de la mort ; maladie cardiaque, insuffisance rénale. Au Caire, la chaleur martelait les fenêtres de la salle d'hôpital bondée. À Montréal tombait la pluie printanière, noire et froide. Marina écrivit et demanda si elle pouvait venir. Non, répondit Jeanne, ne viens pas.

Pendant des mois après l'accouchement, l'enfant reste dans le corps de la mère ; lune et marée. Avant que l'enfant ne pleure, la mère est trempée de lait. Avant que l'enfant ne s'éveille et crie dans la nuit, la mère se réveille. Au creux de la voûte crânienne de l'enfant, le regard de la mère tricote les synapses en suspens. Et quand l'enfant est esprit, c'est exactement la même chose.

~

Pendant plusieurs jours, Jeanne avait remarqué un vieil homme assis dans les marches tandis qu'elle revenait de la promenade qu'elle faisait à pas lents autour du jardin de l'hôpital. Puis, un jour, elle ne détourna pas les yeux assez rapidement pour éviter son regard.

— Vous marchez un peu mieux aujourd'hui, dit-il. Je vous en prie, asseyez-vous près de moi et reposez-vous quelques minutes.

Jeanne hésita. Puis elle s'assit une marche sous lui.

— Non, ici, près de moi.

Jeanne s'assit à côté de lui. Ils étaient penchés au-dessus de leurs genoux vers leurs pieds, comme on se penche au-dessus d'un garde-fou pour plonger les yeux dans l'abîme.

— Je suis au courant pour votre enfant, dit-il. Je me suis informé à votre sujet et l'infirmière m'a dit. Mais je veux vous parler de ce jeune garçon, ce Monkey. Je n'ai pas pu m'empêcher de vous entendre parler avec votre mari. Je ne voulais pas écouter, mais les gens s'expriment toujours librement près de moi, même si les vieux ont le plus grand besoin de surprendre les conversations.

Jeanne sentait le tremblement qui agitait les bras et les épaules du vieil homme assis près d'elle.

— Imaginons que vous avez raison, continua-t-il, et que mystérieusement sa vie reposait entre vos mains. Vous aviez été envoyée vers lui, et c'était votre raison de venir dans ce pays. Peut-être, toute votre vie durant, chaque choix que vous avez fait était-il destiné à vous mener au moment précis de votre rencontre avec le garçon dans le but de le sauver. Mais si c'était le cas, croyez-vous qu'après tant d'années de vie préparatoires votre destin vous aurait trahie, ou que vous auriez trahi votre destin? Et celui de votre propre enfant? Peut-être ce que vous vivez maintenant est-il toujours votre destin. Et vous n'en connaissez pas encore la signification.

— J'ai échoué, dit Jeanne. Je le sens à l'intérieur de moi, au plus profond de mon être.

Elle se mit à sangloter.

Le vieil homme continua à regarder ses pieds.

— Le vide n'est pas l'échec, énonça-t-il.

Sa voix était si paternelle que Jeanne était incapable de maîtriser ses larmes. Très doucement, il poursuivit :

— Vous avez l'impression d'avoir été punie pour sa mort. Vous devez décider : avez-vous été punie pour votre peur ou pour votre foi ?

Il regarda Jeanne.

— J'ai déjà été puni, pour ma peur, dit-il, et ça m'a détruit.

Il se pencha en avant, fragile et chancelant, sur son bâton. Mais elle ne voyait pas sa fragilité, elle voyait une force obstinée, presque du courage.

— Vous n'avez pas l'air détruit, dit-elle enfin.

— Il existe un bannissement si profond qu'il ressemble au calme.

Jeanne éprouva une douleur au cœur de son être, comme s'il avait posé la main sur son ventre.

— Je suis né à Cologne, dit le vieil homme d'une voix lasse. Je suis arrivé en Palestine en 1946. Mon père était un soldat de l'armée britannique en poste en Inde avant ma naissance. Mes parents se sont rencontrés à Zurich. Je sais dire une prière pour les morts en anglais, en allemand, en français, en gujarati, en arabe, en palestinien, en turc, en japonais et en chinois.

— En chinois ?

Le vieil homme eut l'air surpris.

— Oui, dit-il, mais c'est une autre histoire. Je vous en prie, ne me demandez pas de vous la raconter. Cette joie est le seul secret qui me reste. Et si je vois quelque chose dans l'histoire que je n'y avais pas vu avant ? Non, très peu pour moi.

— Ne vous fâchez pas, dit Jeanne. J'ai parlé trop vite. Je suis désolée.

— Je ne suis pas fâché. Je songe à ce que j'ai à vous dire depuis que je vous ai vue ici pour la première fois. En fait, j'y songe depuis cinquante ans.

Dans votre malheur, vous confondez le sort et le destin. Le sort est mort, il est la mort. Le destin est fluide, vivant comme un oiseau. Il y a des conséquences et il y a du mystère, et parfois ils se présentent de la même manière. Toute votre connaissance de vous ne vous apportera pas la paix. Cherchez autre chose. On ne peut jamais se pardonner de toute façon – il faut une autre personne pour nous pardonner, et cela vous pourriez l'attendre éternellement.

Le vieil homme se leva, vacillant. Pour la première fois, Jeanne remarqua qu'il avait le dos voûté ; debout, il continuait à regarder le sol. Elle éprouva de la honte ; de la sympathie.

— Merci, dit Jeanne.

— C'est impoli de remercier un vieillard pour sa tristesse.

— Je suis désolée! s'écria-t-elle. Ce n'est pas ce que je voulais dire.

Le vieil homme hocha la tête vers la terre.

~

Jeanne retourna au camp. On la plaignait de loin. Il semblait à Avery qu'il n'arrivait pas à penser, à l'attirer à lui, sans lui faire mal. «Elle est sous le niveau de la mer, il faut que tu essaies», avait conseillé Daub. Mais Avery avait l'impression qu'elle était incapable de supporter même le poids de son regard.

Au fur et à mesure que le grand temple avait été enlevé, que la paroi de la falaise avait été évidée jusqu'à ne plus être qu'un gouffre aux bords déchiquetés, selon un ratio presque symboliquement inverse, le ventre de Jeanne avait grossi. Avery était hanté, le désert était hanté, par le vide des villages, par leur destruction, par l'impuissance et le deuil, par le mensonge de la copie. Pourtant, pendant tout ce temps, le magnifique dôme de chair de Jeanne avait présenté un signe de rédemption possible: tous les enfants nubiens à naître. Ce n'était pas rationnel, pas plus que l'association que faisait Jeanne entre son rêve et la mort de Monkey, ou que l'impression de sa mère, convaincue qu'elle avait abandonné son frère pilote en quittant le ciel nocturne de l'avenue Clarendon. Il savait que de telles pensées naissaient d'un besoin de donner un sens à la tragédie, et que l'on doit se permettre un tel besoin. Mais il savait aussi que sa douleur morale, sa quête personnelle étaient absolument dépourvues de sens face à la perte d'une fille, à la perte d'un pays. Pourtant, c'était plus fort que lui : quand leur enfant mourut, Avery éprouva la peine de Jeanne, et la sienne propre, dans la souffrance de la falaise, dans les villages silencieux, dans le nouveau lotissement de Khashm el-Girba, dans la haineuse consolation des temples reconstruits.

~

Arrivant à Khashm el-Girba pour la première fois après l'inondation, Hassan Dafalla chercha des yeux un endroit où s'asseoir. Mais il n'y avait d'ombre nulle part. Il resta debout en compagnie des villageois de Faras, misérables, chacun submergé par son propre regret.

Puis un homme prit la parole, comme s'il s'exprimait au nom de tous : « Une nation, c'est l'impression procurée par un espace que tu ne fouleras jamais de tes pieds mais dont tu sens dans tes jambes qu'il est à toi. Sa chaleur est ta chaleur, ses odeurs et ses sons t'appartiennent – l'eau qui jaillit d'un tuyau de métal, ou qui déborde des bols d'argile de la *sagiya,* dégoutte des cordes mouillées, les dattes tièdes dans le panier sur ta tête. Le son des coques des felouques qui passent tout près dans l'obscurité, s'éloignant sans lumières à travers la longue chambre du fleuve nocturne. Tu reconnais la voix de ton voisin avant d'avoir ouvert les yeux, la voix de son jeune fils, presque devenu un homme, appelant son ami qui s'en vient aussi, en apportant les lentilles et l'orge. Les graines glissantes tandis que ta femme plonge son bol dans le sac puis tend le bras pour les lancer en l'air, dans la terre. Le son des lentilles qui frappent le fond de la casserole. Le vent à travers les petites fenêtres hautes à la nuit tombée. Mais surtout, c'est le fleuve qui est dans tes membres, comme si tu allais vivre éternellement, tant que coulera le Nil.

« Ainsi donc, qui suis-je à Khashm el-Girba ? Qu'est mon corps pour moi si ce n'est un souvenir ? Venir en ce lieu, c'est comme devenir vieux en un instant, ne connaître de son propre corps que ce qu'il était jadis. C'était aussi soudain que cela, c'était une folie, de sentir encore les collines, le sable, le fleuve, même avec Atbara la laide sous les yeux ! On respire un air différent, on a une odeur différente pour soi-même, et sa femme a une odeur différente, et ses enfants. Et le seul moment où ils nous sont vraiment familiers, c'est quand ils dorment et rêvent de la maison. Alors je peux sentir le fleuve en eux.

« Je voudrais que mon fils puisse me voir, mais il est à Londres, un endroit où je ne suis jamais allé, et il porte des chemises blanches amidonnées. Je me souviens de son visage avec les collines en arrière-plan, mais je me demande ce que ce serait de voir son visage avec Londres en arrière-plan. Quand mon fils viendra m'enterrer, je reposerai dans un lieu étranger, et mes propres père et mère seront sous les vagues.

« Je disais autrefois à ma femme : Tant que tu es dans mes bras, tu es en sécurité. Mais elle n'est pas en sécurité aujourd'hui et mes enfants ne le sont pas non plus. »

~

Jeanne et Avery gravirent la colline. Ramsès était noyé de lumière. Avery connaissait chaque centimètre carré du corps du roi par son numéro, le code d'entreposage de chaque ongle, de chaque bloc composant un genou, une narine, une oreille.

L'illusion était sans tache. Le spectacle qui s'offrait à eux était si immense et si univoque que Jeanne faillit chanceler. La mince ligne en travers de son propre ventre, la cicatrice qui commençait déjà à blanchir et à disparaître dans sa chair – fine comme la ligne qu'on avait sciée en travers de la poitrine de Ramsès –, là, lui semblait-il, était le mensonge, une chose inexplicable, vulgairement personnelle. Au contraire, le temple colossal devant leurs yeux – où toutes les lignes laissées par la scie étaient désormais invisibles – était la preuve irréfutable que les événements qu'avait connus son corps, et toute la Nubie, ne s'étaient pas produits. Que la mission du temple était maintenant de perpétuer cet oubli.

~

L'étendue de désert qui deviendrait bientôt le lac Nasser avait été vidée. Sur un territoire de plus de trois cents kilomètres, un seul homme demeurait, à Argin, dans sa hutte de chaume, et une famille à Dibeira. Ils resteraient jusqu'à ce que leurs maisons soient inondées. Ils ne savaient pas ce qu'il adviendrait d'eux, mais l'unique endroit où ils avaient juré de ne jamais vivre était la « Nouvelle Halfa », ou Khashm el-Girba.

Quelques semaines après l'évacuation des villages nubiens, une tempête de sable frappa le nouveau lotissement. Elle emporta les toits du Village n° 22 (le nouveau Degheim), et les feuilles de métal et les supports s'envolèrent comme soufflés par un ouragan. Une grande partie du bétail, qui avait été transporté avec tant de soin, périt dans la tempête. Les toits et les supports n'avaient pas été fixés correctement. Les murs des maisons n'avaient pas été ancrés assez profondément dans le sol.

Et puis, cruelle ironie, deux mois après la tempête de sable, il y eut un orage d'une telle force que le lotissement de Khashm el-Girba tout entier fut submergé.

~

Hassan Dafalla attendait. Enfin, juste après une heure du matin, le Nil commença à envahir le port de Wadi Halfa. Il regarda disparaître la gare de trains.

L'eau monta le long des murs de l'hôpital, elle inonda les maisons à Tawfikia et à Abbasia, puis déferla dans l'hôtel Nil, dont elle remplit les chambres des derniers occupants : reptiles et scorpions. Les jardins qui se flétrissaient faute d'eau se mirent tout à coup à resplendir, luxuriants, éclatants, pour mourir noyés le lendemain.

La veille, Hassan Dafalla avait posté une lettre à Wadi Halfa, la dernière à porter le sceau de la poste de la ville. La dernière nuit, il laissa traîner ses draps par terre, de manière à être réveillé par le tissu mouillé si l'eau atteignait sa chambre. Il vit la mosquée se fendre en deux, et observa les boutiques et les maisons de boue « fondre comme des biscuits ». Tandis qu'il arpentait la ville, enregistrant tout ce qu'il pouvait avec sa Rolleiflex, il vit les rats qui se sauvaient, leurs petits entre leurs dents, et, de tous les côtés, il entendit le « rugissement lugubre » des bâtiments qui s'effondraient. Il vit sa propre maison se scinder en son centre et s'écrouler. Hassan Dafalla, le dernier homme de Wadi Halfa, apporta ses valises à l'aéroport, mais il était incapable de quitter la ville tant qu'il y restait quelque chose à voir et à enregistrer. Il dut attacher son chien à un poteau à l'aéroport, de crainte qu'il ne « retourne à la maison, qui allait s'écrouler d'une minute à l'autre. En fait, une fois le chien attaché, dit-il, il m'a semblé que j'aurais eu besoin d'une chaîne moi aussi».

Quand enfin Hassan Dafalla quitta Wadi Halfa, le seul panneau indicateur restant qui témoignât de l'existence de la ville était la tête du minaret, flottant telle une bouée de pierre.

~

Dans les villes d'Ingleside et de Long Sault nouvellement construites, les habitants dont les maisons avaient été déplacées continuèrent de se réveiller, de s'habiller et de se nourrir tous les jours ; et même si un observateur aurait cru que ces maisons étaient restées en tous points identiques, ceux qui y vivaient – bouleversés, insomniaques – savaient que c'était faux. D'abord, personne ne put en déterminer la cause ; c'était simplement une impression. Quelqu'un la décrivit comme la sensation d'être observé, un autre expliqua qu'on aurait dit que les pages de son esprit étaient collées ensemble – il y avait une deuxième image, très différente, derrière ce qui était visible, et qu'il ne pouvait atteindre ; même s'il grattait furieusement de l'ongle, en esprit, les bords de la mince page, elle ne se séparait jamais de l'autre. Un troisième était d'avis que c'était simplement la lumière qui était différente, elle ne frappait pas la table, ou les pages d'un livre, ne filtrait pas à travers les rideaux comme autrefois. Ou peut-être était-ce un tour joué par le vent, une brise inconnue qu'on sentait sur son visage. Certains en avaient conscience dans l'église qui avait été déplacée une pierre à la fois, et, après le sermon dominical, tandis qu'ils marchaient dans le petit cimetière, même si dans ce cas ils avaient non pas l'impression d'être observés, mais plutôt le contraire, celle que maintenant personne n'observait plus, un sentiment d'abandon. On avait l'impression que c'étaient les nouvelles villes qui étaient « perdues », non pas celles qu'on avait abandonnées et qui avaient été démantibulées, incendiées, noyées. Que les cartes postales des « villages perdus » auraient dû montrer les rutilantes nouvelles subdivisions. C'était une intuition comme en ont les vétérans jadis pilotes de guerre ou navigateurs à bord des bombardiers, qui ont perdu la plus grande partie de leur ouïe et qui sont encore capables, au sol, de sentir la présence d'un avion longtemps avant qu'il ne soit en vue. D'aucuns hasardaient que c'était comme la différence entre un homme et son cadavre, car qu'est-ce qu'un cadavre si ce n'est une copie presque parfaite.

Les bâtisseurs savent qu'il y a un grain dans le bois et un grain dans la pierre ; mais il y a aussi un grain dans la chair.

~

Dix-huit mois après qu'Avery eut commencé son travail de sauvetage, la face de Ramsès, avec ses lèvres larges d'un mètre, fut découpée juste en-dessous des oreilles. Il souffrit alors l'outrage de se faire injecter un pulvérisateur nasal d'acétate de polyvinyle par un ouvrier. Son visage, bloc n° 120, soutenu par les tiges d'acier qui avaient été insérées au sommet de son crâne, fut lentement hissé dans le ciel.

Debout à côté d'Avery, Jeanne sentait la chaleur irradier de son corps, et tout à coup sa chemise se trempa pour sécher instantanément sous le soleil accablant. Avery sentait que même l'intérieur de sa bouche était insupportablement chaud, il sentait que même ses dents transpiraient.

Tout travail cessa tandis que l'énorme tête de Ramsès s'élevait lentement sur des câbles invisibles dans la lumière du soleil. Alors que trente tonnes de pierre semblaient monter, flotter, rester suspendues dans les airs, le camp tout entier, trois mille hommes, se tut pour regarder la scène.

~

Avery finit d'écrire dans son livre-miroir, comme le lui avait appris son père, le témoignage personnel qu'il devait rédiger en même temps que celui destiné à son employeur ; leur dernière nuit à Abou Simbel.

Chaque action a une cause et une conséquence…

Je ne crois pas que notre véritable foyer soit le lieu où nous sommes nés, ou le lieu où nous avons grandi, ni un droit que l'on reçoit à la naissance, ni un nom, un sang ou un pays. Ce n'est même pas cet endroit sensible qui fait mal quand on y pose le doigt, et qui définit notre solitude comme un bol définit l'eau. On ne le trouvera pas dans une odeur ou une saveur ou un talisman ou une parole…

Ce foyer est notre première véritable erreur. C'est la méprise qui change tout, la leçon par laquelle on pourrait se laisser détruire. C'est à partir de ce moment que l'on commence à construire son foyer dans le monde. C'est le lieu que l'on meuble d'une odeur, d'une saveur, d'un talisman, d'un nom.

LA PIERRE AU MILIEU

Quand Gregor Mendel – le moine qui cultivait les pois et devint le père de la génétique – eut vingt-deux ans, il alla étudier à l'université de Vienne. Peut-être tôt le matin ou pendant le long crépuscule d'été, tandis qu'il marchait au bord du Danube, envisagea-t-il pour la première fois la succession et la fin des générations. Peut-être cherchait-il une consolation à sa solitude en s'asseyant en compagnie des fantômes des morts du fleuve, dont les dépouilles étaient ensevelies dans de petits cimetières sur les berges. Peut-être cela lui semblait-il cruel que d'avoir donné pour ultime demeure à ceux qui étaient morts noyés un repos d'où l'on entendait le bruit du fleuve ; à ceux dont le dernier souhait – peut-être même le dernier souhait des suicidés – était l'étreinte maternelle de la terre. Les tombes étaient si proches du fleuve que, au fil des années, la crue des eaux avait plus d'une fois menacé les morts, jusqu'à ce qu'on déménage enfin le petit cimetière dans un champ derrière le nouveau barrage, où il n'y aurait plus de risque d'inondation. Une modeste chapelle fut construite et l'on planta des haies. Sur le site du vieux cimetière – où Gregor Mendel avait peut-être observé pour la première fois les mécanismes de l'hérédité –, un petit verger poussa parmi les morts anonymes qui avaient été laissés derrière. Aujourd'hui, personne ne pique-nique dans le verger pensif ni dans l'herbe du regret de ce côté du fleuve. S'il n'y a pas de pancarte indiquant que le site était jadis un cimetière, il y a cependant peut-être quelque chose dans la lumière qui semble interdire de tels plaisirs. Mais celui qui souhaite rendre visite aux morts n'a qu'à prendre le tram 71 jusqu'au bout de la ligne, Kaiser Ebersdorferstrasse. De là, il faut marcher. Ce n'est pas très loin.

~

Jeanne se tenait à la grille du jardin de sa mère, qui fleurissait maintenant dans la terre grasse du marais de Marina. Ivres de chaleur et de soleil, les dahlias et les pivoines ployaient dans une plénitude lasse et échevelée. Marina avait vu à tout : pendant l'absence de Jeanne, un jeune homme avait été engagé pour tailler, attacher, retourner, soigner ; ses outils avaient été respectés, suspendus après usage sur le mur du hangar en rangées bien droites, leurs lames et leurs dents essuyées et nettes.

Jeanne ouvrit la grille. Elle ne voulait rien tant que creuser, se noircir les mains. Elle se demanda ce que signifiait ce désir : ce n'était pas un besoin d'affirmer sa possession, elle en était sûre. Peut-être était-ce une façon de s'offrir, comme une personne devant une autre à qui elle demande de comprendre. Le sol était mouillé et froid.

De la galerie arrière de la maison, Avery regarda Jeanne s'agenouiller – la courbe de son dos, sa jupe tendue sur ses cuisses, ses cheveux lâchement rassemblés sur sa tête pour que la brise sèche la sueur sur sa nuque et ses épaules. Il vit qu'elle bougeait différemment désormais, comme si elle avait pris l'habitude de se voûter à cause de la fatigue, de la futilité ; un nouveau corps, qu'il ne connaissait pas. La perte lui semblait si aiguë qu'il se retourna rapidement et rentra. Marina était en train de travailler ; sa porte était fermée, la maison était plongée dans le silence. Avery s'assit, ses pieds nus et frais sur le carrelage de la cuisine, et il ferma les yeux.

Ce qu'il fallait, c'était un effet mécanique, réfléchit-il, un palan. Il devait devenir lui-même la poulie fixe.

Il se rappela les mois qu'il avait passés au Québec, la manière dont Jeanne refaisait son sac à dos après leurs week-ends ensemble, y glissant des lettres pour les semaines qu'ils passeraient loin l'un de l'autre, missives dont chacune devait être ouverte à un moment précis : poèmes, histoires, photographies. C'était une manière de domestiquer leur désir dans la séparation, d'offrir un autre tributaire à ce désir. Il croyait alors, en ouvrant ces lettres – *après dîner, à quinze heures dimanche, juste avant de t'endormir* –, que Jeanne et lui possédaient ensemble, sans l'avoir méritée, une aptitude, une calibration au bonheur qui n'était rendue possible que par l'autre.

Maintenant il serait semblable à celui qui a été témoin d'un miracle et qui refuse de l'oublier, à un croyant qui s'accroche à des signes et à des présages ; il refuserait le doute. Il lui semblait que son père aurait compris. Car William lui avait appris le commerce des forces invisibles, d'ions appariés par-delà des distances et des densités immenses. Il continuerait à désirer, à croire, jusqu'à ce que, aussi brusquement que l'on sent le regard d'une personne à l'autre bout d'une pièce, Jeanne levât les yeux. Il restait assis, dans la misère de cette résolution.

Se retournant dans le champ pour regarder derrière elle, Jeanne vit la galerie vide et les fenêtres aux stores tirés, fermées à cause de la chaleur. Elle était incapable d'expliquer combien sa défaite, sa désolation semblaient innées, comme si toutes les années de bonheur avec lui n'avaient été qu'un sursis, comme si elles n'étaient pas destinées à lui appartenir. La pitié d'Avery : une sorte d'amour qui en raille involontairement une autre. Elle travaillerait jusqu'à avoir mal aux mains, jusqu'à ce que la lueur basse du crépuscule se répande dans le jardin. Elle se languissait de la première clarté d'automne, se demandant si le froid pourrait la purifier. Mais elle savait que c'était impossible. Elle avait dilapidé tout le temps que l'enfant avait été vivant en elle ; elle avait imploré les morts ; le besoin douloureux qu'elle avait de sa mère ; le besoin douloureux qu'avait sa mère d'elle.

~

De la fenêtre de son studio, Marina regardait Avery et Jeanne, deux minces silhouettes qui traversaient lentement le marais. Elle voyait la distance les séparant. La chemise trop large d'Avery battait derrière lui, vide, dans le vent.

Depuis qu'ils étaient rentrés, Jeanne dormait dans la petite chambre qu'elle avait autrefois partagée avec Avery, et celui-ci couchait sur le lit escamotable dans le studio de Marina. Il éprouvait une timide satisfaction à voir ce lit, preuve de sa séparation d'avec Jeanne, disparaître chaque matin dans le sofa, comme si tout pouvait être aussi facilement restauré.

Avery et Jeanne se tenaient à quelque distance, il semblait désormais toujours y avoir de la place pour un autre être entre eux. Des rangs de laitues claires croissaient de façon capricieuse au-dessus de la terre noire. Le marais était bordé d'arbres détrempés par la pluie. Il y avait presque un mois qu'ils avaient quitté le désert, et pourtant l'odeur de la terre mouillée était encore âcre et étrange.

Jeanne avait du mal à parler.

— Es-tu en train de dire que tu veux ta liberté ?

— Je suis en train de dire que nous devrions tous les deux nous sentir libres, dit Avery, jusqu'à ce qu'on sache quoi faire.

Cette perversité, il en était certain, recelait une sorte de vérité, une intégrité enfin. Dès qu'il eut parlé, il sut qu'il en était ainsi. Il ne savait pas comment restaurer Jeanne, il en était incapable. Son désespoir était aussi vrai que tout le reste de ce qui se rapportait à elle. Une chose était sûre : rien ne guérirait de cette manière, dans cette orbite de défaite, cette cassure.

Elle était si maigre maintenant, les seules poches de chair qui restaient d'elle étaient ses seins, son sexe. La vue de son corps le troublait jusqu'à la moelle.

Jeanne réfléchissait profondément. Enfin elle dit :

— Je vois. Le retour à l'école sera difficile, il y a longtemps que tu attends cela, il faudra que tu puisses travailler sans distraction…

Marina lavait des pêches dans l'évier, la fenêtre grande ouverte sur la nuit.

— Jeanne t'aime, dit-elle.

Marina attendit, mais il n'y eut pas de réponse. Elle se retourna et vit Avery, sa cuillerée de soupe à mi-chemin entre le bol et les lèvres.

Debout derrière sa chaise, elle le serra dans ses bras. Pas une seule cellule de mère n'oublie cette sensation, son enfant qui pleure.

Marina s'assit à côté de lui, croisa les bras sur la table et y posa la tête en attendant qu'il parle.

~

L'appartement de l'avenue Clarendon était vide, les sous-locataires partis, et c'est là qu'alla Jeanne. Ce retour avenue Clarendon fut atroce. Elle apporta une valise de vêtements, une boîte de livres, une table et deux chaises, un matelas pour le sol. Tout le reste fut laissé à la maison de Marina dans le marais.

Avery trouva un appartement en demi-sous-sol près de la faculté d'architecture, où il était maintenant inscrit au deuxième cycle. Le premier soir qu'il passa avenue Mansfield, il s'assit à sa table, troublé par le risque qu'il prenait en rendant à Jeanne sa liberté. Il se rappela une histoire qu'elle lui avait racontée au sujet de ses parents, l'une des premières histoires qu'elle avait partagées lors de leur nuit dans la cabane près de Long Sault. Elisabeth Shaw, partie faire des emplettes à l'épicerie, était rentrée en retard. Rougissante, l'air coupable, elle avait avoué à son mari qu'elle était restée debout à la librairie Britnell pendant près d'une heure, avec son lourd manteau de tweed et son bonnet de laine, à lire Pablo Neruda. Comme elle n'avait pas d'argent pour acheter le livre, elle était allée chez un bijoutier plus bas dans la rue vendre le bracelet qu'elle portait au poignet. Elle avait supplié John : « Ne te fâche pas. » « Me fâcher ! avait-il répondu. Je ne peux te dire ce que ça signifie pour moi d'avoir épousé une femme prête à vendre ses bijoux pour acheter de la poésie. » Avery songea à ce qu'avait dit sa mère, le matin même, debout à la porte de derrière tandis qu'il quittait sa maison : « Le chagrin cuit en nous, il cuit en nous jusqu'à ce que, un jour, la lame s'enfonce et ressorte propre. »

Il était presque minuit quand il téléphona à Jeanne. Ils étaient étendus ensemble, séparés par quelques pâtés de maisons, la voix d'Avery à l'oreille de Jeanne. Il lui parla de ce qu'il apprendrait : la signification de l'espace, les conséquences du poids et du volume. Puis il raccrocha et se souvint d'elle. Il n'avait pas dit ce qu'il voulait dire : envoie-moi un signal depuis l'autre côté du fleuve, la lumière d'une lanterne ou le cri d'un oiseau, viens sous le couvert de l'obscurité, je te reconnaîtrai à ton odeur, viens avec la pluie…

Jeanne ne savait plus ce que la botanique signifiait désormais pour elle, ni ce qu'il fallait en faire. À la suggestion de Marina, elle s'inscrivit à temps partiel à l'université. Plusieurs fois, plutôt que d'assister à ses cours, elle prenait la voiture jusqu'au marais pour y travailler dans le jardin transplanté de sa mère. Ensuite, elle cuisinait pour Marina pendant que celle-ci peignait. Elle disposait sur la table d'épais pains carrés, des fromages ronds, des légumes arrachés aux champs noirs. Mais elle n'avait pas d'appétit. Marina ne posait pas de questions. Elle parlait plutôt d'Avery à Jeanne : « Il est tellement plus vieux que les autres étudiants. Il se lie très peu. Sauf pour Avery et le professeur, ils sont tous nés de l'autre côté de la guerre, et ces quelques années ont fait qu'ils sont d'une espèce différente… Parfois, Avery dit qu'il lève les yeux vers le professeur à la recherche de fraternité, mais l'homme détourne le regard, l'ignore totalement, trop occupé à tenter de se faufiler dans cette échappatoire qu'est la jeunesse. Il dit qu'il a l'impression d'être un étranger, comme si l'anglais n'était pas sa langue maternelle… »

Tandis que Marina parlait, Jeanne sentait Avery, sa concentration, sa gravité, sa retenue.

Marina racontait des histoires du temps de l'enfance d'Avery, sa vie pendant la guerre, avec la sœur de William et les cousins, l'isolement une fois William parti. Et elle parlait de son travail ; elle peignait toute la nuit, avec une loupe, l'étoffe tissée d'un manteau d'hiver pour enfant contre l'écorce d'un arbre, comme si rien n'était plus important que de donner à cet enfant imaginaire un bon manteau.

Jeanne revenait toujours en ville juste avant la tombée de la nuit. Les fenêtres des maisons de l'avenue Clarendon étaient remplies des premières lumières des lampes. Le crépuscule était frais ; non plus pâle, mais le début d'un profond bleu automnal. Si le hall était vide quand elle entrait, elle restait debout et regardait le plafond. Les constellations continuaient de flotter, tel un filet doré, dans leur mer zodiacale. Après, elle se couchait sur son matelas posé à même le sol et observait les silhouettes des arbres à la fenêtre. Elle imaginait Carl Schaefer peignant les étoiles, la porte de la cour ouverte sur la piquante nuit d'automne ; et sa mère, âgée de vingt ans et nouvellement mariée, rentrant sous ses étoiles, dans le long manteau rouge aux boutons noirs dont Jeanne avait gardé le souvenir depuis l'enfance. Elle songeait à son père. « J'adorais ta mère, je l'adorais. » Elle imaginait Avery en train de lire, avenue Mansfield, balançant son crayon à mine entre ses doigts ;

et Marina, faisant sa promenade du soir dans le marais, s'efforçant de voir dans le noir.

Qui a été la dernière personne à tenir notre enfant ? Jeanne sanglota plutôt que de rouler pendant six heures jusqu'au cimetière au nord de Montréal pour trouver celui qui avait creusé le trou et poser les yeux sur lui – elle ne savait même pas si ç'aurait été pour le remercier ou pour le condamner.

Ayant renoncé au sommeil, Avery succombait à des siestes : en début de soirée, pendant l'heure ou deux précédant le lever du soleil, entre les cours. Au moment du réveil, il se replongeait instantanément dans son travail… Tous les édifices créent de l'espace, et les édifices remarquables laissent de la place pour la contemplation de la mort… Il se souvenait d'avoir écarté les couvertures pour regarder sa fille en entier, et se rappelait le visage de Jeanne quand elle s'était réveillée à l'hôpital, voyant en lui la seule chose qu'elle n'arrivait pas à nommer… Comme il faut faire preuve de prudence en matière de toit – principe d'inclusion –, la frontière entre l'homme et le ciel…

En rentrant de l'université un après-midi, Jeanne vit un homme âgé d'une quarantaine d'années, bien mis, vêtu d'un complet et d'une cravate de qualité, endormi dans l'herbe d'un jardin public. C'était surprenant de voir une personne à la mise si élégante étendue sur la pelouse ; s'il avait été seul, elle aurait cru qu'il s'était effondré. Mais il était couché près d'une vieille femme qui devait certainement être sa mère. Elle aussi bien vêtue, portant un manteau léger, elle était allongée sur le dos, un bras sur les yeux, dans la lumière du soleil. L'homme était couché en chien de fusil à ses côtés, dos à elle, comme s'ils étaient dans un lit. Jeanne ne put jeter qu'un coup d'œil furtif tant la scène était intime. Elle ignorait quel détail l'avait amenée à imaginer que la femme avait émigré, quitté sa maison aux dernières années de sa vie pour venir rejoindre son fils, et pourtant elle était certaine qu'il ne pouvait en être autrement. Ils étaient ensemble en ce lieu étranger et il accepterait la responsabilité de l'enterrer loin de tout ce qu'elle avait connu. Quand Jeanne revint quelques jours plus tard à ce carré d'herbe entre les deux massifs de fleurs, elle ne put regarder l'endroit où ils s'étaient étendus sans avoir l'impression qu'il leur appartenait désormais. C'est à ce moment que son plan lui apparut pour la première fois. Très tôt le lendemain matin, elle retourna à cet endroit et planta à la hâte, en intruse, dans les massifs existants, des boutures qui pousseraient inaperçues mais dont on distinguerait le parfum. Si elle avait su d'où ils étaient originaires, elle aurait pu planter des fleurs qui leur auraient rappelé la Grèce, la Lituanie, l'Ukraine, l'Italie, la Sardaigne, Malte… de manière que, s'ils revenaient ici dormir dans l'herbe, des odeurs familières s'immiscent dans leurs rêves et leur procurent un bien-être inexplicable. Mais comme elle ne les avait pas entendus parler et n'avait aucune idée de l'endroit d'où ils venaient, elle planta de l'oseille sauvage, une plante à la fois comestible et médicinale qui pousse dans tous les pays tempérés.

Au début, Jeanne planta dans les ravines, puis dans les ruelles, au bord des terrains de stationnement, des endroits sans propriétaire évident et qui avaient été négligés pendant des années. Puis elle s'enhardit, plantant la nuit dans les interstices entre le trottoir et la chaussée, entre la chaussée et les pelouses : rebords, crevasses, le long des clôtures municipales.

Elle notait tout dans un calepin et revenait parfois constater les progrès de son travail. On aurait pu croire qu'elle en retirait du plaisir. Mais après avoir passé la nuit à planter, elle était hébétée de solitude, comme si elle avait entretenu des tombes.

~

Il ne faisait pas encore tout à fait nuit, mais déjà les lampadaires au-dessus des arbres fournis révélaient peu de choses. C'était la pénombre que Marina peignait avec une telle science, avant le premier véritable scintillement d'étoile, ou même l'ombre de la lune. Jeanne s'agenouilla. Elle sentait la terre humide du petit parc municipal lui tacher les jambes. Il n'y aurait jamais plus de moment où la froideur du sol, quelque noir et mouillé qu'il soit, ne lui rappellerait pas le désert. Elle écarta la terre à l'aide d'un transplantoir et, un à un, sortit les bulbes ronds de son sac pour les enfoncer derrière la lame de métal. Elle travaillait à un rythme régulier, ses mains trouvaient leur chemin. Elle sentait la terre s'accumuler sous ses ongles. De loin, son transplantoir, auquel était fixée une lampe de poche, ressemblait à une luciole tressautant de façon désordonnée à quelques centimètres du sol.

Jeanne creusait, regrettant de n'avoir pas des hectares à retourner ; la méditation consistant à soulever la terre une cuillérée à la fois, plongée dans ses pensées, pendant des heures à travailler vers une compréhension qui n'est d'abord que viscérale puis qui devient un savoir conscient, comme si l'action physique était la seule manière de mettre la pensée en mots. Elle s'absorbait dans une image, quelque chose qu'elle avait perçu sur le visage d'un passant dans la rue, ou quelque chose qu'Avery avait dit, ou une phrase lue alors qu'elle se tenait devant les rayons de la librairie comme sa mère, sans argent pour acheter le livre, de sorte que plus tard il lui fallait compléter la pensée, parfois même l'histoire entière, dans sa tête.

Cette nuit-là, elle pensait au père d'Avery, à la lente agonie accompagnée de cette souffrance qu'inflige la Nature, et à l'histoire que lui avait racontée Avery sur son père nageant dans les lacs froids d'Écosse et du nord de l'Ontario. C'était le cérémonial de William Escher, et il était invariable. Il entrait dans l'eau lentement – chevilles, genoux, hanches – sans cesser de crier à Avery, qui attendait sur la berge : « Je ne me mouille pas ! C'est trop froid, je ne me mouille pas ! » jusqu'à ce qu'il ait de l'eau sous le menton. Puis, criant toujours : « Je ne me mouille pas ! » il plongeait la tête sous l'eau. Avery regardait le sillage de ses jambes et de ses bras puissants, qui menait à un endroit au milieu du lac où la tête de son père réapparaissait, criant : « Je ne me mouille pas ! Ce serait de la folie de nager dans une eau aussi froide ! » Jeanne songea au corps de jeune garçon d'Avery, dans le lac jusqu'aux genoux, observant, frissonnant dans son maillot de bain, pendant que son père ouvrait le lac de ses bras. Et elle songea qu'Avery s'était rappelé cette histoire à l'hôpital, alors qu'il était assis auprès de son père, après qu'on eut ôté tous les tubes. « Je ne me mouille pas, je ne me mouille pas. »

— Qu'est-ce que vous faites ?

Jeanne sursauta.

— Est-ce que je devrais avoir peur de vous ? demanda l'homme en désignant son transplantoir luisant. Avez-vous perdu la raison ? Vous ne savez pas que c'est une propriété publique ?

Jeanne pouvait voir son amusement. Il était imposant – grand et massif – et plus vieux qu'elle, mais elle n'aurait su dire de combien d'années. Il portait une salopette tachée de peinture et une ceinture à outils garnie de pinceaux. Un ouvrier. Dans une main se balançait une lanterne. Même s'il faisait maintenant plutôt noir et que le parc était vide, Jeanne, étrangement, n'avait pas peur. Il avait de la peinture dans les cheveux, une fauchée là où sa main les avait écartés de son visage.

Quand on lui posait une question directe, Jeanne répondait le plus souvent sans détour, comme une enfant.

— Je… plante, dit-elle.

L'homme absorba cette information.

— *Scilla siberica,* ajouta Jeanne d'un ton moins ferme.

— Vous ne savez pas que c'est une propriété publique ? demanda-t-il à nouveau.

Jeanne rassembla rapidement ses outils.

— Je partais justement.

— Attendez, fit l'homme, c'est le destin ! Ce soir, moi aussi j'ai transgressé la loi de la propriété publique. J'espérais justement que quelqu'un puisse en être témoin quand j'ai vu votre petite lumière sautiller dans l'herbe comme un oiseau. Ça garantit notre solidarité !

— Pour un criminel, vous criez terriblement fort, dit Jeanne. Elle regarda autour d'eux. Elle sourit légèrement. Les voisins vont ouvrir leurs fenêtres et nous lancer leurs souliers.

— Leurs souliers. L'homme hocha la tête. Voilà un sujet gravissime.

N'ayez pas peur, dit-il. J'ai travaillé fort, et j'aimerais simplement montrer le résultat à quelqu'un. C'est peut-être ma seule chance. Si vous voulez, on peut marcher à vingt pas l'un de l'autre.

Il se recula pour signifier ses bonnes intentions.

Il franchit la grille et attendit près de la clôture du petit stationnement en tenant la lanterne haut au-dessus de sa tête. Il étudia la clôture, faisant lentement osciller la lampe d'avant en arrière, tout à sa concentration.

Jeanne vit que ce qu'il avait peint n'était pas une réplique stérile, mais que cela était né de la clôture elle-même. Les planches fendues, les trous creusés par des nœuds, la peinture écaillée, les restes de vieilles affiches, graffiti, têtes de clous, fentes, agrafes industrielles, chaque élément – créé par l'homme ou par la nature, usé par le temps – était intégré dans des textures et des formes de pelage, de sabots, d'yeux, de cornes. De cette manière, non seulement les animaux de Lascaux mais la clôture décrépite elle-même prenaient vie. Comme si la clôture canadienne attendait que quelqu'un voie ce qui se cachait à l'intérieur, et qui se trouvait à être des peintures rupestres de l'Europe de l'époque de l'homme de Cro-Magnon. Des chevaux luttant contre le courant de la rivière. Des bisons sur leurs minces pattes, leurs yeux affolés par la poursuite. Les animaux bondissaient dans la lumière. L'œuvre était rapide, troublante. Elle pensa à Matisse : « L'exactitude n'est pas la vérité. »

Enfin, Jeanne se tourna vers lui.

— Vous êtes l'« Homme des cavernes » !

Il secoua la tête comme si son col était trop serré.

— Vous me connaissez, fit-il, déçu.

— Pas encore, dit Jeanne.

À ces mots, l'Homme des cavernes sembla retrouver sa gaieté.

— Il y a un café juste là, à deux pas, dit-il.

Jeanne connaissait l'endroit, bien qu'elle n'y fût jamais entrée. C'était une étroite façade dont la fenêtre arborait une pancarte en carton qui prévenait les clients : *Café, et rien d'autre.* L'Homme des cavernes trottait humblement, se retournant à tout moment pour vérifier qu'elle le suivait.

— Ce petit café appartient à mon ami Paweł, je m'y sens comme dans mon salon.

Il lui tint la porte. L'odeur du café torréfié les balaya et se perdit dans la nuit. Dans le café vide, un homme mince et pâle, portant une chemise à manches courtes d'un blanc cireux, était en train de lire assis derrière un bar en bois. Près de lui se trouvait un cahier de dictée musicale comme ceux dont se servent les écoliers. Sur la caisse enregistreuse antique était scotchée une devise tracée par la même main que la pancarte à la fenêtre : *Je ne prétends pas vous dire ce que vous a coûté votre vue. Ne prétendez pas me dire ce que ma cécité m'a coûté.* Derrière, un mur de minuscules fenêtres ressemblant à un bar automatique, remplies de fèves luisantes, huileuses et aromatiques.

— Paweł s'y connaît en café, dit fièrement l'Homme des cavernes. Il est comme un négociant en vins avec ses millésimes !

Paweł interrompit sa lecture et leva les yeux.

— Paweł, je te présente – c'est… une fille avec un transplantoir.

Paweł les regarda, étudiant les genoux boueux de Jeanne, ses souliers de toile et sa besace de jardinier de laquelle dépassait le transplantoir-lampe de poche. Il vit la manière dont la nuit s'accrochait à eux deux. Il ferma son livre d'un geste vif.

— Ewa est à la maison ce soir. Restez aussi longtemps que vous le voulez. Ferme à clef, simplement, quand tu partiras, Lucjan. Laisse la lumière allumée au-dessus du bar pour que les fourmis voient où elles vont.

Jeanne s'assit à une petite table. Il y avait partout des meubles désassortis : tables en bois et chaises de cuisine en vinyle, recouvertes de soie effilochée, en rotin, en filet de plastique.

— Préfères-tu brésilien, africain, jamaïcain, argentin ou cubain ? demanda l'Homme des cavernes.

— Ou polonais, dit Paweł en fermant rapidement la porte derrière lui.

— As-tu déjà vu un homme aussi heureux d'aller retrouver sa femme ? demanda l'Homme des cavernes.

— Est-ce qu'ils sont nouveaux mariés ?

— Paweł et Ewa ? Ils sont mariés depuis l'enfance – ça fait au moins vingt ans maintenant, dit l'Homme des cavernes.

— C'est quoi, un café polonais ? demanda Jeanne.

— Instantané. Sans eau !

L'Homme des cavernes plongea une mesure de métal dans les grains de café.

— J'ai entendu parler de tes peintures par le journal, dit Jeanne. L'« Homme des cavernes » anonyme... Ils louangeaient ton travail... Quelqu'un songeait à passer une commande...

— O.K., fit l'Homme des cavernes. Tant pis ! Mais je ne m'éterniserai pas là-dessus. Il ne faut jamais s'éterniser sur les bonnes nouvelles ! Il la regarda de nouveau longuement, en souriant. Et maintenant, avant tout le reste, dis-moi pourquoi tu plantes des trucs en secret, comme une nonne qui laisse un signal à son amoureux.

Jeanne baissa les yeux vers la table d'un air coupable. Puis, mise au défi de dire la vérité :

— Quand je plante, je laisse une sorte de signal. Et j'espère que la personne à qui il est destiné va le recevoir. Si quelqu'un en marchant dans la rue perçoit le parfum d'une fleur qu'il n'a pas sentie depuis trente ans – même s'il ne reconnaît pas l'odeur mais se rappelle tout à coup une chose qui lui donne du plaisir –, alors peut-être ai-je fait quelque chose qui en vaut la peine.

Jeanne leva vers lui un regard misérable.

— Mais ce que tu évoques pourrait être quelque chose de douloureux, dit l'Homme des cavernes. Quand tu plantes quelque chose dans les souvenirs des gens, tu ne sais jamais ce que tu en tireras.

Il vit l'air de consternation envahir son visage. Il réfléchit un instant.

— Peut-être que tu devrais travailler dans un hôpital.

— Pourquoi peindre Lascaux? demanda Jeanne. Mais aussitôt ces paroles prononcées, elle eut un pincement de compréhension. Il avait trouvé la vie cachée à l'intérieur de la clôture – en tirant profit de chaque cicatrice, en adaptant les animaux à leur environnement. Elle eut un aperçu d'une vérité qu'elle comprendrait plus tard, à savoir que cela ne concernait pas Lascaux, mais l'exil et le fait de saisir la joie qui ne viendra pas toute seule.

— Mon mari m'a parlé d'une église dans une petite ville du centre de l'Italie, dit Jeanne. De l'extérieur, c'est un cube de pierre sale, sans le moindre ornement. Mais quand on y entre, quittant la lumière du soleil italien pour plonger dans l'obscurité, tandis que les pupilles s'ajustent à la pénombre, l'échelle du lieu se révèle ; l'église grandit sous nos yeux ! Les statues s'animent. Je crois qu'ils devaient tous être à la recherche de la même chose, dans les premières grottes chrétiennes, les cavernes peintes : donner vie à la pierre.

Les premières églises n'étaient qu'un espace fermé, dit Jeanne. Je pense que ce qui a véritablement changé la chrétienté, c'est le moment où quelqu'un a placé une chaise dans cet espace. Les gens ne sentaient plus le sol quand ils priaient. Et il est sûr que ces chaises devaient signifier que certains étaient plus égaux que d'autres aux yeux de Dieu.

— La clôture te fait penser à tout cela ?

— Oui, dit Jeanne.

— Ce qui m'inquiète, dit l'Homme des cavernes, c'est que tous ces bisons n'en viennent à faire peur aux écureuils.

~

L'Homme des cavernes, Lucjan, vivait dans une bicoque naufragée. Avec le temps, l'ancienne maison de domestiques avait été séparée du reste de la propriété, et elle se dressait maintenant derrière d'autres demeures, sans entrée donnant sur la rue. Elle possédait toutefois sa propre adresse, entre parenthèses : *(derrière)*. Elle était entourée par les cours d'autres résidences sur trois côtés, alors que le quatrième était flanqué d'un immeuble résidentiel. Deux jours après leur rencontre dans le parc, Jeanne accepta l'invitation de Lucjan à venir prendre le thé. Elle suivit l'étroit sentier qui partait de la rue Amelia et, arrivée devant la grille, elle hésita. Les arbres fournis arboraient des feuilles de toutes les teintes de jaune, le soleil illuminait l'ancienne maison de domestiques comme un cottage au milieu d'un bois. Il lui semblait que si elle se retournait, elle verrait la ville reculer, comme la rive depuis un bateau, et elle aurait voulu qu'Avery soit avec elle. Elle éprouva l'abandon du bannissement, sentant pour la première fois qu'il l'avait déjà oubliée. Les feuilles se balançaient, accrochant le soleil, entrant dans l'ombre et en ressortant sans cesse, tissues d'inquiétude ; cela paraissait à Jeanne aussi triste que le premier instant de conscience au réveil, aussi triste que l'unique moment, perpétuellement en train de disparaître, qu'est une vie. Aussi triste qu'un espoir qui suffoque dans le pot d'un collectionneur, sous un couvercle où l'on a percé trop peu de trous.

À l'intérieur, Jeanne découvrit que la maisonnette de Lucjan avait été rénovée, petit à petit, au fil des années. Elle comportait la moitié d'un étage qui aurait pu, en termes à la mode, être qualifié de mezzanine, même s'il s'agissait en vérité d'un demi-palier qu'on atteignait grâce à un escalier abrupt. C'est là que dormait Lucjan. Il avait peint un tapis oriental au milieu de sa chambre, sur les planches nues – deux semaines de travail. Le rez-de-chaussée se composait d'une seule vaste pièce, une cuisine contre un mur, une vieille baignoire sur pieds élégante dans le coin. Le bain était resté à cause des tuyaux et, qui plus est, il était tout simplement trop lourd pour être déplacé. Le soir, après avoir allumé un feu, Lucjan y trempait en écoutant de la musique, qui remplissait l'espace ouvert telle une cathédrale. Il avait scié et sablé une planche qu'il avait disposée en travers de la baignoire, où elle faisait office de table d'appoint quand il en avait besoin.

Lucjan utilisait l'autre moitié du rez-de-chaussée comme atelier.

Chaque surface de la cuisine était d'un blanc éclatant – dépouillé et propre. Mais l'autre moitié de la grande pièce, la moitié qui servait pour le travail, était jonchée d'outils de sculpteur, de bouts de métal, de morceaux de planches, de vieilles armoires, de bois flotté, de bois de sciage, de toiles, de meubles abîmés. Lucjan suivit le regard de Jeanne.

— Mon ami Paweł dit : « Il ne faut pas penser en termes de propreté et de saleté, mais en termes d'esprit conscient et inconscient. »

Jeanne était assise, silencieuse, dans la cuisine de Lucjan, occupé à chercher un dessin. Elle avait remarqué de petites pierres ici et là, sur les tables et sur la tablette basse près du lit, et maintenant elle voyait les livres, sur le comptoir de cuisine, sur le sol, ouverts à différents angles, et se rendait compte que Lucjan se servait de ces pierres rondes comme de signets, pour garder les livres à la bonne page.

Jeanne apporta leurs tasses à l'évier, où elle les rinça. Puis elle traversa la pièce et prit le train miniature qu'elle avait aperçu sur l'appui de la fenêtre. La peinture argentée était égratignée mais encore brillante ; puis elle vit, sur le côté de la locomotive, un svastika et l'éclair double qui était l'insigne des SS. Immédiatement, elle reposa le train. Elle resta absolument immobile. À l'autre bout de la pièce, Lucjan l'observait.

Il la regardait et tout à coup elle éprouva une grande frayeur.

— Je suis désolée, dit Jeanne. Je pense que je ferais mieux de m'en aller.

— Alors va-t'en, répondit-il.

Jeanne enfila son manteau, mit son foulard et resta debout près de la porte.

— Me prends-tu pour un imbécile ? demanda-t-il.

Elle ouvrit la porte.

— Cette locomotive, je l'ai depuis que je suis enfant, dit Lucjan. J'adorais ce train, ç'a été mon premier vrai jouet, un objet acheté au magasin, pas fabriqué à la maison, pas sculpté dans un vieux pied de table ou rembourré et cousu avec des retailles. Il venait de chez Piotrowski, rue Krakowskie Przedmieście, où il a été cueilli directement dans la vitrine. Mon beau-père et moi l'avons vu ensemble. Nous sommes entrés et il l'a acheté sur-le-champ. Il savait que quelque chose se préparait et que c'était un geste imprudent, extravagant, de dépenser de l'argent pour un objet qui devrait certainement être laissée derrière. Pour quelques jours de plaisir. Mais il l'a fait. Alors, oui, ces horribles lettres, cet horrible symbole ont une signification pour moi.

Jeanne restait debout, muette, les yeux au sol.

Sans regarder son visage, elle revint dans la pièce et s'assit sur une chaise de cuisine, mais n'enleva pas son manteau.

— Tu es très belle, dit Lucjan. Je suis désolé que tu aies si peur de moi.

Il s'assit à la table. Il tendit le bras et tira lentement le sac à main que Jeanne tenait sur ses genoux pour le poser, avec une douceur déconcertante, près d'elle sur la table.

~

Le matin, Avery était réveillé par la famille qui vivait à l'étage au-dessus. Il entendait les enfants à tricycle qui faisaient sans se lasser le tour de la table de la salle à manger, leur père qui leur criait d'arrêter, les pas de course dans l'escalier, le bruit sourd de la porte de devant qui claquait.

La salle de lavage était située au sous-sol et Avery savait que, quand leur mère était occupée à trier la lessive, il arrivait que les enfants explorent son appartement. Souvent ils laissaient derrière eux des jouets ou des livres (une fois, *Animal Orchestra* de Tibor Gergely – « les phoques gris aboyèrent, levèrent leurs nageoires et jouèrent du violon… »). Le fait que les enfants désœuvrés passent ses effets au crible ne gênait pas Avery ; au contraire, il était déçu quand il ne découvrait pas leur trace en rentrant. Trouver les possessions des enfants parmi les siennes semblait lui conférer une permission, confirmer sa place ; là, où il n'était pas chez lui.

Avery était étendu, la maison vide au-dessus de lui. Les étudiants qui partageait ses cours s'enflammaient pour le design de musées, de centres commerciaux, de gratte-ciel, de places plurifonctionnelles, de centres urbains entièrement reconstruits. Ils se montraient pleins d'ardeur en matière de tissu urbain et d'infrastructures, de gestion des foules et de débit de circulation. Avery écoutait bourdonner cette ambition qui l'entourait et se découvrait seul, avec un désir lancinant d'apprendre quel simple humanisme pouvait, contre toute attente, émaner d'un immeuble industriel, qu'il s'agisse du complexe de Sunila d'Aalto ou de l'usine Olivetti à Ivrée. Il commençait à saisir ce que cela signifiait de construire des structures modestement et ouvertement dénuées de dissimulation, droites et simples, sans ironie ; aptes à la fois au chagrin et au réconfort : une maison qui comprend que le cours d'une vie tout entier peut être altéré, pour le meilleur ou pour le pire, par quelqu'un qui traverse une pièce. Une pièce capable de concentrer tout son calme dans une seule poire, tranchée en deux sur une assiette près d'une fenêtre. Une salle de classe si merveilleusement conçue et située qu'elle en devient une idée. Des terrains de jeux que les enfants pourraient continuellement redessiner eux-mêmes, avec des pièces amovibles pour construire des forts et des abris. Des immeubles de bureaux munis d'alcôves pour lire à voix haute, et de vastes aires de travail (des aires de réflexion). Pourquoi les écoles, en particulier, étaient-elles si laides, si nues, si dépourvues d'aspiration comme d'inspiration, l'antithèse des qualités que l'on voudrait instiller aux étudiants : murs en blocs de mâchefer, linoléums maladifs, fausses fenêtres, sous-sols atroces, accessoires institutionnels, sans respect d'eux-mêmes... Il savait que l'on peut dépenser autant d'argent à bâtir quelque chose qui est dénué de vie qu'à bâtir quelque chose de vivant... Ce n'était pas suffisant de faire en sorte que les choses soient moins pires ; il fallait les construire pour le bien.

L'évolution a-t-elle déplacé l'os qui entravait notre gorge de manière à favoriser la parole ? Avons-nous appris à nous tenir debout, à mesurer, à célébrer le culte, à planter et récolter, à manipuler l'atome et à explorer le gène, à enfiler des aiguilles – philosophiques ou autres – et à exprimer le monde en peinture et en parole grâce à nos cerveaux préhensiles et dotés de conscience parce que nous n'avons pas de destinée en tant qu'espèce ?

Ces pensées étaient liées au bruit des enfants montant et descendant l'escalier en courant, au bref moment de silence où Avery imaginait des étreintes avant qu'ils ne sortent précipitamment dehors, à la réalité insurmontable du bonheur des autres, aussi innocent que le nom d'un enfant tracé avec soin sur la page de garde d'un livre.

~

Pendant près d'un mois, Lucjan dessina Jeanne. La robe de velours, le pull épais. Elle ignorait si elle accepterait de se dévêtir pour lui s'il le lui demandait, s'il traversait la pièce pour venir la rejoindre ; mais il ne le fit pas. Il observait la façon dont le tissu tombait en plis, révélant des aperçus de poids et d'os. La compréhension qui existe avant que le toucher rende aveugle.

Le regard de Lucjan était douloureux ; au début, Jeanne avait du mal à supporter cet examen auquel était soumise chaque partie de son corps, même s'il s'agissait de parties visibles pour n'importe quel étranger dans la rue : son visage, les endroits sensibles entre ses doigts, derrière ses genoux, la courbe de son cou. Tous les après-midi, les yeux de Lucjan parcouraient le même passage, et le lendemain et le surlendemain, avec une connaissance qui allait s'approfondissant. Après quelques jours, elle commença à le regarder pendant qu'il dessinait, effectuant le même lent voyage sur son corps à lui.

Être rendu visible par le regard d'un autre.

Plusieurs soirs au cours de ce premier mois, ils s'assirent l'un en face de l'autre à la table de Lucjan, ou bien Jeanne sur le tapis peint et Lucjan au bord du lit, deux voyageurs faisant deux périples distincts attendant ensemble dans une gare déserte et que les circonstances poussaient à partager une intimité maladroite.

— Connais-tu l'histoire de Kokoschka et de son cours de dessin d'après nature ? demanda Lucjan depuis l'autre bout de la pièce. Ses élèves peignaient un modèle. Il trouvait leurs portraits pathétiques, faibles, ternes. Comment parvenir à donner vie à leur vue ? Un jour, il a pris le modèle à part avant le début de la leçon et lui a chuchoté quelque chose à l'oreille. Au milieu de l'heure, la femme s'est effondrée et Kokoschka s'est précipité vers elle. Il a crié : « Elle est morte ! » Les étudiants ont contemplé avec horreur la chair soudain sans vie. Puis Kokoschka a pris la main du modèle et l'a aidé à se relever. Elle a repris la pose. « Maintenant, a dit le maître, dessinez-la à nouveau. »

En retour, Jeanne raconta à Lucjan les gravures sur bois de Hans Weiditz, premières illustrations de plantes à paraître dans un livre imprimé. Tout à coup, à la grandeur de l'Europe, les apothicaires, les herboristes, les docteurs et les sages-femmes pouvaient regarder une même plante et l'identifier formellement. Peut-être la même chose est-elle vraie du premier dessin représentant un visage humain. À partir de ce moment, dit Jeanne, le dessin botanique est devenu un art ; les études méticuleuses de l'écorce des arbres, les dentelures et les veines des feuilles réalisées par Léonard de Vinci. Les aquarelles d'Albrecht Dürer – tellement réalistes –, ses iris, replis et voiles de peau violette mince comme le papier…

— Toutes les fleurs sont des aquarelles, dit Lucjan.

Tard dans la soirée, Lucjan préparait à souper. Il jetait tous les ingrédients dans une poêle, les légumes, la viande, les œufs ; il broyait et saupoudrait des fines herbes sur l'huile chaude et ensuite inclinait la poêle, versant le tout dans deux assiettes.

Jeanne le regardait. Personne ne l'avait jamais fait asseoir sur une chaise pour lui préparer à manger depuis la mort de sa mère, il y avait des années de cela. Jusqu'à ce moment-là, elle ignorait qu'elle en avait été blessée. La première fois qu'ils s'assirent pour souper ensemble, elle pleura en mangeant, des mets ordinaires plus délicieux que tout ce qu'elle avait jamais goûté, et il la laissa pleurer, se contentant de prendre sa main sur la table, comme si cette gratitude était la chose la plus naturelle du monde. Manger et pleurer.

Après souper, Lucjan dit : « Chuchote-moi quelque chose à l'oreille. »

— Alors, petite Jeanne – Janina, dit Lucjan tandis qu'ils étaient assis, tout habillés, côte à côte, sur son lit. La première histoire que l'on raconte avant de s'endormir. Si l'on est honnête, il n'y en a qu'une… Tu veux que je parle d'abord…

Il existe plusieurs degrés de solidarité. D'aucuns risquent leur carrière et d'autres risquent leur vie ; certains risquent parce que leurs amis l'ont fait, qui ne peuvent supporter la honte et la solitude d'être lâches. Il y a l'ami qui te vient en aide quand tu en as besoin, et celui qui te vient en aide avant que tu en aies besoin.

Il nous faut chacun apprendre la valeur des mots de l'autre, ce qu'ils coûtent.

Sous son pull, sur son ventre, Jeanne sentait le pansement sur la main de Lucjan, elle sentait les boutons de sa chemise, elle sentait le bracelet de sa montre. Jamais plus elle n'éprouverait d'indifférence pour de tels objets.

— Nous étions des milliers de Robinson Crusoé à vivre dans les décombres…

Le silence des ruines est le souffle des morts…

C'était la première fois que je me réveillais en sentant la neige sur ma peau…

Nous naissons avec des lieux de souffrance en nous, l'histoire en est la preuve…

Je ne peux parler que si tu es couchée près de moi, dit-il, aussi proche que ma voix, mes mots sur toute la longueur de ton corps, parce que ce que je m'apprête à dire est ma vie entière. Et je n'ai rien, en vérité, que ces souvenirs. J'ai besoin que tu écoutes comme si ces souvenirs étaient à toi. Les détails de cette pièce, cette vue depuis la fenêtre, ces vêtements en tas sur la chaise, la brosse à cheveux sur la table de chevet, le verre par terre – tout doit disparaître. J'ai besoin que tu entendes tout ce que je dis, et tout ce que je suis incapable de dire doit être entendu aussi.

C'est terrifiant d'écouter ainsi, en laissant tout derrière soi. Peut-être que je demande une chose impossible…

La fumée forçait les gens à quitter leurs caves, les poussait à traverser des portes de feu. Le son des « vaches mugissantes » – les machines à manivelle qui posaient les mines –, et puis l'explosion. Les rats des débris disaient : « T'inquiète, si tu entends l'explosion, c'est que tu n'es pas mort… »

Un petit groupe se tenait debout à la lisière des ruines. Personne n'avait encore osé faire un pas en avant. Bien au-dessus d'eux – leurs têtes incrédules se penchaient en arrière –, le raz-de-marée de décombres se consumait. Quelque part un homme a dit : « Mettez un pied en Pologne et vous êtes dans la merde de cheval jusqu'aux genoux. » Furieux, les gens ont tendu le cou pour voir qui osait dire une telle chose et lui donner une claque. Mais en se retournant, ils ont vu que le vieil homme pleurait…

Quelques jours après la retraite des Allemands, nous étions vingt mille à vivre dans les ruines, après des semaines nous étions dix fois plus de Robinson Crusoé ; beaucoup, beaucoup d'enfants qui ne connaissaient pas d'autre lieu et craignaient d'aller tenter leur chance ailleurs, qui avaient besoin d'être là où ils avaient vu leur mère ou leur père pour la dernière fois.

Quand mon beau-père est revenu à Varsovie après la guerre, nous étions assis avec d'autres sur un monticule de pierres qui avait jadis été Krakowskie Przedmieście, là où nous avions – ce qui me semblait une éternité auparavant – acheté cette petite locomotive. Il a saisi le bras d'un vieillard, un étranger, et m'a montré le tatouage de l'homme parce qu'il portait en lui une si grande souffrance et qu'il n'avait pas de cicatrice pour en témoigner.

~

C'était comme si le ciel avait été fait de pierres et qu'il s'était écrasé sur terre : un horizon de décombres sans fin.

La neige tombait lourdement à travers la fumée et la poussière de pierre. On ne voyait pas les étoiles dans l'air épais. Le fleuve noir coulait vers le nord par-dessus des ponts bombardés.

La neige se posait, paisible, sur vingt millions de mètres cubes de débris. Elle s'accrochait au till mastiqué, tordu, fracassé de lambris, de toits, de verre, d'encadrements de lit, de bibliothèques entières, aux restes de garderies et d'arbres, et aux quatre-vingt-dix-huit mille mines antipersonnel.

Au milieu de cette dévastation se trouvait le square municipal détruit, Plac Teatralny, jadis au carrefour de toutes les grandes routes de commerce d'Europe – de la Baltique à la mer Noire, de Paris à Moscou. Au centre de ce square municipal, une mince colonne était toujours debout, intouchée, sa pointe à peine visible, une aiguille de boussole gravée toute droite parmi les décombres incompréhensibles, marquant l'endroit : 52° 13' de latitude N., 21° de longitude. Varsovie.

L'air était chargé et opaque ; il tremblait, comme si des murs s'élevaient du sol à un rythme accéléré. Après avoir passé quelques minutes à observer, terrorisé, Lucjan avait compris que le soleil se levait et que ces murs fantomatiques étaient dus à l'aube, qui apparaissait à travers la fumée. La lumière du soleil perçait des murs de poussière là où de vrais murs se dressaient quelques heures plus tôt ; la ville offrait une post-image comme celles qui s'impriment sur la rétine. Quand la poussière est retombée, cette chair rougeoyante s'est dissoute, ne laissant que les squelettes des bâtiments, piles tranchantes de pierre, conduits d'aération, poutrelles d'acier mutilées, poutres de bois déchiquetées, pavés, mitres de cheminées, débords de toits, bardeaux, armoires de cuisine avec leurs poignées en bois rondes, poignées de porte en verre et en métal, différents types de tuyaux tordus, fils électriques, plâtre désintégré, cartilage, os, matière grise. Des fibres de rembourrage et des cheveux roussis flottaient dans le vent de janvier ; des bouts de robes en laine, des boutons fondus et la fumée graisseuse montant de l'avalanche de corps qui brûlaient toujours. L'air scintillait de particules de verre infiniment petites.

Les morts étaient invisibles et omniprésents ; dans une autre dimension où ils ne seraient jamais trouvés.

Émergeant des gravats, sidérants, certains objets n'avaient pas été digérés par les murs écroulés et les feux : une brosse à cheveux, une roue de chariot, un doigt. Un cadre de fenêtre saillait, avec son rideau toujours fixé ; des fleurs de coton jaune pâle flottaient mollement dans le vent à la recherche de la cuisine disparue.

Les villes, comme les êtres, naissent dotées d'une âme, un esprit du lieu qui continue de se manifester, qui émerge même après la dévastation, une vieille parole cherchant un sens sur les nouvelles lèvres qui la prononcent. Car même s'il ne restait plus de bâtiments, même si les ruines s'étendaient plus loin que l'horizon, Varsovie n'a jamais cessé d'être une ville.

Dans l'obscurité, on pouvait voir les volutes de fumée se tortiller dans le vent, s'élevant de fissures entre les pierres. Alors on savait qu'il y avait là une cave assez grande pour un feu souterrain. Ce n'est que pendant la nuit qu'on pouvait voir combien de personnes vivaient dans les ruines.

Souvent, l'entrée de ces *meliny,* ces terriers, ces tunnels au milieu des débris, était signalée par un pot de fleurs. Des géraniums. Une tache rouge, une giclée de sang parmi les ossements.

~

— Une fois, une femme, sans doute l'épouse d'un journaliste – il y en avait des tas dans la ville pendant les premières semaines après la fin de la guerre –, m'a offert un carré de chocolat enveloppé dans un bout de papier d'alu, dit Lucjan. Le papier brillant portait encore l'odeur de sa poudre de riz, à l'intérieur de son sac à main. Je me rappelle l'avoir admiré longtemps – pour moi, c'était le premier chocolat depuis avant la guerre. Quand je l'ai finalement mis dans ma bouche, j'ai senti la chaleur fuser partout dans mon corps et, en regardant cette femme avec son manteau de fourrure et le fermoir doré de son sac à main brillant, j'aurais voulu poser ma tête contre cette douceur. Au lieu de cela, pour la remercier de sa gentillesse, je lui ai lancé un long regard, comme si je la haïssais, et je me suis vite éloigné avant qu'elle dise un mot.

J'ai creusé pour trouver une pièce presque parfaitement intacte et, tandis que j'étais sorti chercher de la nourriture, quelqu'un d'autre se l'est appropriée.

Je me suis tapi dans un trou et j'ai aperçu un homme couvert de sang – il y en avait partout, on pouvait même voir la trace de ses pas. Je l'ai regardé. « Ne t'inquiète pas comme ça, a-t-il dit, c'est juste une blessure à la tête. » Une fois, je me suis endormi dans un endroit que j'avais déniché au moment où la nuit tombait. Quand je me suis réveillé, j'étais face à face avec une poupée qui pointait bizarrement hors des pierres. Mais ce n'était pas une poupée... Une fois, j'ai trouvé la cave d'une boutique encore pleine de boîtes de chaussures. J'en ai fait un troc fructueux jusqu'à ce que quelqu'un d'autre découvre aussi cette cave à souliers... Tu as une deuxième paire de souliers ou un manteau supplémentaire. Tu te tiens dans la rue, bras en croix, et tu voilà devenu un magasin... J'ai rapidement compris qu'il était préférable de me réfugier dans un trou qui n'avait rien à offrir, et personne ne m'embêtait. J'avais une couverture, un bol. De temps en temps, quelqu'un glissait la tête dans l'ouverture, me voyait assis là et disparaissait.

Une fois, une fille est venue. Elle devait avoir vu filtrer la lumière de ma bougie par les lézardes. Je dormais déjà et elle m'a secoué pour me réveiller. Elle avait douze ou treize ans tout au plus. Elle a demandé si elle pouvait rester jusqu'au matin. Une grosse croix de bois attachée à une ficelle pendait sur sa poitrine étroite, elle était derrière moi, couchée le front contre mon dos, son bras en travers de mon corps, et en moins d'une minute elle s'était endormie. J'étais terrifié par son contact. J'avais du mal à respirer à cause de la souffrance que m'infligeait son bras mince posé sur mon manteau.

Une fois, en fouillant dans les décombres, j'ai remarqué un bout de calicot noué autour de la gorge d'une femme. Ce bout de tissu imprimé, éclatant de couleur, était saturé de vie. Pas la femme, dont le cou n'avait plus de pouls ; mais le morceau d'étoffe, rouge et bleu dans la neige. J'ai d'abord cru que son front était brillant de sueur. Mais c'était de la glace.

Au fur et à mesure que les gens revenaient à Varsovie, on a vu apparaître, de plus en plus souvent, fichée ici et là parmi les ruines, une branche où l'on avait coincé un bout de papier, marquant le lieu où quelqu'un croyait que s'élevait jadis sa maison ou sa boutique, l'endroit où l'on avait vu pour la dernière fois la personne que l'on recherchait...

Ajoute à cela l'odeur, l'immonde puanteur des *karbidówki,* les lampes à carbure qui empestaient chaque matin quand elles étaient nettoyées...

Une fois, j'ai entendu un vieux couple qui s'installait dans la montagne de débris. L'homme était en train de dégager un espace pour sa femme et lui quand il s'est brusquement écrié : « Regarde, un verre intact – pas une égratignure ! Incroyable ! Maintenant on peut boire ! » « Non, a dit sa femme. Mettons des fleurs dans le verre. On peut encore boire dans nos mains. »

Les gens ont l'instinct de laisser des fleurs là où un événement atroce s'est produit, au bord de la route où il y a eu un accident, devant un bâtiment où quelqu'un a été abattu. Ce n'est pas comme déposer des fleurs sur une tombe où un corps a été mis en terre. Ce ne sont pas les mêmes fleurs. Quelqu'un meurt d'horrible façon et tout à coup les bouquets apparaissent. C'est un instinct désespéré pour laisser une marque d'innocence sur une blessure violente, pour marquer l'endroit où a été figé le dernier nerf tressaillant d'innocence. Le tout premier magasin à ouvrir dans les ruines de la ville, au cours des premiers jours après que l'occupation allemande a pris fin, perché au sommet des décombres – dans la neige ! – était une échoppe de fleuriste. Avant même le tram abandonné et à moitié démoli abritant le premier bistro où l'on vendait de la soupe et de l'ersatz de café, il y avait le fleuriste. Tous les journalistes étrangers s'en émerveillaient – quel élan de vie, quelle fortitude, quel courage –, que de bêtises ils bêlaient, ces journalistes. Blablabla ! Mais pas un n'énonçait ce qui était pourtant simple et évident : il faut des fleurs pour les tombes. Il faut des fleurs pour les endroits où sont survenues des morts violentes. Les fleurs, c'était la première chose dont on avait besoin. Avant le pain. Et bien avant les mots.

Les soldats allemands avaient appliqué un horaire de démolition strict, dit Lucjan ; chaque construction, une rue à la fois, avait été numérotée à la peinture blanche. Ainsi, les chiffres peints sur le côté de ces bâtiments étaient semblables aux tatouages sur les bras des détenus des camps ; on aurait pu dire que les chiffres signifiaient leur date de destruction.

Sur l'autre rive de la Vistule, les Soviétiques attendaient patiemment tandis que la Wehrmacht, avec une grande efficacité, réduisait en ruines la cité vide. Quand l'opération fut menée à bien, presque trois mois plus tard, l'armée soviétique jeta rapidement un ponton au-dessus de la Vistule – ce même fleuve dont elle affirmait, pendant les émeutes et la démolition de la ville, qu'il était « infranchissable » – et prit Varsovie.

Supposons, dit Lucjan, allongé tranquillement près de Jeanne sous les couvertures, que tu veuilles me convaincre de la couleur des cheveux d'un homme. Est-ce que tu me montrerais un homme à la chevelure fournie en guise de preuve ? Non, assurément, ses cheveux pourraient être teints, ou la photo retouchée. Non, tu me montres plutôt un homme chauve. Tu affirmes : Il avait les cheveux bruns. Nous examinons son teint, ses sourcils. Ce n'est pas facile à dire. Enfin, nous concédons : Peut-être, oui, il se peut que cet homme chauve ait eu les cheveux bruns. Des années plus tard, en voyant la même photo, le visage te paraît familier, mais tout ce que tu te rappelles, c'est que l'homme avait autrefois les cheveux bruns…

O.K., dit Lucjan. Supposons que tu veux que j'oublie la signification d'un nom donné… Dans la clairière d'une forêt non loin de Minsk, les Soviétiques ont érigé un monument de guerre pour marquer l'endroit où se trouvait le village de Khatyn, rasé par les Allemands. Tous les jours, pendant des décennies, ils ont envoyé des autobus pleins d'enfants visiter le mémorial. Pourquoi avoir choisi ce lieu pour bâtir un monument national alors qu'il y a tant d'autres endroits où les morts ont été plus nombreux que ces pauvres âmes de Khatyn ? Simplement parce qu'il existe une autre clairière, dans une forêt non loin de Smolensk, un lieu du nom de Katyn. Dans cet endroit où l'on sent une présence invisible – d'abord, on a l'impression que c'est dû au soleil qui bouge à travers les arbres –, des centaines d'officiers polonais ont été massacrés et enterrés dans un charnier par les Soviétiques en 1940.

Les Soviétiques ont tenté d'en imputer le blâme aux Allemands, mais à la fin il n'y avait qu'une façon de nous faire « oublier » Katyn : construire un mémorial de guerre à Khatyn. Les événements sont mêlés jusqu'à ce qu'il n'y ait plus qu'un seul événement, rendu vrai par la preuve irréfutable qu'offre une statue gigantesque.

Et quand tu t'assois pour prendre un verre en compagnie de cet homme chauve et qu'il te parle de solitude, eh bien, est-ce la solitude russe ou la solitude polonaise, est-ce la solitude du catholique ou du juif ? Est-ce la solitude du vrai marxiste ? Il y a même eu, chose inouïe, un navire soviétique qui a accosté à Varsovie au cours des années après la guerre qui s'appelait *The Fairytale,* le conte de fées…

~

Il arrivait souvent à Jeanne de rester à la bibliothèque de l'université, attendant pour se rendre à pied chez Lucjan que sonnent neuf ou dix heures, moment où elle savait qu'il en aurait fini à l'atelier. Elle émergeait de la blancheur aveuglante des rayons de bibliothèque, de la taxinomie, de la génétique épiphyte, du verre des Blaschka et des copies de cire de Minton dans la rue noire de novembre, avec son étalage de vie intime, ses fenêtres ambrées remplies d'une existence mystérieuse et ordinaire. Elle prenait le thé avec Lucjan et s'il n'avait pas tout à fait fini de travailler, il s'y remettait, fouillant pour trouver un bout de métal de la bonne forme, s'affairant à peindre et à souder tandis que Jeanne lisait. Puis une dernière tasse de thé, parfois avec une larme d'alcool pour Lucjan, et l'escalade vers le lit, où Jeanne se couchait tout habillée et où chaque soir pendant une dizaine de minutes Lucjan dessinait son visage. Il y avait maintenant quelque trente portraits ; rapides, précis, aimants. Un témoignage de la connaissance changeante qu'il avait d'elle. Puis l'histoire qu'ils se racontaient avant de s'endormir, qui continuait de se développer et qu'ils reconnaissaient tous deux pour ce qu'elle était : un contrat de confiance. L'Égypte, Montréal, mais surtout Varsovie, aux instances de Jeanne. Les mots de Lucjan faisaient éclore une sombre radiance, telle une phosphorescence dans une caverne. Ce qui se trouvait illuminé n'était pas le monde, mais une obscurité intérieure. Non pas la fleur, mais les teintures tirées de la fleur. Souvent ils s'endormaient encore tout habillés, non plus comme s'ils étaient dans une gare, mais à bord d'un vol de nuit ; dans la petite fenêtre de la chambre, la neige tombait comme de la cendre sur la Vistule noire.

Un matin, ils se réveillèrent et trouvèrent la maison froide, les fenêtres emplumées de blanc. Lucjan descendit faire du feu. Il se servait des pages de vieux annuaires téléphoniques en guise de bois d'allumage, choisissant une lettre au hasard et récitant des noms et des adresses à voix haute avant de chiffonner les pages. Jeanne le regardait, mortifiée.

— Tu éprouves de la sympathie même pour un annuaire, dit Lucjan. Qu'est-ce que je vais faire de toi ?

Il s'accroupit devant le foyer et la regarda.

— Pourquoi est-ce que ça te chagrine tant ?

— Je ne sais pas trop, dit Jeanne.

Elle hésita.

— Prends tout le temps qu'il te faut. On va rester assis ici, dans le froid, pendant que tu réfléchis.

Je suis désolé, dit-il.

— C'est comme s'il y avait entre ces noms un lien qu'on ne comprendra jamais, dit doucement Jeanne. Comme si on était en train d'ignorer quelque chose d'important.

Lucjan s'assit par terre à ses côtés.

— Je me souviens de mon beau-père, qui se levait tôt pour allumer le feu dans le salon où nous prenions notre déjeuner, dit Lucjan. Je n'ai jamais connu mon vrai père, mort avant ma naissance. J'avais deux ans quand ma mère s'est remariée. Elle était si belle. Instruite, raffinée, assimilée. Elle incarnait une époque, un moment, les premières et dernières débutantes juives de Pologne. Mon beau-père, qui n'était pas juif, est resté à l'extérieur du ghetto et s'est joint à l'Armée de l'Intérieur parce qu'il croyait que cela nous sauverait. Ces années que ma mère et moi avons passées seuls, elle me parlait tout le temps. Nous nous glissions sous les couvertures pour nous tenir au chaud et elle me racontait des histoires, me confiait tout ce dont elle se souvenait du temps de son enfance et comment c'était quand elle avait rencontré mon beau-père, en me caressant les cheveux et en me faisant rire. Après la guerre, quand il est revenu et qu'il m'a retrouvé, je voyais le trouble sur son visage – toutes les choses qu'il s'était forcé à faire pour nous, et pourquoi. En vérité, c'était uniquement pour ma mère, et maintenant elle avait disparu. Il ne m'avait guère vu en près de sept ans… Nous avons écumé les décombres ; à nous deux, nous avons transporté la moitié de la ville dans nos mains, une pierre à la fois. Il refusait de croire que nous ne la retrouverions pas. Il me traînait d'un endroit à l'autre. Nous restions debout devant un tas de pierres, puis devant un autre, jour après jour. Je pleurais sans cesse. Jusqu'à ce que finalement il me secoue et me dise de la boucler. Je devais être en train de le rendre fou. Il a dit qu'il irait à Cracovie, m'a dit de l'attendre. À la fin, je ne sais pas si l'Armée rouge l'a cueilli avant qu'il ait pu revenir me retrouver ou pas. Pendant longtemps, il m'a semblé que cette question importait plus que tout le reste. Mais, des mois plus tard, j'ai compris qu'il n'avait jamais eu l'intention de revenir. Je travaillais dans la Nouvelle Ville, j'aidais à vider des camions chargés de maisons démolies dans le lit du fleuve. Il pleuvait. Un homme a failli être écrasé sous un chargement. Il a crié, et sa voix sous la pluie était le son le plus triste que j'aie jamais entendu. Si la pluie avait une voix, ce serait cette voix-là. À ce moment précis, détrempé, en entendant cet homme qui criait et criait, j'ai senti quelque chose qui s'envolait du centre de mon être. Mon beau-père – le brave et noble gentleman-soldat que ma mère m'avait persuadé d'aimer –, tout à coup j'étais libéré, parfaitement libéré de lui. Je ne saurais exprimer le soulagement que peut offrir un tel désespoir. Un jour je te raconterai la fin de l'histoire... Ne me regarde pas comme ça – avec pitié.

— Ce n'est pas de la pitié, dit Jeanne.

— Ah non ? Moi, je trouve que ça ressemble à de la pitié.

— Serais-tu capable de reconnaître un regard de pitié ?

Pendant un long moment, Lucjan ne dit rien. Il resta assis par terre devant le foyer, tout à fait immobile.

— Personne ne m'a jamais dit cela. Il se trouve que tu as raison. Qu'est-ce que je connais de la pitié ?

— S'il te plaît, ne brûle pas les annuaires du téléphone, dit Jeanne. C'est peut-être idiot, mais je ne peux supporter de voir ces noms brûler. J'ai l'impression que plus personne ne sera capable de retrouver qui que ce soit. C'est comme rompre un enchantement.

Lucjan poussa l'annuaire jusque dans le coin de la pièce.

— Il fait froid ici, dit-il.

— Viens avec moi sous les couvertures, dit Jeanne. S'il te plaît.

Il grimpa et elle attira le visage de Lucjan vers le sien. Ils restèrent étendus en silence et, après un moment, il dit :

— Tu as raison, Janina. Tous ces noms dans un livre comme s'ils étaient faits les uns pour les autres. Comme si toute la ville était une même histoire.

~

Une fois leur première curiosité passée, les compagnons de classe d'Avery cessèrent de s'intéresser à lui pour se concentrer sur leur lutte pour la domination intellectuelle dans la salle de cours, la découverte d'esprits accordés au leur, l'acquisition d'amoureux ; ça lui était égal de ne s'inscrire dans aucune de ces catégories.

Il éprouvait maintenant de l'ambition. Il avait une excellente mémoire pour les constructions qu'il avait vues avec son père, et des années de travail lui avaient laissé un instinct pur, distillé, pour la tension, l'équilibre, les ombres projetées. Les livres s'amoncelaient autour de son lit sur le sol. Il dormait la lumière allumée et, quand il se réveillait au milieu de la nuit, il chassait délibérément la chaleur de Jeanne de son esprit.

Il vivait de céréales, de pain et de thé. Pour souper, Avery posait la théière, la brique de beurre et la miche sur la table. La température, la lumière réveillaient une douleur évoquée, des détails d'elle. La sensation des avant-bras de Jeanne sur son échine, de sa main entre ses épaules. Sa courbe tiède, les matins où elle s'éveillait avant lui et lisait étendue sur le côté, satisfaite, et la conscience qu'il avait de sa douceur absolue même avant d'ouvrir les yeux. En ces moments-là, la peur l'incitait à mettre un terme à la séparation. Mais, telles deux moitiés créées par une seule lame, une seconde peur guidait ses actions, qui l'appelait à la patience : la peur de gâcher sa dernière chance avec elle.

À la fin du mois de novembre, par un après-midi de grand vent et de pluie d'hiver, Avery attendait Jeanne au Sgana, un minuscule café au fond d'un terrain de stationnement au bord du lac. Assis près de la fenêtre, il regardait les vieilles chaises et tables de cuisine laissées dehors depuis l'été culbuter les unes sur les autres sur la terrasse. Le lac claquait contre la digue de ciment. Les fenêtres du café étaient vernissées par l'eau, et le vent s'infiltrait par les rebords de la fenêtre. Puis elle fut à la porte, son manteau trempé, ses cheveux mouillés sous un foulard mouillé. Dès qu'elle eut gagné la table, Avery vit – bien qu'il n'y eût nulle altération extérieure, il le perçut immédiatement – qu'une autre personne, un autre homme, avait changé l'allure de Jeanne, changé son visage. Il avait espéré cela si longtemps, que ce désespoir soit levé, emporté, et maintenant c'était arrivé, ou c'était en train d'arriver, ce que lui-même avait été incapable d'accomplir.

Ils ne se dirent pas grand-chose et ne restèrent pas très longtemps. C'était insoutenable de se trouver si près d'elle et de sentir cette transformation qu'Avery était incapable de se décrire à lui-même. Elle était maintenant tellement belle à ses yeux qu'il avait du mal à le supporter. On aurait dit qu'elle s'était débarrassée d'une chose invisible et était, en chaque partie d'elle-même, neuve et incomplète. Elle attendit qu'il parle. Elle demanda enfin, au bord des larmes : « Ne peux-tu pas me dire ce qu'il faudrait que nous fassions ? » « Pas encore, répondit-il. Je ne sais pas. Non. » L'odeur de Jeanne.

~

Souvent, les soirs où Jeanne n'était pas avec Lucjan, le téléphone sonnait et elle restait couchée, la voix d'Avery pressée contre son oreille. Il ne parlait que de ce qu'il était en train d'apprendre. Il parlait comme s'ils n'étaient pas séparés par une poignée de pâtés de maisons, mais par une montagne, un océan, des fuseaux horaires, en pesant chaque phrase. Quand ils raccrochaient et que tombait le silence, Jeanne avait mal à force d'essayer de comprendre ce qui importait, qui avait le besoin le plus grand, elle éprouvait une atroce incapacité de saisir l'impératif moral, sa tâche, le principe organisateur de ce dérèglement et de ce désir. Certains jardins sont organisés selon la taxinomie, d'autres en fonction des origines géographiques, d'autres encore selon les attributs. Elle savait que si quelqu'un surprenait leurs conversations, si profondément ancrées dans leur contexte, il n'y comprendrait rien. Aux yeux d'un étranger, leur urgence paraîtrait tout autre ; plutôt… presque languissante.

~

Durant tout cet automne, Jeanne et Lucjan se retrouvèrent tard le soir à la maison de la rue Amelia. Parfois il la déshabillait dans l'entrée, un instant seulement, comme un parent déshabille son enfant qui vient de rentrer après avoir joué dans la neige. Les mains de Lucjan dans ses cheveux pour dégager son béret, dénouer son écharpe. Son pull tiré par-dessus sa tête. Jeanne, qui n'avait connu d'autre homme qu'Avery, se faisait obéissante, elle posait ses mains sur les épaules de Lucjan pendant que celui-ci roulait les collants sur ses cuisses froides. Le bain chaud l'attendait ; la musique emplissait l'obscurité. Elle entrait dans l'eau invisible comme on entre dans une voix. Elle ne connaissait pas le nom des chanteurs, pas plus qu'elle ne comprenait leurs paroles. Mais elle en ressentait la chaleur, des femmes chantant l'amour, chacun des morceaux brisés de l'amour. La voix était la ville, c'était la forêt polonaise, terre compliquée. C'était les lanternes apportées sur la véritable tombe à Katyn, c'était une rencontre dans l'escalier de secours, c'était la soie qui avait l'odeur de Jeanne, c'était une chambre d'hôtel au Havre, c'était la dernière fois. L'eau d'une chaleur presque insupportable, le chocolat noir de la voix d'une femme. Les mains de Lucjan ne posaient jamais de questions. Il savait et il touchait. Il lui redonnait son nom.

La musique était le garçon avec des cailloux dans la bouche, c'était une femme sur une scène avec sa nudité pour costume, c'était les *gargaras* noires, c'était les sacs antimites en papier, menaçants, grands comme un homme, que les vendeurs de la rue Marszałkowska s'enroulaient autour des bras, les ombres en papier, les âmes en papier, c'était l'odeur à l'intérieur d'un chapeau, l'odeur d'essence qui fuit dans les décombres, c'était les clous de girofle et la muscade avant le café amer, c'était l'arôme du café dans l'obscurité, c'était la puanteur des *karbidówki*, c'était la soie qui avait l'odeur de Jeanne.

— Je me suis glissé entre les pierres, dit Lucjan, et j'ai débouché dans un terrier bien net où j'ai trouvé une toile cirée étendue par terre et une miche de pain entière posée sur une tablette de bois. J'ai pris la miche et j'ai commencé à grimper pour sortir quand j'ai entendu une voix.

« Je n'ai pas grand-chose. Servez-vous. »

La voix était dénuée de sarcasme. Je me suis retourné pour découvrir un homme assis en tailleur sur le sol, dans la pénombre, appuyé contre un mur. Sa générosité m'a rempli de honte à un point tel que j'aurais voulu lui arracher la tête, l'assommer. Mais j'ai plutôt entamé son pain juste sous ses yeux, je me le suis fourré dans la bouche et je ne lui en ai laissé qu'un petit morceau.

Il ne bougeait toujours pas. Il restait assis, à me regarder.

J'avais vraiment envie de lui flanquer une claque. Mais j'éprouvais aussi de la curiosité. Alors je suis resté là à le regarder. Il a fini par dire :

« Vas-tu rester là toute la nuit ?

— Qu'est-ce que vous faisiez quand je suis entré ? ai-je demandé.

— Je réfléchissais.

— À quoi ?

— À la ville. À la rue Nowy Świat. »

J'ai commencé à grimper pour sortir.

« Attends, a-t-il dit. Tu es fort comme un bœuf – deux bœufs. Pourquoi est-ce que tu ne nous aiderais pas ? Tu aurais à manger. Une miche de pain au complet et un coupon pour des souliers. »

J'ai refusé son offre d'un geste de la main.

« Tu ne veux pas aider ? Nous monterons à nouveau, tu verras. Es-tu sûr que tu ne veux pas aider ? »

Il m'a regardé. Et tout à coup il a compris.

« Es-tu juif ? »

Nous sommes restés là à nous dévisager, longtemps, une minute peut-être. Jusqu'à ce que – quelle horreur ! – j'aie les larmes aux yeux. J'avais les larmes aux yeux, mais je refusais toujours de détourner le regard.

« Ah », a-t-il dit, et il a finalement baissé les yeux.

Et c'est à ce moment que je me suis rendu compte du pouvoir qu'il y avait à repousser les gens. J'ai ressenti de la satisfaction et une tristesse à m'en arracher les cheveux en le voyant baisser le regard.

« J'aurai du pain tous les jours ?

— Oui.

— Je n'aurai qu'à porter des choses ?

— Oui. »

Je suis retourné dans la pièce et j'ai englouti le dernier quignon que je lui avais laissé. J'ai mangé tout ce qu'il avait sans rien lui laisser. Pas une miette.

Ceux qui avaient des souliers travaillaient dans les décombres. Ceux qui n'en avaient pas aidaient à dessiner les plans. C'était implicite, pourtant tous ceux qui dégageaient les ruines et collaboraient à la reconstruction de la ville le pressentaient : une fois

Varsovie rebâtie, les morts pourraient revenir. Non seulement les morts, mais les fantômes mortels, fantômes de chair et de sang.

Après la guerre, il fut décidé que le plus vieux quartier, la Vieille Ville, serait reconstruit – pas seulement reconstruit à neuf, mais… copié exactement. Chaque linteau et chaque corniche, chaque portique et chaque gravure, chaque lampadaire. Tu peux imaginer le débat. Mais, à la fin, on arriva à une entente : même ceux qui n'étaient pas d'accord comprenaient la nécessité de l'entreprise.

Biegański, Zachwalowicz, Kuzma et les autres ont basé leurs plans pour la reconstruction de la Vieille Ville – du marché et des rues Piwna et Zapiecek – sur les peintures de Varsovie réalisées par Canaletto au XVIIIe siècle et sur les photos et les exercices de dessin des étudiants du professeur Sosnowski de l'école polytechnique. Quand Sosnowski est mort, pendant le siège de 1939, l'école d'architecture a poursuivi ses activités clandestinement. Les étudiants se faufilaient dans les rues pour dresser un inventaire minutieux des monuments, des statues et des bâtiments. Ces croquis ont été cachés dans les caves de l'université. Et, en 1944, quand elle a brûlé, les dessins ont été sauvés. On les a glissés dans des piles de documents juridiques et sortis de la ville en douce pour les confier à la garde des morts – c'est-à-dire qu'ils ont été dissimulés dans une tombe au monastère Piotrków. Les étudiants du professeur Lorentz effectuaient des raids nocturnes dans les ruines du palais royal, rapportant pour le mettre en sûreté tout ce qui comportait des détails architecturaux – les portes lambrissées de la chapelle, des panneaux de murales de plâtre et des foyers en marbre, des cadres de fenêtres –, des milliers de fragments et de morceaux épars.

Je le sais parce que j'ai été recruté. J'étais petit et rapide, et personne ne s'inquiétait de mon sort. Je pouvais donc être utile. La nuit, je partais à la chasse aux trésors et, après, on me nourrissait. Je ramassais des poignées de porte, des bouts de quincaillerie et des ornements de pierre en échange de pain et d'un abri. J'ai beaucoup appris, en écoutant ces étudiants, sur toutes sortes de sujets. Personne ne faisait attention à moi, je n'avais que douze ans. J'ai surpris nombre de conversations – sur la démocratie et les murs porteurs, sur les livres à lire et sur le fait que, « en présence d'une femme, il convient de toujours lui offrir la première gorgée d'un thermos ». Il y avait sans doute une multitude de conseils éclairants en matière sexuelle, si seulement j'avais compris de quoi il retournait. Quand je vivais parmi ces étudiants de la polytechnique, il y avait tant de liaisons, les passions étaient si fluides, si tumultueuses, si adultes ; je les regardais éclore autour de moi, et ce n'est que plus tard, quand j'ai été plus vieux, que j'y ai pris part à mon tour. Et beaucoup plus tard, dans la vingtaine, j'ai de nouveau écouté aux portes, pour suivre les conversations de la tribu théâtrale d'Ewa et Paweł. Avec les polytechniciens, je m'assoyais le plus souvent dans un coin, tendant l'oreille, et je m'endormais aussitôt qu'ils m'avaient donné mon pain. Ils ne m'ont jamais dénoncé. Je dois tellement à ces étudiants, bien que je n'aie jamais su le nom de plusieurs d'entre eux. Ils m'ont tout appris. Quoi lire, et comment débattre de ce qu'on lit. Comment regarder un tableau. Une éducation au grand complet.

Cependant, de tous les polytechniciens, le plus important à mes yeux était un étudiant du nom de Piotr. Son père était britannique et tout le monde faisait cercle autour de lui pour apprendre quelques mots d'anglais. Je pense qu'ils étaient tous comme moi – tendu en avant pour attraper les miettes –, assoiffés d'un monde extérieur. Il nous a d'abord enseigné les noms de tous les bateaux, car il adorait la voile : skiff, yacht, schooner. Ce n'était pas du polonais ou du russe, mais une langue d'évasion acide et propre. On pouvait prononcer presque tous les mots anglais sans desserrer les dents. Il n'y avait pas de *jsz* et de *cj* ou de *ł* pour ramollir la résolution. Le bien le plus précieux de Piotr était un dictionnaire polonais-anglais de la taille d'une petite brique, que tout le monde voulait emprunter. Il aurait pu l'échanger et en obtenir un prix exorbitant : un pardessus, une pomme. Mais il est plutôt venu à l'endroit où je dormais par terre et l'a glissé sous moi. Je me suis réveillé en sentant le volume qui s'enfonçait dans mon dos. À l'intérieur, une note, écrite en anglais : *Continue à courir tant que tu n'auras pas appris tous les mots*. Quand je suis allé le remercier, il m'a chassé, doucement, comme un grand frère. Il a dit : « Je veux du polonais, maintenant, que la Pologne » en faisant un geste de la tête en direction d'une fille. Ce regard a été mon premier véritable balbutiement de sexualité ; j'ai senti en lui son désir-colère, son insatiable humilité – *insatiable* : page 467. J'ai mémorisé la page où figuraient plusieurs mots – une double assurance qu'ils ne seraient pas perdus. Doublement retenus. Quelques jours plus tard, Piotr et sa petite amie ont été tués lors d'un raid au palais pendant qu'ils transportaient un morceau de pierre. Un autre garçon qui se trouvait avec eux s'était enfui ; quand il y est retourné, ils étaient toujours là. Il a couru jusqu'à l'abri et a dit aux autres, en se tordant les mains de culpabilité : « *Dalej tam leżały, dalej tam leżały.* » La nuit, les morts étaient éparpillés, dispersés, « *toujours là, toujours là* », parfois dans l'obscurité sans une goutte de sang visible, comme si la lune elle-même les avait terrassés. Chaque jour, après cela, je lisais une demi-page de cet épais livre anglais – je construisais un petit mémorial. Chacun des mots que je prononce, chacun des mots anglais arrachés à cette brique de dictionnaire – et c'est pourquoi j'essaie de faire attention – est en souvenir de lui. Ce dictionnaire est dans le tiroir à côté de toi, dit Lucjan en se penchant au-dessus de la table de chevet et en déposant l'ouvrage sur les genoux de Jeanne. Profondément perdue dans l'histoire, elle eut d'abord du mal à croire que l'objet était bien réel – matérialisé comme par un tour de magie –, mais elle serra le livre solide, au dos cassé et à la couverture ordinaire, crasseuse, sans couleur, et en éprouva un petit choc, comme si Lucjan avait fait apparaître une branche du buisson ardent ou une pierre de Ninive.

— Quoi qu'il en soit, Janina, voici ce qui importe : qui peut dire que la ville reconstruite valait plus ou moins que l'originale ? Le désir est-il le seul moyen de déterminer la valeur? Je ne sais pas. Assurément, le pain a moins d'importance pour l'homme qui vient de manger. C'est comme ces bombes incendiaires allemandes qui ont réussi, détestable ironie du sort, à exposer les murs de la cité médiévale le long des rues Podwale et Brzozowa, un site archéologique dont tout le monde ignorait l'existence avant que ces bombes n'explosent.

Quand la reconstruction de la Vieille Ville a été terminée, les gens tremblaient à sa vue. Au début, on contemplait Krakowskie Przedmieście depuis la périphérie, de crainte d'entrer dans le mirage et d'être avalé. Mais quand quelques-uns s'y sont aventurés sans disparaître, les spectateurs, nous tous, se sont précipités dans la Vieille Ville. Il y a d'abord eu un silence engourdi, puis un bourdonnement et une clameur d'euphorie. Un hurlement nerveux de pleurs et de rires.

Il était impossible de gravir les marches escarpées de la rue Kamienne Schodki reconstruite, ou de passer sous les arches de la rue Świętojańska, ou de poser les yeux sur la réplique immaculée de l'horloge en fer forgé, sur le dragon de fer et les navires de pierre gravés dans les murs reconstruits sans se dire que l'on avait perdu l'esprit.

Les vieilles rues – chaque entrée, chaque lampadaire, chaque seuil – étaient familières, mais pas tout à fait; étrangement, elles étaient presque plus réelles que dans notre souvenir. Et puis il y avait des choses qu'on ne se rappelait pas du tout, et on avait l'impression d'avoir été amputé d'un bout de notre cerveau. Tout le monde arpentait les rues de la même façon, avec une vague appréhension, comme si la mère ou le père morts, l'épouse ou la sœur mortes pouvaient soudain surgir de derrière une porte. Et au cœur de tout cela, une fierté civique, une jubilation, et une muette humiliation, notre besoin si béant et si inconsolable.

À Varsovie, dans les années 1950, les gens étaient éperdus d'espoir. Ils lançaient les affirmations les plus extravagantes : « Pendant des décennies, les physiciens se sont efforcés de découvrir, si le temps est libre de s'écouler vers l'avenir comme vers le passé, pourquoi une coquille d'œuf brisée ne peut se reconstituer, pourquoi le verre fracassé ne peut se réparer de lui-même ? Pourtant, à Varsovie, voilà ce que nous sommes parvenus à accomplir ! Nous n'avons pas encore découvert le moyen de ramener les morts à la vie ou de retrouver l'amour perdu, mais nous y consacrons toutes nos énergies et, si cela en vient à se produire, ce sera dans la ville reconstituée de Varsovie ! » Et tandis que les gens s'excitaient à claironner ce genre de choses, je ne pouvais m'empêcher de penser que tout existe à cause de la perte. Des briques de nos bâtiments, du ciment jusqu'aux cellules humaines, tout existe grâce à la transformation chimique, et chaque transformation chimique s'accompagne de perte. Et quand je lève les yeux vers le ciel, la nuit, je songe : les astronomes ont donné à chaque étoile un numéro.

Lucjan déchira un bout de papier de son cahier à croquis et le chiffonna pour en faire une boule.

— Voilà ce qu'est le monde. Une boule où tout est écrasé ensemble – collusion, complicité –, ces plans allemands pour les barrages égyptiens dont tu m'as parlé et d'autres exemples sans nombre…

Il lança la boule de papier dans le foyer.

— Je ne sais pas, dit Lucjan, si nous appartenons au lieu où nous naissons ou au lieu où nous sommes enterrés.

— Tu parles de la Vieille Ville, dit Jeanne, et de fausse consolation. C'est la raison pour laquelle Avery était incapable de supporter son travail en Égypte, cette fausse consolation.

Elle sentit l'attention de Lucjan, la qualité de l'obscurité changer, même s'il n'avait pas fait un geste. Chaque fois qu'elle parlait d'Avery, Jeanne le sentait qui faisait appel à tout son pouvoir d'écoute.

— Je veux que tu parles de lui, chuchota Lucjan, parce que ça rend plus réel le fait que nous sommes couchés ici, parce que tu es ici avec moi en partie parce que tu l'aimes. Et pour te connaître, je dois le connaître. S'il te plaît, continue.

Jeanne s'assit dans le lit et ramena ses genoux sous son menton.

— Ça le dégoûte, l'idée de la fausse consolation. À la fin, il était d'avis que le déplacement du temple n'était rien d'autre. Parce que tant de gens croyaient déjà que le barrage était une erreur.

— Je me demande ce que ça signifie de sauver une chose, dit Lucjan, quand c'est à cause de nous qu'elle doit être sauvée. D'abord nous détruisons, et puis nous essayons de sauvegarder. Et on se sent tellement nobles d'œuvrer à la sauvegarde. Et qui peut dire déjà que le barrage était une erreur?

— Ce qui a été perdu importait plus que ce qui a été gagné, dit Jeanne.

— Peut-être. Lucjan s'interrompit. Et peut-être penses-tu la même chose de ta propre vie, peut-être de ton mariage aussi.

La souffrance contenue dans ces mots la transperça.

— Ne te fâche pas, dit Lucjan. C'est passé de mode, mais disons qu'il existe une hiérarchie dans la souffrance. On pourrait ouvrir une bourse pour la valeur morale et échanger des actions de « nécessité » humaine. Si ça intéressait quelqu'un. Alors on pourrait véritablement comparer la valeur des choses, sans l'ambiguïté de la devise. Uniquement des biens. Un kilo du café de Paweł à Toronto et cent sacs de grains au Soudan. Une bouteille de whisky à Varsovie et un livre anglais à Moscou, écrit par un dissident en exil. Une voiture, l'eau courante. Un temple, cinquante villages, des milliers d'artéfacts archéologiques pour le prix d'un barrage. La perte d'un enfant et la perte de trois millions d'enfants.

Jeanne se tenait la tête entre les mains.

Lucjan soupira. Il l'attira vers lui.

— Tout ce qu'on fait est une fausse consolation, dit Lucjan. Ou, pour dire les choses autrement, toute consolation est vraie.

Pendant l'insurrection, les enfants livraient les messages, prêtaient main-forte dans les hôpitaux de fortune, transportaient des armes d'une cave à l'autre. Le courage nous venait, dit Lucjan, sous la forme d'une mouche, une étincelle de vie, un parasite, qui se posait sur notre bras nu. Il nous venait par la faim.

Chacun ramassait ce qu'il pouvait dans les décombres – des aiguilles à tricoter, des cadres à photos, le bras d'un fauteuil, un lambeau d'étoffe –, c'était le marché des morts. Il y avait une utilité à tout, quelqu'un était toujours prêt à troquer quelque chose…

Il serrait Jeanne contre lui.

— Il y a longtemps que je n'ai parlé de ces choses-là, dit-il doucement. Depuis le temps de notre jeunesse, quand mon ex-femme, Władka, et moi nous couchions sur le pont du chaland à pommes de son père, ensevelis sous les fruits froids d'où ne dépassaient que nos têtes.

Tu as la peau si blanche. Quand tu es étendue sur moi comme ça, avec tes jambes le long des miennes, qui sont si brunes, et tes petits bras forts le long des miens, tu es comme…

Tout le poids de Jeanne reposait sur lui, et Lucjan la sentait…

Comme de la neige sur une branche.

Il y a beaucoup à faire pour les enfants dans les batailles, dit Lucjan. Nous avions l'habitude de jouer à cache-cache, il nous semblait que nous n'avions rien à perdre. Je plongeais dans des trous où je découvrais toutes sortes de choses, toutes sortes de situations. Une fois, je me suis retrouvé au milieu d'une conversation entre deux hommes et une jeune femme.

Le plus vieux demandait : « Es-tu vraiment rabbin ?

— Ce n'est pas le moment de faire semblant d'être un rabbin, a répondu le plus jeune avec une ombre de sourire. Et puis, ce serait péché. »

Le plus vieux des deux hommes a baissé les yeux vers la femme appuyée sur lui, endormie.

« Nous voudrions nous marier, a-t-il dit. Peux-tu faire cela ? Ici, maintenant ? »

Ici, maintenant. Ces petits mots – *zrób to w tej chwili* – ont peuplé mon enfance.

« Même dans le noir, a dit le rabbin, il faut un dais. »

L'homme a enlevé son manteau et m'a demandé de le tenir au-dessus de leurs têtes. Sous son manteau, il ne portait rien. Sa peau nue, ses poils noirs. « Mais vous ne pouvez pas vous marier sans chemise », ai-je dit. Quelle bêtise, je ne sais pas ce qui m'a poussé à dire cela. L'homme m'a regardé avec étonnement et il a ri. « Je pense que Dieu sait de quoi j'ai l'air sans ma chemise. »

Jusque-là, la femme n'avait pas ouvert la bouche. Puis elle a dit : « Tu vas avoir froid sans ton manteau. »

Tout le monde sauf la femme regardait son torse lugubre, blanc comme le papier. On aurait dit que les poils sur sa poitrine étaient des fils dont sa peau était cousue. Il m'a tendu le manteau et je l'ai tenu du mieux que j'ai pu au-dessus de leurs têtes.

Après, il n'y avait rien à manger, à dire ou à faire. La femme pleurait. L'homme a passé son bras autour d'elle. Au bout d'un moment, je me suis endormi.

Je me rappelle avoir songé que je m'étais souvent endormi au son des pleurs. J'ai essayé de compter combien de fois, pensant que cette technique pourrait m'aider à trouver le sommeil, mais je n'ai pas réussi à les compter toutes.

Quelques jours après le début de l'occupation de Varsovie par l'Armée rouge, les gens sont revenus. En apercevant la ville pour la première fois, plusieurs s'asseyaient au bord des décombres, ils s'asseyaient simplement, comme s'ils avaient tout à coup oublié comment mettre un pied devant l'autre.

On m'a caché à l'extérieur du ghetto quand il a été vidé, et lorsque Varsovie est tombée, je faisais des courses pour l'Armée de l'Intérieur et pour le professeur S., me glissant partout où j'étais susceptible de trouver à manger. À la fin, j'ai quitté la ville avec les autres et j'y suis revenu avec les premiers à rentrer, quelques jours après l'arrivée des Soviétiques.

J'avais aidé à sauver quelques fragments de culture polonaise, des débris architecturaux. Désormais je travaillais à reconstruire la ville, une pierre à la fois. J'étais un enfant et j'étais juif : on pourrait croire que ce n'était pas ma ville, pas ma culture, et pourtant on pourrait aussi croire qu'elle m'appartenait. Quand ton bras est plongé dans l'eau, tu en fais partie ; quand tu le retires, il n'y reste nulle trace de toi.

Nous vivions dans les ruines et nous transportions les débris à main nue, chargeant des camions, remplissant des trous. La ville était un cimetière truffé d'explosifs – trente-cinq mille mines ont été désarmées au cours des premières semaines. Et, les premiers mois, on a construit sept ponts et planté des centaines de milliers d'arbres. Tous les dimanches, des wagons pleins de volontaires, des familles entières, arrivaient en ville pour participer aux fouilles et au transport. Et tous les 22 juillet, les autorités organisaient une célébration publique marquant l'ouverture officielle d'une section de la ville nouvellement construite, afin de s'assurer que nous comprenions bien que ce miracle n'était pas dû aux muscles et à la sueur des Polonais, mais qu'il s'agissait d'un exploit du socialisme soviétique. J'ai assisté à tous ces spectacles de juillet : l'inauguration du pont Poniatowski, l'ouverture de la grand-route est-ouest, la réplique de la Vieille Ville… et l'inauguration du palais de la Culture – pour lequel les Soviétiques avaient démoli les seuls bâtiments qui avaient survécu à la guerre.

Un jour, j'ai vu, assis dans les décombres, le pharmacien qui tenait le dispensaire derrière son haut comptoir de marbre, rue Nalewki ; je l'ai reconnu parce que j'accompagnais ma mère quand elle allait y acheter ses comprimés contre le mal de tête et ses crèmes pour les mains. Il était maintenant accroupi sur sa petite valise sur la montagne de gravats, encore vêtu de son sarrau blanc, cet ange qui se souciait toujours de savoir si vous aviez bien fait vos inhalations, ou dissous votre poudre digestive, ou utilisé la cuillère de la bonne taille pour votre sirop contre la toux, ou mélangé la pâte jusqu'à ce qu'elle atteigne la consistance adéquate pour votre cataplasme – toujours si courtois et si préoccupé par le moindre détail, la taille et la pression du bandage, tous les petits malaises. Il semblait toujours savoir exactement quoi dire à l'homme souffrant d'une rage de dents, d'articulations douloureuses ou de bronchite… et maintenant, il était assis là à regarder le sol abîmé entre ses pieds, sans un conseil.

Et, à un moment ou à un autre, dans les décombres, toutes les vieilles habitudes réapparaissaient, les gestes ordinaires : les mères lissaient les cheveux de leurs enfants et ajustaient leur manteau ; les hommes sortaient un mouchoir afin d'essuyer soigneusement sur leurs chaussures la poussière causée par l'explosion des bombes.

~

Pour Lucjan, Toronto était un lieu offrant des surfaces usagées, usées, où peindre : clôtures cachées, vieilles barrières de circulation, envers des panneaux d'affichage suspendus au-dessus du ravin. Lors de la visite « des cavernes », lui et Jeanne se faufilèrent entre des immeubles jusqu'à d'autres passages, sur des quais d'embarquement, des hangars de transit, des gares abandonnées, le long de murs de briques sur lesquels étaient peintes des publicités décolorées annonçant des boutiques et des commerces qui avaient fermé leurs portes quarante ans plus tôt, jusqu'à des silos cachés parmi les arbres, des voies ferrées qui prenaient fin au milieu des mauvaises herbes. Lucjan ramassait des matériaux au gré de leurs expéditions, toujours à la recherche de plastique et de fil de fer échoués, de morceaux de maçonnerie, de bouts de bois. Vieilles portes, chaises brisées, les détritus de rénovations. Une fois, ils traînèrent jusqu'à la maison une poutre de deux mètres de long sur laquelle on voyait encore des tailles et des âges d'enfants. Une autre fois, ils trouvèrent une boîte contenant le premier tome d'une trentaine d'encyclopédies – *Ency-*

clopédie des mammifères A-B, Géographie A-B, Histoire de la Grande-Bretagne A-B, Arbres d'Amérique du Nord A-B–, toute une bibliothèque d'abonnements annulés une fois le premier échantillon reçu par la poste. « Imagine ne connaître que le monde des choses qui commencent par A ou B », dit Lucjan, et c'est ce que fit Jeanne – anémone, aster, amélanchier, bouleau blanc, boîte – tandis qu'ils rapportaient leurs trouvailles et les entassaient dans l'atelier déjà encombré.

Après, les mains encore mouillées d'eau de vaisselle, Lucjan savonnait le dos de Jeanne sous ses bretelles.

Parfois, Jeanne ou Lucjan choisissaient une toile dans un musée – *La dame au petit chien* de Rembrandt – ou un livre précis dans une bibliothèque – *La dame au petit chien* de Tchekhov ou *Vers un théâtre pauvre* de Grotowski – et ils se retrouvaient devant. Jeanne préférait fixer les rendez-vous à l'aide du système Dewey, comme des coordonnées sur une carte. Parfois ils choisissaient un édifice ou les restes d'un édifice : la dernière manche à charbon de la Dominion, une petite porte de bois aménagée dans le flanc de la colline pour permettre aux employés du réseau d'aqueducs d'entrer dans le réservoir, l'église de l'avenue Kendal qui avait été laissée inachevée pendant la Deuxième Guerre mondiale, la moitié d'un transept pendant.

Ils passaient devant d'autres sites d'espoirs perdus, sites d'amputations et de cicatrices ; des terrains vagues que jonchaient les débris d'un édifice démoli depuis si longtemps que les ruines étaient recouvertes d'herbe, une banque abandonnée inclinée au-dessus du ravin. Lucjan était un expert quand venait le temps de repérer les petites centrales électriques dispersées dans toute la ville et dotées de fausses façades, chacune bâtie dans le style du voisinage – de l'extérieur, des maisons tout ce qu'il y avait de plus innocentes mais, en ouvrant la porte, on se trouvait devant deux étages de machinerie rutilante, de cadrans, de bobines. Ces maisons étaient difficiles à identifier, et ne trahissaient leur existence que par un vague air inhabité, des fenêtres fermées en permanence, un jardin inexistant, une absence de lumière près de l'entrée. Ils exploraient une ville autre, faite de ruelles, de garages de tôle et de hangars en bois. Ils recherchaient toutes les rues menant à des voies ferrées, où les trains de nuit faisaient cliqueter les clôtures des cours et où le cri de lumière lacérait les murs des chambres à coucher.

— Vous aviez au moins deux bonnes rivières qui traversaient cette ville, et qu'est-ce que vous en avez fait ? demandait Lucjan. Vous les avez recouvertes, siphonnées et transformées en autoroutes. Au lieu de quoi vous auriez pu vous rendre au bureau en bateau ! Avoir des marchés flottants, des barges de fleurs, des cafés et des boutiques bercés par les vagues. Vous auriez pu marcher de vos petites rues résidentielles au petit quai du voisinage, prendre le traversier jusqu'à un autre arrêt n'importe où dans la ville – pour aller au travail, à l'école. Ce serait presque encore possible…

Un après-midi d'automne, les arbres nus et noirs contre un ciel blanc, ils sortirent d'une quincaillerie par la porte arrière pour entrer dans le silence d'un cimetière catholique dérobé : la destination finale d'immigrants qui avaient fui l'Irlande dévastée par la Grande Famine et qui était désormais un carré d'herbe dissimulé derrière des façades de magasins. Ils s'étaient déjà retrouvés dans ce lieu plusieurs fois, sous les noyers, au milieu des stèles couchées sur lesquelles les noms ne faisaient plus qu'une indentation indéchiffrable, songeait Jeanne, semblable à une ligne que trace un doigt dans le sable.

Pas un bruit de la rue ne filtrait dans ce lieu caché ; les longues herbes étaient si étroitement enchevêtrées autour des piédestaux que même si l'un d'entre eux s'était renversé, il n'aurait pas produit un son ; seuls les arbres s'entrechoquaient dans le vent. Le sol était froid et humide, mais ils étendirent tout de même la couverture qu'avait apportée Lucjan et s'appuyèrent contre l'abri que leur offrait le mur de pierres d'une petite construction octogonale aux proportions harmonieuses, dont les volets profondément enfoncés étaient hermétiquement fermés et verrouillés.

— Quand la terre gelée est trop dure pour qu'on y creuse les tombes, dit Lucjan, les morts attendent dans ces tombeaux d'hiver. Ces bâtiments dégagent toujours une certaine dignité – qu'ils soient en briques, en pierres, dotés de ferrures de laiton coûteuses ou qu'il s'agisse d'humbles hangars de bois – parce qu'ils sont toujours construits avec le respect de ceux qui reposent entre leurs murs.

En temps de guerre ou de siège, continua-t-il, quand les civils sont trop nombreux pour de tels tombeaux, l'on doit trouver d'autres abris de fortune. À Varsovie, au cours du rigoureux hiver de 1944-1945, les morts reposaient ensemble dans des caveaux à légumes, dans des jardins grêlés par les mines, au milieu des débris dans les rues sous des feuilles de journaux. Lors du siège de Leningrad, le long de la route menant au cimetière Piskarevsky, des milliers de dépouilles étaient empilées, si haut que les morts recouverts de glace formaient un tunnel que l'on traversait avec effroi. Des wagons de tramways bondés restaient immobiles dans la glace et la neige, tombes qui ne pouvaient être déplacées avant le printemps. Les morts étaient tendrement enveloppés dans des châles, des serviettes, des tapis, des rideaux, du papier d'emballage attaché avec de la ficelle. Dans des appartements froids, des corps étaient déposés dans la baignoire, laissés dans un lit, étendus sur des tables. Ils encombraient la chaussée, imbibés de térébenthine. À moins trente degrés au-dessous de zéro, la terre était, comme le dit l'hymne, aussi dure que le fer, et le seul moyen de creuser un charnier consistait à dynamiter. Les corps gelés étaient alors jetés, tintant les uns contre les autres, dans la fosse.

Les morts de l'hiver attendent, dit Lucjan, que la terre s'apaise et les reçoive. Ils attendent dans des histoires longues de milliers de pages où le mot *amour* jamais n'apparaît.

Des oiseaux bruns étaient posés en file sur l'avant-toit du tombeau. Ils se tenaient en équilibre sur le rebord, petites pierres sombres se découpant sur le ciel maintenant marbré de gris : crépuscule.

— C'est au mois de janvier que ma mère est morte, dit Jeanne. Mes parents étaient déjà passés en voiture devant un cimetière de campagne, au nord de Montréal, et ils s'étaient arrêtés pour y faire quelques pas. Ma mère se rappelait ce terrain paisible et le nom du village voisin, et c'est là qu'elle a choisi d'être enterrée.

Mais le sol était trop dur pour qu'on creuse la tombe.

Pendant près de deux mois, plusieurs fois par semaine, mon père et moi avons traversé en voiture les champs et la forêt pour aller nous asseoir sur des chaises pliantes près de la porte du tombeau. Et tu sais ce que faisait mon père ? Il lui faisait la lecture. Keats, Masefield, Tennyson, Sara Teasdale, T. S. Eliot, Kathleen Raine. Plutôt petit, le tombeau était muni d'une porte énorme, tout à fait disproportionnée, épaisse et dotée de ferrures travaillées. Au début, j'étais incapable de supporter l'idée que ma mère écoutait derrière cette lourde porte fermée. Mais, lentement, au fur et à mesure que passaient les jours, j'ai commencé à avoir l'impression que même si son cher corps était à l'intérieur, son âme ne s'y trouvait pas. Le son de la voix de mon père lisant est devenu une sorte de bénédiction, une absolution. Souvent il neigeait. Nous ouvrions nos parapluies et vidions des thermos de thé au lait fumant pendant qu'il lisait, je m'asseyais sous le parapluie qui avait appartenu à ma mère et je regardais les arbres mouillés et le ciel noir de nuages entre les branches dénudées. Un cheval galopait toujours dans le champ près du cimetière, noir liquide sur la neige. Au cours de toutes ces vigies, nous n'avons jamais rencontré qui que ce soit. Nous sommes allés à cet endroit ensemble pour la dernière fois le jour où nous avons finalement enterré ma mère. J'ai compris ce qu'éprouvait mon père, une impression que nous n'aurions jamais pu imaginer : même une tombe pouvait offrir une sorte de rédemption.

Depuis la rue Amelia, ils marchèrent vers le nord, à travers les feuilles soufflées dans les rues désertes. Les cheveux dénoués de Jeanne brillaient sous les lampadaires et flottaient derrière elle dans l'eau noire de la nuit. Ils atteignirent un demi-cercle de maisons étroites dont les cours avant donnaient sur un parc municipal. Un ruban d'asphalte large d'environ un demi-mètre marquait l'endroit où la propriété privée se terminait et où commençait le parc.

Lucjan montra du doigt :

— C'est là que je gagne ma vie, de temps en temps, la dernière maison de la rangée. Vois-tu le fil électrique qui mène de la maison aux arbres ? Mon patron a installé de petites lumières dans la moitié du parc. Ça l'amuse, et personne ne s'en est plaint. Il est comme toi, Janina, il prend le monde en main, bien qu'il ne soit pas aussi dangereux. Toi, tu es une voleuse de souvenirs. Mais qui peut être chagriné par de petites lumières semblables à des lucioles dans la forêt ? L'autoroute qu'ils devaient construire aurait coupé en deux cet endroit tranquille.

— C'est peut-être pour cela qu'il illumine le parc, dit Jeanne. Pour se rappeler que ce que nous tenons pour acquis a déjà dû être sauvé.

Lucjan prit la main froide de Jeanne et la mit dans sa poche.

— C'est encore un relieur de talent, mais il a pris de l'âge et il ne suffit plus à la tâche. J'aime m'asseoir avec lui à la grande table, avec des étaux, de la colle, dans l'odeur du cuir. Il nous arrive de ne pas prononcer un mot de toute la journée. Je ne saurais te dire l'affection que j'ai pour lui, j'aime sa façon de toucher le cuir, j'aime qu'il soit ordonné – tous les fers, grattoirs et brunissoirs en pierre d'agate bien à leur place, tous les pots d'eau régale et de tanin de myrobolan soigneusement essuyés après usage, tous les papiers de garde catalogués selon la couleur, la texture et l'âge, puis classés dans les tiroirs carrés d'une armoire qu'il a lui-même construite. J'aime le fait qu'il garde à portée de main les lettres que lui a envoyées Edgar Mansfield, dans une boîte de bois sur sa table de travail. Il collectionne les mousses et les champignons, qu'il photographie. Les gens se présentent à sa porte avec des spécimens, des carrés de mousse dans de petites boîtes, comme des bijoux, ou des enveloppes de champignons des quatre coins de la planète – de Bolivie, d'Inde, de Nouvelle-Zélande, du Pérou. Il dépose les échantillons sous un microscope et dessine ce qu'il voit. Il lui arrive d'en reproduire les formes sur des reliures, les gravant dans le cuir des livres pour obtenir un effet merveilleux, presque chiné. Quand nous sommes assis ensemble, j'ai l'impression que même son silence est méthodique, comme s'il se disait à lui-même : « Très bien, aujourd'hui, nous ne parlerons pas de ce qui s'est produit en 1954, aujourd'hui nous ne parlerons pas de ce qui est arrivé quand ma femme est allée chez le médecin, aujourd'hui nous ne parlerons pas de Staline et de ce qu'était la vie pendant la guerre, aujourd'hui nous ne discuterons pas de la douleur que j'ai au genou ou de la souffrance qu'on éprouve parfois soudainement à ne pas avoir d'enfant, aujourd'hui nous ne discuterons pas de Jakob Böhme, ni des spores, ni de ce que la pluie me rappelle. » C'est agréable d'être assis à une table avec un homme et de ne pas parler de choses précises ensemble. Il pense et je fais de même, nous nous tenons mutuellement compagnie et, au bout du compte, c'est comme si nous avions passé des heures en conversation intime.

~

Marina trouva à Jeanne un emploi à temps partiel, trois après-midi par semaine, chez Mumford, un éditeur de livres pour enfants pour qui elle réalisait parfois des illustrations, une toute petite maison d'édition, littéralement une maison, située non loin de l'université, une coopérative de mères nommée en l'honneur de la grand-mère suffragette de l'une des éditrices, Jo Mumford. Les éditrices avaient surnommé la maison Mum's the Word. Le travail de Jeanne consistait à faire tout ce qu'on lui demandait : dactylographier des factures, livrer des colis, faire des photocopies, préparer le café. Comme Marina leur avait dit que Jeanne savait cuisiner, il lui arrivait aussi de préparer à manger dans la petite cuisine derrière l'atelier de reliure. Elle apprit à utiliser la presse à bras et imprima de petits tirages de signets – objets cultes dans la lutte pour la suprématie féministe opposant la maison aux presses universitaires, lesquelles produisaient des signets arborant des dessins ironiques de mets insipides : le « signet pomme de terre bouillie », le « signet œuf dur ». Mum's the Word contre-attaqua avec sa propre série de symboles domestiques férocement médiocres : le « signet bouilloire » et le « signet aspirateur ».

Tandis qu'elle marchait jusqu'à l'université ou au travail, les panneaux de la ville se révélaient désormais faits de caractères d'imprimerie. Elle songeait à Lucjan chinant des papiers de garde pour le relieur-sur-le-parc. Elle songeait au papier, aux premières feuilles à être manufacturées en longueurs infinies, sans coupures, se déroulant sur la machine à Frogmore en 1803.

Jeanne entreprit de créer une police de caractères botanique. Elle commença par A et E, aster et églantine. Avery et Escher. Elle était incapable de l'exécuter de façon satisfaisante, mais arrivait à se la représenter dans le détail en imagination. Elle songea à demander à Marina si celle-ci accepterait d'illustrer un volume-échantillon de son livre de remèdes aux afflictions imaginaires si Jeanne en réalisait elle-même la typographie, un seul exemplaire destiné à Avery, cousu main. Marina était occupée à illustrer une série de petits romans d'aventures classiques à couverture cartonnée – *L'île au trésor, Le tour du monde en quatre-vingts jours, La machine à voyager dans le temps* –, dont chacun devait être suivi d'un volume sœur présentant la même histoire racontée du point de vue d'une héroïne féminine. « Même si, bien sûr, je connais les intrigues, disait Marina, je lis avec impatience, fiévreusement, en espérant que les choses vont prendre un tour différent de ce que je me rappelle, en espérant à chaque instant une meilleure fortune, un sursis, en espérant que mon espoir pourra y changer quelque chose… »

Jeanne était assise à sa table, stylo dans les airs, ses livres de semences et une carte de la ville étalés autour d'elle, tandis que le chagrin allait de sa tête à son cœur, paralysie rampante. La tristesse lancinante de n'avoir pas connu le père d'Avery. Avery enfant, apeuré, dans un café de Turin, un morceau de gaze sur le menton. Chaque détail, chaque regret étaient accompagnés de la peur que ce qu'elle avait vécu avec Avery ne soit effacé par le toucher de Lucjan, par les histoires de Lucjan. Il lui avait prêté un livre de photographies de Varsovie, des vues montrant les mêmes pâtés de maisons avant et après la destruction, où seuls un arbre ou un mur témoignaient de ce que le photographe avait bien pris les photos du même endroit. Elle sentait Lucjan, et ce qu'on éprouvait en se tenant en ce lieu.

Il faisait maintenant trop froid pour planter, et les projets de Jeanne pour les différents quartiers, pour Chinatown, la Petite Italie, les quartiers grec, indien, tibétain, jamaïcain, arménien, devraient attendre le printemps.

Les plans de Jeanne avaient trouvé un allié inattendu : Daub Arbab, qui, au fil des mois, lui avait envoyé des semences et des conseils relatifs à leur mise en terre depuis les endroits où il travaillait. Et, à Daub, Jeanne avait confié une question douloureuse. Elle espérait qu'il trouverait les mots pour elle, croyait en lui depuis leur voyage à Ashkeit. Et parce que, lorsqu'elle était rentrée au camp après avoir quitté l'hôpital du Caire, Daub avait dit : « Tu pleures pour toutes les raisons quotidiennes. Tu pleures parce que tu ne brosseras jamais les cheveux de ta fille. »

Comme la foi est viscérale, ce doute l'était aussi. Il avait d'abord pris naissance en elle quand, debout devant le temple reconstruit, elle avait eu l'impression que sa douleur personnelle était quasi inconcevable. Qu'était la perte individuelle comparée à la dévastation universelle – la perte de la Nubie, la destruction de villes. Elle avait honte de son malheur. Et pourtant, sa honte n'était pas correcte, elle savait qu'elle ne l'était pas. Pleurer, c'est honorer. Ne pas céder à cette lamentation, à cette absence – un déshonneur.

« Ta lettre m'a rejoint à Bombay, écrivait Daub, et demain j'entreprends le voyage, long de centaines de kilomètres, au bord d'un fleuve, la première étape de construction d'un barrage. Dans le taxi qui me ramenait de l'aéroport, des masses de gens se pressaient autour de la voiture, mains et visages écrasés contre les vitres, ils cognaient sur le capot et sur les glaces, que j'avais laissées fermées, et je suffoquais à cause de la chaleur et de la misère qui m'entouraient, comme si j'avais été à bord d'un blindé. Puis je m'étirais, l'âme coupable, sur un lit d'hôtel.

« Si j'avais une femme, je ne serais pas ici. Je serais près de chez moi, en train de construire quelque chose d'inoffensif, un pont ou une école. Mais voilà plutôt que j'erre, ma solitude agrippée à moi comme un chardon. Pourquoi Avery n'est-il pas avec toi ? Si tu étais ma femme, je serais à tes côtés. Si l'amour te trouve, il ne faut pas perdre un seul jour. Je te regardais marcher dans le camp, les dernières semaines avant la naissance de ta fille, toute à ton horreur et à ta détresse, et j'étais incapable de comprendre à ce moment-là, comme je le suis encore aujourd'hui, la réticence d'Avery. Je crois qu'il s'agit toujours de prendre l'être qu'on aime dans ses bras. Mais je ne connais rien du mariage et j'ignore quels silences sont nécessaires. Pour ce qui est de ta question, chère Jeanne, je suis étendu ici à tenter de trouver quoi te dire.

« Peut-être existe-t-il un mort collectif. Mais il n'est pas de mort collective. Chaque agonie, chaque naissance : une mort unique, une naissance unique. La mort d'un homme ne peut se mesurer à l'aune de millions, pas plus que la mort d'un homme ne peut être mesurée à la mort d'un autre. Je te supplie de ne pas te tourmenter à ce sujet. Nous avons passé plusieurs mois dans le désert ensemble et je connais un peu ton cœur. Je t'en prie, assieds-toi tranquillement tandis que tu lis ces lignes et entends ce que je te dis : il n'est pas nécessaire de remplacer ton deuil par une pénitence. »

Il y a trop de sable dans le ciment, avait dit Avery, et Jeanne avait écouté, allongée près de lui dans le noir, ne se possédant presque plus, berçant l'immobilité tapie dans son ventre. Ce n'est pas la faute des ouvriers, avait-il continué, ils ont été laissés sans supervision. Ce n'est pas sous l'effet de l'air que le ciment durcit, comme le croit la majorité des gens, mais grâce à une réaction chimique… Et maintenant, dans la cuisine de l'avenue Clarendon, Jeanne percevait le désespoir d'Avery. Le ciment qui refusait de sécher.

~

Lucjan travaillait à une série de cartes conçues pour être casées, une fois pliées, dans la boîte à gants d'une voiture. Il peignait chaque détail avec soin, comme une enluminure médiévale sur un manuscrit. Tous les corps de métier, avait-il expliqué à Jeanne, possèdent une carte de la ville qui leur est propre : les exterminateurs de rats et de cafards, les attrapeurs de ratons laveurs, les employés de la compagnie d'électricité, ceux affectés aux égouts, et les ouvriers qui réparent les routes. Il existe une carte pour les mères, où figurent les animaleries, les toilettes publiques et les endroits où l'on peut ramasser des pommes de pin, où sont indiquées la largeur des trottoirs et la profondeur des nids-de-poule en prévision des landaus, des tricycles et des chariots que l'on tire. Les tricoteuses possèdent leur propre carte, qui liste tous les fournisseurs de laine de la ville. Lucjan fabriqua une carte des racines d'arbre remarquables, des corridors de vent et de l'écoulement de l'eau. Il fit une carte du café (où figurait un seul lieu), une carte du sucre, une carte du chocolat, une carte des ginkgos, une carte des saules pleureurs, une carte des ponts, des fontaines publiques, des rochers d'un diamètre supérieur à un mètre et demi. Une carte des cordonniers. Une carte des tonnelles de raisin, une carte des sites où faire voler un cerf-volant (sans fils électriques aériens), une carte des glissades (collines à la base desquelles il n'y avait ni routes ni clôtures). Ensuite venaient les cartes personnelles. La carte des remords. La carte de la gêne. La carte des disputes. Les cartes des déceptions (amères et légères). La carte des morts ; les cimetières aménagés à flanc de colline. Et la carte à laquelle il travaillait quand il fit la connaissance de Jeanne – peut-être la plus belle de toutes –, une carte de choses invisibles, une carte des pensées indiquant où les gens avaient conçu une idée, une peur, un espoir secret; certaines étaient bien connues, d'autres intimes. Le carrefour où un roman avait été imaginé pour la première fois, un parc où l'on avait rêvé d'un enfant. La plage où un architecte avait envisagé la silhouette de ses édifices dans le ciel. Le banc où un peintre avait eu la prémonition de sa propre mort. « Comment peut-on peindre ce qui n'est pas là ? » demandait Jeanne. « On peint un lieu exactement tel qu'on le voit », disait Lucjan. « Puis on le peint de nouveau. »

~

Paweł, l'ami de Lucjan, faisait partie des Stray Dogs, un ensemble de jazz formé d'hommes âgés – à l'exception de Paweł, de plusieurs décennies leur cadet. Lucjan était un membre silencieux ; il ne jouait d'aucun instrument mais avait le don de dénicher des objets inusités sur lesquels frapper et, parce qu'il les comprenait, ses conseils étaient inestimables ; on faisait parfois appel à lui pour rompre l'égalité lors d'un vote. Le cornettiste, Janusz, le benjamin du groupe après Paweł, fier de sa jeunesse, se présenta à Jeanne comme ayant « à peine soixante-dix ans tout habillé ». Quelques-uns arboraient en permanence un air de passion flétrie tandis que le visage de certains autres, dont le chef, M. Snow lui-même, exprimait un chagrin si profond qu'on avait du mal à n'en pas détourner les yeux. M. Snow – Jan Piletski – avait travaillé avec son père à la poissonnerie de la rue Rynkowa à Varsovie avant la guerre. « À un pâté de maisons de là, expliqua Lucjan à Jeanne, on pouvait déjà distinguer les longs étals posés sur des tréteaux, étincelants d'argent, lac miroitant planant au-dessus du sol. Mais c'était un mirage nauséabond. Quand le vent soufflait, la puanteur du poisson flottait sur un demi-kilomètre dans toutes les directions. Une fois la semaine, j'y accompagnais ma mère et nous regardions chaque fois un homme assis à son chevalet, occupé à peindre la marchandise. Ses poissons étaient réalistes, montrant la moindre écaille irisée – jusqu'à l'odeur. » La femme de Jan, Beata, avait fait allusion à l'arôme particulier du marché en le baptisant eau de Piletski, et le surnom que donnèrent les Stray Dogs à Jan Piletski lui-même leur avait été inspiré par le personnage de pêcheur de harengs d'une chanson tirée de la comédie musicale *Carousel*. C'est ainsi que Jan Piletski prit pour nom de scène « M. Snow », nom aussi choisi en l'honneur de son père poissonnier, mort durant l'insurrection.

Les Dogs se souvenaient tous de l'époque du Crocodile Club, du Quid Pro Quo, du Czarny Kot – le Chat noir – et du Perskie Oko – l'Œil persan. Ils rêvaient encore à la reine de la chanson populaire, Hanka Ordonówna, et faisaient référence à sa longue liaison avec « ce vieillard » de Juliusz Osterwafor avec dédain et jalousie. Les Stray Dogs étaient unis par l'âge, par une malchance inexprimable, par un exil qui les définissait si complètement qu'il était difficile de leur imaginer quelque autre destinée, non plus qu'à leurs accords progressant, telle une nage synchronisée, et à leur son distordu. Les unissait aussi la conviction que l'on ne se souvient jamais de l'existence d'un être dans ses vicissitudes et sa variété, mais comme un distillat, une réduction de soixante ou soixante-dix ans en un ou deux moments, quelques images. Ou, comme aurait pu le formuler Hors Forzwer – maître de cérémonie au Club du cercle de Varsovie –, du jus à l'essence. Pour chacun, les concepts de « musique » et de « femmes » étaient indissociables, aussi indissociables que ceux de « musique » et de « solitude ». Les idées de « musique » et de « femmes » ne pouvant être séparées, elles créaient en réalité un tout irréductible, telle une molécule définie par ses composantes et qui, si elle est altérée, se transforme en une chose impossible à reconnaître. Comme « mort » et « vie » sont dénuées de sens l'une sans l'autre, il en va de même pour « musique », « femmes », « solitude ». Tout cela était manifeste dans une seule note tordue jusqu'à devenir méconnaissable, un seul accord aussi lourd que la cuisse qu'une femme jette en travers de la poitrine d'un homme pendant la nuit. Ils jouaient une cave emplie d'abandon, le regard coupable d'un moment d'inattention, le cercle de café durci comme de l'émail au fond de la tasse, le moignon d'une bougie consumée dans la soucoupe de porcelaine. Et pourtant, il y avait aussi une sorte de consolation, la consolation que l'on éprouve en émergeant des ruines quand on constate qu'au moins on n'a plus de cheveux susceptibles de s'enflammer, ou que, pour l'instant, la prothèse que l'on porte n'est pas douloureuse. « Nous voulons qu'en écoutant notre musique les gens aient envie de rentrer chez eux, expliquait M. Snow, et si la salle s'est à moitié vidée quand nous finissons la première représentation, nous sommes au comble de la joie, claironnait-il. Parce que, pour une fois, il aura semblé préférable d'être seul chez soi avec sa misère plutôt qu'ici à nous écouter. Voilà le genre de bonheur que nous sommes capables de provoquer ! »

Les Stray Dogs – alias les Hooligans, les Troublemakers, les Bandits, le Carbon Club (ce nom faisant référence aux derniers jours de l'insurrection, quand Kazimierz Marczewski, deuxième lieutenant de l'Armée de l'Intérieur, aussi architecte et urbaniste, resta debout au cœur de Varsovie alors qu'autour de lui pleuvaient les bombes incendiaires et explosaient les mines, à dessiner les plans de reconstruction de la ville sur du papier carbone) – se livraient à d'étranges obsessions musicales, comme enchevêtrer des airs de comédies musicales de Broadway jusqu'à atteindre un résultat lancinant, déchirant, en les dépouillant de leurs doux espoirs et de leur candeur pour en extraire trahison et désespérance par le biais de ce que Lucjan qualifiait d'« acupuncture émotionnelle ». Et ils jouaient *Stoned Soul Picnic* et *Stoney End* (*Kamienny Koniec*) de Laura Nyro parce que celle-ci ressemblait à Beata dans sa jeunesse – en fait, elle en était la réplique exacte –, la femme de Jan qu'ils se rappelaient tous avec grande émotion. Comme elle était belle – *Jakże była pikęna.*

« Je suis né de l'amour – *Jestem dzieckiem miłośći* », grondait M. Snow, dont la voix brûlait les oreilles de Jeanne. « Et ma pauvre mère travaillait dans les mines – *A moja biedna matka pracowała w kopalni...* Je n'ai jamais voulu prendre le chemin de la pierre –

Do kamiennego końca... Maman, laisse-moi recommencer du début, Berce-moi encore. »

Il y avait bien sûr les *zakazane piosenki,* les « chansons interdites », tous les classiques de l'Orchestre de la rue Chmielna : *Un cœur dans un sac à dos, Pluie d'automne, Raid aérien, Par le marché noir tu survivras* et *Je ne peux venir à toi aujourd'hui.* Et, il va sans dire, le classique de Hanka Ordonówna, *L'amour pardonne tout,* que M. Snow chantait d'une voix marquée par un sarcasme si amer que Jeanne aurait voulu se boucher les oreilles pour éviter que son cœur ne se flétrisse. « C'est le seul être vivant capable de poser un regard désapprobateur même sur un chaton », disait Lucjan. M. Snow chantait « *Miłość Ci wszystko wybaczy* – L'amour pardonne tout, pardonne la trahison et les mensonges » et quand il atteignait le dernier vers : « *Bo miłość, mój miły, to ja* – L'amour, chérie, c'est moi », dans son couinement étranglé, l'on avait l'impression qu'il était préférable de mourir seul au fond d'un fossé plutôt que de connaître l'amour encore une fois.

Les Stray Dogs déconstruisaient chaque chanson, désamorçant la mélodie, péniblement, douloureusement, tels des soldats désamorçant une bombe, puis ils en retournaient chaque élément tant de fois qu'il en venait à se désintégrer. Après quoi ils la reconstituaient à partir de rien, notes et fragments de notes, sons distordus et soupirs, en faisant grincer les cuivres et en frappant sur les touches muettes des instruments à anche. Quand enfin la mélodie apparaissait à nouveau, on était malade de désir à force de l'attendre. « Au début, disait Janusz, le cornettiste, suivre M. Snow dans un morceau, c'était comme suivre les traces d'un lièvre – je ne savais jamais où il allait atterrir. Mais après un certain temps, je suis arrivé à deviner où son imagination démente l'emmènerait et, une ou deux fois au cours des années, j'ai même réussi à y arriver avant lui. Tu aurais dû voir son sourire – comme s'il avait ouvert une porte et s'était enfin retrouvé chez lui. Je pense que c'est la plus belle chose que j'aie jamais faite pour un homme, le délivrer de sa solitude pendant une mesure ou deux. »

Paweł (contrebasse) portait une chemise boutonnée et un mince veston à motif pied-de-poule, Tomasz (trombone) était vêtu d'un cardigan informe qui tombait en plis sur ses hanches ; Paweł avait les cheveux longs, Piotr n'avait pas de cheveux. Tadeusz (saxophone), que l'on appelait Ranger – diminutif de « arrangeur » –, ne portait jamais autre chose qu'une chemise de flanelle à carreaux, été comme hiver. Ranger, celui qui était au Canada depuis le plus longtemps, devait son anglais d'érudit à une professeure de langue slave convaincue qu'elle avait eu deux idées de génie : d'abord, avoir épousé Ranger, puis en avoir divorcé.

La première fois que Jeanne entendit les Dogs, ils répétaient au café de Paweł, après la fermeture, une mélopée fracturée qui tourmentait l'air, déréglée comme du papier à musique, décomposition mécanique d'arrêts et de reprises, notes grinçantes, râpeuses, jaillissantes, claudicantes. C'était la musique de noceurs trop vieux pour passer toute la nuit debout, trop diminués pour faire un pas de plus. Impatiente et triste. Une maigreur tonale. Un à un les musiciens se turent, jusqu'à ce que le silence se fasse. Jeanne écouta, hypnotisée, comme on regarde un bol qu'on a laissé tomber tournoyer sur le plancher en attendant l'inévitable immobilité.

Elle songea à des rochers menaçants qui déboulent au bas d'une pente, à de la circulation arrêtée, à des conversations qui s'interrompent et reprennent non pas paresseusement, mais pour indiquer la fin de tout.

— La nuit, disait Lucjan, je restais étendu dans ma *melina* à écouter la pluie de pierres. Des morceaux de briques ou de plâtre en équilibre instable quelque part dans les ruines obscures atteignaient le moment de tomber – par la force du vent, de la gravité ou de la botte d'un soldat. Peu à peu, je m'y suis accoutumé, je n'avais pas d'autre choix, c'était ça ou perdre la raison à attendre le prochain bruit, qui ne venait que lorsque j'avais presque trouvé le sommeil et que je m'éveillais de nouveau à l'attente. Je me rendais compte combien j'étais loin de ces soirs de printemps, rue Freta, où j'écoutais tomber la pluie avec ma mère, alors que mon seul problème consistait à décider quel conte de fées lire avant de me coucher, ou quel dessert choisir ce soir-là : gâteau aux pommes ou gâteau aux graines de pavot.

— Maintenant je comprends ce que jouent les Stray Dogs, dit Jeanne. La pluie de pierres…

Le seul membre (ci-devant et non officiel) des Stray Dogs qui n'ait pas connu les autres à Varsovie était Jan, un Lituanien de Saskatchewan qui, un soir qu'il rentrait chez lui à une heure tardive après avoir joué du piano d'atmosphère dans un hôtel, était tombé sur Lucjan, assis au bord de la route, plongé dans la contemplation d'un encadrement de lit en métal et se demandant comment il pourrait le transporter jusqu'à la maison. Jan avait proposé d'en soulever un bout et Lucjan avait empoigné l'autre. Ils avaient bu du thé à la menthe glacé et de la vodka jusqu'à l'aube dans l'atelier de Lucjan. Puis Jan avait pris l'initiative de répandre des oignons verts dans une poêle et de verser dessus les trois œufs qui restaient à Lucjan. « C'est ainsi, dit Lucjan à Jeanne, que se scellent les amitiés. »

Les Stray Dogs se réunissaient régulièrement chez Lucjan pour régler leurs affaires, de nature financière ou autre. Ils maintenaient qu'ils s'y retrouvaient le premier mardi du mois, mais la réunion était presque toujours reportée à la dernière minute et, en dix ans, elle n'avait encore jamais eu lieu un mardi. C'était là ce qui s'approchait le plus d'un échéancier qu'ils arrivassent à respecter – l'horaire du jamais-le-mardi.

« Il est important de garder des illusions, disait Lucjan, pour l'amour de l'ordre. »

Paweł emmenait toujours à ces rencontres son petit chien blanc au museau pointu – un cône blanc terminé par un bouchon noir. Jeanne regardait le chien manger délicatement dans la main de Paweł. On n'aurait certainement pas pu prétendre que celui-ci était le « maître » de l'animal, car dans chacun de ses gestes l'homme révélait sa sollicitude. Par temps froid, le chien portait un manteau en tricot bleu marine qui lui donnait fière allure. L'été, Paweł transportait un thermos d'eau et mettait ses mains en coupe pour que le chien puisse y boire.

C'était en l'honneur de ce petit chien, leur mascotte, que les hommes avaient baptisé leur orchestre, dont le nom rappelait aussi un certain café de Saint-Pétersbourg que fréquentaient avant la guerre des poètes interdits. C'était leur triste petite blague soviétique ; une autre façon de se cacher ; un hommage délabré ; un geste de la main de l'autre côté de l'abîme. Inconfortable, comme ils préféraient que le soient les choses. Un temps, ils avaient songé à garder le nom sous lequel ils étaient connus à Varsovie, The Hooligans, mais, au bout du compte, c'était trop douloureux ; aussi avaient-ils laissé le nom derrière eux, comme tout le reste.

~

Lucjan et Jeanne marchaient dans les rues détrempées par la pluie, brillant d'un éclat sombre, pour aller entendre les Stray Dogs au Door with One Hinge, une boîte de nuit qui n'ouvrait que le samedi soir.

— À Varsovie, dit Lucjan en tapant du pied dans les caniveaux luisant de feuilles mouillées, Paweł et Ewa possédaient leur propre théâtre, ils présentaient un spectacle par semaine dans leur appartement, et la police y faisait sans cesse des descentes. C'était avant la création d'extraordinaires compagnies théâtrales telles que Pomarańczowa Alternatywa, Alternative orange. Ewa et Paweł formaient l'avant-garde, menant toutes sortes d'équipées – du théâtre de rue où des pièces entières avaient une durée de cinq minutes et dont le public se dispersait avant l'arrivée de la police, ou bien des épopées se déroulant dans une série de lieux donnés de la ville et qui s'étendaient sur toute une journée. Aujourd'hui, Ewa fabrique des décors pour tous les petits théâtres d'ici. Il m'arrive de peindre pour elle. Il y a des gens qui demeurent des étrangers, quel que soit le temps qu'ils ont passé dans un lieu, peu importe ce qu'ils y ont accompli, alors que d'autres trouvent simplement le courant et y plongent où qu'ils soient ; ils sont toujours au fait de la question de l'heure, savent qui pense quoi et d'où viendra le prochain événement. Ewa est ainsi – une suprême iconoclaste. Quand on s'affairait à reconstruire Varsovie à toute vitesse, elle organisait des concours de beauté pour le bâtiment le plus réussi, dont on couronnait la maquette du titre de « Monsieur Varsovie » lors d'une cérémonie tenue tous les mois dans son appartement.

Ewa fait appel non seulement à son mari, Paweł, mais à tous les Dogs afin qu'ils lui prêtent main-forte. Pour une production d'*En attendant Godot,* nous avons fait plus de cinquante excursions au ravin pour y ramasser des sacs de feuilles mortes ; pendant des jours, Paweł a fait la navette entre le parc et le théâtre – une salle au-dessus d'une imprimerie –, sa Coccinelle Volkswagen pleine à craquer. Leurs enfants aidaient à vider les sacs sur le plancher du théâtre et couraient partout munis de séchoirs à cheveux jusqu'à ce que les feuilles soient parfaitement sèches. Le soir de la première, on enfonçait jusqu'à la taille dans le théâtre et la pièce entière tremblait à chaque pas. Une éternité de feuilles venant des deux arbres dénudés de Becket au milieu de la salle. Pour *Le Cercle de craie caucasien* de Brecht, Ewa a utilisé des pierres que Paweł, les Dogs et moi avions tirées du lac. Les petits théâtres adorent tous Ewa parce qu'elle ne leur coûte jamais un sou.

Lucjan et Jeanne partaient vers vingt-deux ou vingt-trois heures pour aller rejoindre les Stray Dogs, affamés après une soirée de travail. Jusqu'à ce qu'il fasse trop froid, ils aimaient pique-niquer sur la pelouse bourgeoise, lisse comme un tapis de table de billard, du réservoir Rosehill, d'où l'on avait une vue panoramique de la ville. Ils mangeaient des pommes de terre froides et du fromage, du pain sucré et des prunes acidulées. Ewa et Paweł venaient après l'une des pièces d'Ewa, avec le petit chien de Paweł, qui filait, telle une luciole, dans l'herbe sombre. Des plateaux de nourriture passaient de main en main, des thermos de thé. Les hommes s'allongeaient et regardaient les étoiles. Jeanne restait couchée là elle aussi, dans le gazon frais. Dans l'obscurité, elle écoutait les histoires, les ressentiments, les regrets... Le regard aguicheur qu'avait décoché une femme en passant, cinquante-cinq ans plus tôt, à bord du train pour Wrocław. La bière froide sur le bateau de Sielce à Bielany. Les femmes, les femmes, les femmes : le galbe du mollet d'une passagère s'étirant pour atteindre son sac dans le casier à bagages sur le navire, la manière dont les muscles des fesses de cette chanteuse de Łódź se contractaient sous sa robe soyeuse quand elle poussait les notes les plus aiguës ; combien d'histoires d'amour éphémères avaient goûtées ces vieillards, non pas faites de simple luxure, mais pleines de passion et de promesses compliquées, des histoires jamais jouées, pas même un clin d'œil, de sorte que jamais ne pesait le fardeau d'une fin malheureuse. Jamais à sens unique, toujours possibles sauf « dans les circonstances ». Sur cette question précise, les femmes avaient cessé d'écouter leurs hommes trente ans plus tôt et elles s'étendaient ensemble, leurs robes étalées autour d'elles ou serrées sur leur chair majestueuse, pour parler des enfants et des petits-enfants des unes et des autres, des rages de dents et des remèdes, des talents et des accomplissements.

Jeanne se faisait l'impression d'être un épouvantail au milieu de ces femmes, le harem polonais, comme elle avait eu le sentiment de l'être parmi les femmes nubiennes.

Elle prêtait l'oreille aux envolées politiques des hommes, au récit de leurs escapades romantiques, des concerts dans des soues à cochons et dans des cafés à la grandeur de la France et de la Pologne, tandis qu'ils gagnaient de quoi continuer à avancer vers la mer. Tout cela dans le parc à minuit, hommes et femmes couchés et immobiles dans l'herbe, « comme les morts, disait Lucjan, potinant sur un champ de bataille ». Jeanne écoutait pendant que la main de Lucjan la trouvait ; il lui semblait qu'il pouvait toucher chaque parcelle d'elle à la fois, d'une seule main. Il enroulait sa large ceinture autour de la taille de Jeanne, la serrait et la bouclait. Il lui tirait les cheveux jusqu'à ce que chaque parcelle de son être se tende vers lui, sa bouche entrouverte. Tout cela dans l'herbe froide de la nuit. La nuit était voix et Jeanne, soumise, sentait le murmure des amis de Lucjan sur son corps.

~

Lucjan transportait un melon d'eau qu'il avait peint de manière à ce qu'il ressemble à un gros chat blanc endormi roulé en boule. Jeanne portait une tarte au cappuccino – spécialité du café Sgana – emballée dans de la glace. Ils atteignirent une maison en rangée de la rue Gertrude.

Du porche d'Ewa et Paweł, Jeanne pouvait voir à travers la maison étroite, jusqu'à la minuscule cour arrière. Le hall d'entrée croulait sous les accessoires de scène, les bicyclettes décorées de façon excentrique, les jouets d'enfants et les cahiers à croquis géants posés contre les murs. Même la rue était à l'étroit, des voitures garées des deux côtés de la chaussée, des maisons divisées en deux, partageant un seul porche, un seul jardin. Chaque propriétaire avait fait son petit effort pour distinguer sa moitié. Les maisons avaient atteint l'extrême limite de ce qu'on pouvait en tirer, à l'intérieur comme à l'extérieur. Avant même d'avoir franchi le seuil, Jeanne éprouva l'élan d'une nouvelle affection.

Le salon d'Ewa et Paweł était plein d'enfants et de Dogs. Des invités juchés sur les bras des fauteuils, à genoux, assis en tailleur par terre.

Un des murs du couloir était recouvert de peintures d'enfants : papillons, fleurs, un gros soleil jaune.

— Les enfants peignent le mur comme ils veulent, dit Ewa. Et puis, chaque mois, nous le repeignons et ils peuvent recommencer.

Ewa disparut et revint avec un plateau de thé et de gâteaux. Elle le donna à Paweł, qui le passa à la ronde.

Jeanne et Lucjan suivirent Ewa dans la cuisine. Quelqu'un dit : « C'est la copine de Lucjan », et Jeanne se trouva encerclée. Les femmes touchèrent ses cheveux et tâtèrent ses bras, la palpant pour l'évaluer, comme si elle était une étoffe, un sac à main ou un collier coûteux, ou un prodige exposé dans une vitrine. Jeanne manqua défaillir à cause de leurs parfums, de leur douceur et, plus que tout, de leur approbation roucoulante. Elle était maintenant assise à la table de la cuisine, un verre de vin à la main, la voix des femmes tissant un sortilège autour d'elle. Elle voyait Lucjan qui la regardait, amusé, à l'autre bout de la pièce.

— Lucjan me dit que vous l'avez reconnu grâce à son travail, dit Ewa. Elle rit. Il jouit de ce que les journaux appellent une « célébrité locale ».

Jeanne sourit.

— J'en jouis, dit Lucjan, uniquement parce que personne ne sait qui je suis, et que je n'ai jamais à faire face à mon public.

— À moins que quelqu'un ne te prenne sur le fait, dit Ewa.

— Oui. Il fronça les sourcils. C'est pour cela que je ne sors peindre qu'à la nuit tombée.

Les enfants d'Ewa et Paweł, cinq et sept ans, grimpèrent sur les genoux de Jeanne et s'en donnèrent à cœur joie. Jeanne resta immobile tandis qu'ils l'étudiaient, examinant ses cheveux, l'auscultant à petits coups de doigts. Ils fabriquèrent des pendeloques avec des cerises qu'ils suspendirent à ses oreilles, où elles tressautaient telles des billes en plastique.

— Est-ce qu'ils veulent être médecins ou bien coiffeurs ? demanda Jeanne en riant.

— Un médecin, l'autre coiffeur, évidemment, répondit Lucjan qui, dans l'embrasure de la porte, retirait un plaisir évident de l'initiation de Jeanne.

Jeanne découvrit bientôt que les fêtes qu'organisait Ewa comportaient toujours un projet. On déroulait d'énormes rouleaux de papier brun et tout le monde peignait une murale ; on agrafait un drap au mur pour y projeter un film pendant que les Dogs jouaient, brodant une mélodie faite de silence et du ronronnement du projecteur. Des acteurs se réunissaient au milieu du salon et, avec rien de plus qu'une cuillère ou un torchon à vaisselle, transformaient la réalité – ils canotaient un dimanche sur un étang ou dérivaient dans un canot de sauvetage sur la mer du Nord ; tout à coup ils étaient des amoureux en piquenique sur une couverture, ou des voleurs, ou des enfants sur une balançoire. Jeanne savait que ces acteurs travaillaient ensemble depuis longtemps, qu'il y avait entre eux une histoire organique. Elle avait vu Avery faire des miracles avec des objets, des galets sur la plage, des règles et des blocs de bois, à l'aide desquels il créait des ponts, des châteaux, des villes entières. Mais sa magie était solitaire et toute intellectuelle comparée à la communication instantanée et complexe entre ces corps, l'instant changeant sans cesse, s'approfondissant jusqu'à devenir humour ou détresse. Et parfois une percée s'ouvrait dans ce pathos intense, et tous ceux qui observaient de loin dans la pièce sentaient s'y déverser leur propre détresse. Crac! la terre de la scène se déchirait et tout le monde culbutait ensemble dans le naufrage de la mémoire. Et puis les acteurs se mêlaient de nouveau à la fête, et l'on recommençait à passer la nourriture et les bouteilles.

Les cheveux de Jeanne, remontés à l'aide de pinces, se dénouaient doucement. Elle avait passé le pull de Lucjan sur ses épaules.

— Tu es rayonnante de bonheur, dit Ranger.

Il s'assit près d'elle.

— Est-ce que Lucjan te parle? demanda-t-il.

Jeanne le regarda, étonnée.

— Oui, Lucjan me parle.

Ranger étira les jambes.

— Je suis soûl, dit-il.

Il posa la tête sur l'épaule de Jeanne.

— Et si le moment le plus important, le plus signifiant, le plus intime de ta vie était aussi le moment le plus important et le plus intime pour des centaines de milliers d'autres personnes? dit Ranger. Tout homme qui a survécu à une bataille, au bombardement d'une ville, à un siège, a partagé le même moment personnel avec des milliers d'autres. Les gens prétendent que ça forge une fraternité. Mais qu'est-ce qui t'appartient? Rien. Pas même le moment le plus important de ta vie n'est à toi. O.K., très bien. Mais qu'en est-il de ce qui se passe entre un homme et une femme dans le noir, en privé, au lit? Je dis qu'il n'y a rien d'intime là non plus. Tu lui prends la main dans la rue, tout le monde sait ce que vous faites la nuit. Vous avez un enfant, tout le monde sait ce que vous avez fait ensemble.

Jeanne était silencieuse. Elle sentait le poids moite de la tête de Ranger contre elle, une tristesse atroce. Puis elle dit, d'une voix douce: Est-ce que tu veux dire que toutes les femmes et tous les hommes sont semblables, qu'une femme est exactement pareille à une autre? Ou essaies-tu de me dire que Lucjan a couché avec beaucoup de femmes? Si c'est le cas, ne t'inquiète pas, il me l'a dit lui-même.

— Et qu'importent les détails? continua Ranger. Le père de l'un, le père de l'une, la mère de l'un, la mère de l'une, l'enfance démunie, l'enfance heureuse… Même les particularités de nos corps – au moment de la passion, à ce moment précis, la femme est n'importe quel corps, n'importe quel corps ferait l'affaire.

— N'as-tu jamais été amoureux?

— Bien sûr. J'ai soixante-quatorze ans. Mais l'expérience de l'amour – ce que l'on ressent – est chaque fois la même, quel que soit l'objet de cet amour.

Lucjan arriva, portant le verre de Jeanne.

— Jeanne, est-ce qu'il est en train de te faire peur ? Ranger, j'aimerais mieux que tu te retiennes – c'est mon boulot.

Ranger courba la tête et tendit la main vers le verre de Jeanne.

— Non, dit tranquillement Lucjan. Le langage n'est qu'approximation ; c'est la violence qui est précise.

— Non, dit Ranger en élevant la voix. La violence est un hurlement – le hurlement ultime – inarticulé.

— Non, dit Lucjan. La violence est précise, toujours droit au fait.

— Ce n'est qu'une querelle philosophique, dit Ranger. Bois un coup.

— Es-tu fou ? cria Lucjan.

Lucjan attrapa Ranger par les épaules et s'apprêta à le secouer. Mais il regarda son visage désespéré et choisit plutôt de lui embrasser le sommet du crâne.

— Tu me rends malade, dit Lucjan.

— Pareillement, dit Ranger.

Tout à coup, Ranger se tourna vers Jeanne.

— Du sang frais, dit Ewa en donnant un coup de coude à Lucjan.

— Qu'en dis-tu, Jeanne ? Tu es ma dernière chance.

— J'ai besoin d'un moment pour y réfléchir.

— Ha, dit Ranger.

— Non, elle est sérieuse, dit Lucjan.

Ils lui octroyèrent donc dix minutes de paix. Quittant le vacarme de la fête, Jeanne s'aventura à l'étage, dans la chambre des enfants, et s'assit sur un lit étroit.

Près d'elle, sur une petite table, se trouvait une boîte pleine de bouchons de bouteilles. Il y avait aussi un chat en peluche et un dessin montrant un cœur ailé flottant au-dessus de l'océan. Le cœur avait également une ancre qui disparaissait dans les vagues. Y penser lui donnait mal à la tête.

La violence est une forme de parole. La violence est une forme de mutité. Bien sûr.

— Tu veux encore croire en quelque chose, dit Ranger. Tu crois encore qu'il existe des qualités telles que l'altruisme, ou le bon voisinage, ou même l'abnégation. Tu crois encore que quelqu'un va sortir du rang et proposer un plan ! Tu crois encore que les magnifiques livres ou les magnifiques chansons qu'écrit un homme lui ont été inspirés par l'amour, et qu'ils ne sont pas un moyen de se vanter de toutes les femmes qu'il a eues. Tu crois encore que l'amour est une bénédiction et non pas un désastre. Tu crois encore en un pacte sacré qu'on scelle pendant une nuit d'amour où l'âme se révèle, tu crois encore aux goûts, aux cicatrices, aux cartes, à une voix de femme qui chante l'amour, le chaud baiser du whisky entre ses jambes, un solo de saxophone joué par un vieux Polonais en chandail avec une voix comme une erreur. Tu crois encore qu'un homme unira sa vie à celle d'une femme après une seule nuit. Tu crois encore qu'un homme rêvera d'une seule femme pendant le reste de sa vie. Je crois qu'il faut prendre ce qu'on veut jusqu'à ce qu'il n'en reste plus rien. Je crois qu'il faut coucher avec une femme pour ce qu'elle a à vous apprendre. Je crois à la loyauté entre les hommes qui savent qu'ils vont se défiler à la première occasion. Je crois qu'on ne peut faire confiance qu'à quelqu'un qui a tout perdu, qui ne croit en rien d'autre qu'en son propre intérêt. Mais vous, dit-il en agitant la main devant tous ceux qui étaient assemblés dans le salon d'Ewa et Paweł, vous sortez encore dans la rue en vous disant que quelque chose de bien peut arriver. Vous croyez encore que vous serez aimés, aimés vraiment, passé toute faiblesse, toute erreur de jugement, toute trahison. J'ai vu un homme dire au revoir à sa femme en échangeant avec elle un regard exprimant une telle confiance qu'on y sentait les déjeuners et les promesses, les nuits passées au chevet de l'enfant malade, l'amour après que l'enfant s'est endormi, l'odeur de bonbon des médicaments pédiatriques encore poisseux sur leurs mains – et puis ce même homme quitte cette chambre à coucher pour rouler tout droit chez sa maîtresse, qui ouvre les jambes comme un alléluia tandis que l'épouse récure les casseroles du souper de la veille avant de s'asseoir à la table de la cuisine pour payer les factures. Aussitôt la guerre finie, nous ranimons la propagande de la paix – voulant que les hommes fassent des gestes horribles en dernière extrémité, qu'ils se montrent héroïques par noblesse d'âme plutôt que par peur, ou par un certain sens du devoir, ou simplement par accident. Les hommes honorent leurs promesses par peur – peur de franchir une frontière qui déchirera leur vie. Puis nous appelons cette peur amour ou fidélité, ou religion ou loyauté à des principes. Il y a des déchets qui flottent même au milieu de l'océan, à des milliers de kilomètres de toute terre. Les hommes injectent des produits chimiques dans une dépouille humaine qu'ils exposent et personne ne les arrête ! En dépossédant le corps humain de son droit de pourrir dans la terre ou de s'envoler dans les airs, on lui dérobe son ultime sainteté. Me comprenez-vous ? L'ultime sainteté. Les gens pique-niquaient dans les ruines. Des Polonais marchaient sur des Juifs morts dans la rue en allant dîner. On n'osait pas ouvrir une valise dans les décombres de peur qu'elle ne contienne un enfant mort, le nourrisson que portait une mère, la valise cognant contre ses jambes, depuis Łódź jusqu'à Poznań, de Cracovie jusqu'à Varsovie, en attendant de mourir à son tour. Les enfants dénonçaient leurs parents à l'État. Deux mots sales : occupation militaire.

Ranger se leva. Lucjan voulut lui saisir le bras et Ranger esquiva son geste.

—Je ne suis pas aussi soûl que tu le penses.

Ranger prit son manteau et s'en alla.

Ewa se mit à ramasser les cendriers pour les vider dans la poubelle. Personne ne dit mot. Jeanne regarda Lucjan, qui détourna les yeux en haussant les épaules.

— Je vais me coucher, dit Ewa en montant l'escalier. Mettez-vous à la porte vous-mêmes.

Jeanne se dévêtit entièrement, puis passa le pull de Lucjan par-dessus sa tête ; les manches pendaient jusqu'à ses genoux. La laine gardait son étreinte et sa forme. Puis elle prépara à manger à la faible lumière de la cuisinière, s'affairant seule dans la cuisine plongée dans la pénombre. Elle ferait un plat qui exigeait une chaleur lente et longue pour en intensifier les saveurs. Elle sentit les herbes sur ses doigts, l'odeur de Lucjan dans ses cheveux, le parfum d'eucalyptus de sa propre peau. Elle regarda le chou frisé, les oignons et les champignons ramollir et réduire à la chaleur. L'amour s'infiltre partout, le monde en est saturé, ou il en est vidé. Toujours à ce point magnifique ou à ce point démuni. Elle écrasa le romarin entre ses paumes puis porta les mains à son pull pour qu'il l'y trouve plus tard. Tout ce que le corps d'un être a été : poches de honte, d'orgueil étrange, cicatrices cachées ou connues. Et puis le moi qui ne naît qu'au contact d'un autre être – chaque pointe de plaisir, de puissance et de fragilité, chaque repli de doute et d'humiliation, chaque pitoyable espoir, quelque minuscule qu'il soit.

~

C'était le début de la soirée, un dimanche du mois de janvier, de la neige aux fenêtres. Jeanne portait un plateau où étaient posés le café jamaïcain de Paweł et d'épaisses tranches de pain brun, un pot de confiture d'où sortait une cuillère. Lucjan était étendu sur le lit, un livre sur son visage.

— Parle-moi, Janina. Raconte-moi un dimanche que tu as vécu, dit-il sous son livre.

Jeanne versa le café, posa la tasse par terre près de lui.

Elle songea à Avery, une nostalgie soudaine, brûlante. Ce qu'ils avaient connu ensemble : terre noire et arbres de pierre, forêt enveloppante, un aperçu des étoiles. Les herbes de Kintyre se balançant au-dessus de leurs têtes dans une mer d'air. Ramasser des pierres dans le sable durci, l'hiver, pour en faire des maisons dont la plus grande leur arrivait à la taille, la plus petite posée au milieu de la table de cuisine carrée du cottage qu'ils avaient loué dans cette Écosse qu'ils adoraient, leur grande goulée de vent froid avant la chaleur du désert. Les montagnes de couvertures sur le lit, si lourdes qu'ils avaient du mal à se retourner dans leur parfait sommeil ensemble. Il ne servait à rien de demander à Avery s'il se rappelait. Elle savait qu'il se rappelait.

— Un dimanche, dit lentement Jeanne, un archéologue est apparu sans crier gare sur notre péniche. Il était à la chasse aux Canadiens : originaire de Toronto, il était en proie à la mélancolie, et ça paraissait la chose la plus naturelle du monde que de s'asseoir avec lui sur le Nil un dimanche soir pour l'écouter décrire un concert de Segovia qu'il avait entendu au Massey Hall.

À Faras, continua Jeanne, il y avait des archéologues de Varsovie et un énorme camp soviétique au barrage. On les voyait quelquefois au marché de Wadi Halfa. Les Russes, en particulier, avaient l'air démunis. Ils s'asseyaient dans l'ombre des cafés, fumant et sifflant des chansons d'Yves Montand. Le désert était plein d'étrangers venant d'Argentine, d'Espagne, de Scandinavie, du Mexique, de la France, et les fines cigarettes amères des différents pays faisaient l'objet d'un commerce florissant. Peu importe où travaillaient les archéologues, les Bédouins les suivaient, observant, attendant à quelque distance sans jamais s'approcher.

— Attends un peu, dit Lucjan.

Il sauta hors du lit et elle le regarda traverser le crépuscule et descendre l'escalier à pic menant à la cuisine. Pendant un moment, la lumière du réfrigérateur toucha le plafond, puis ce fut de nouveau l'obscurité.

Elle l'entendit qui farfouillait et explorait à tâtons une pile de disques de vinyle. Puis une voix d'homme monta jusqu'à l'étage.

Lucjan se tenait en haut des marches, évoquant ses souvenirs.

— Yves Montand… Il fut une époque à Varsovie où, de chaque fenêtre ouverte, on pouvait entendre *C'est à l'aube* ou *Les grands boulevards* ou *Les feuilles mortes* dans la rue. Quand Montand a chanté au palais de la Culture, trois mille cinq cents personnes l'écoutaient. Quinze minutes après qu'il eut quitté la scène, les gens réclamaient encore des rappels. La bureaucratie ne s'était pas objectée parce que Montand était un homme du peuple ; c'était un homme qui s'était levé debout et avait donné un concert improvisé à huit mille ouvriers à l'usine d'automobiles d'Ukhachov. Khrouchtchev savait que Montand avait rempli tous les sièges du stade Loujniki, un stade de quatre-vingt mille places. Mais, à Varsovie, nous l'aimions malgré cela ; entre autres parce qu'il chantait dans une langue qui n'était pas celle que nous utilisions pour marchander de la nourriture ou nous disputer un os à soupe, ou pester contre la mécanique, ou supplier l'homme debout à nos côtés dans la cour de la prison de nous céder une cigarette. Sa langue n'était pas polluée par ce *h* dans Khatyn, cette goutte de sang impur qui empoisonne le corps tout entier. Et nous l'aimions encore plus quand il parlait de la chute de la Hongrie : « Je continue à espérer, je cesse de croire. » Lorsque les Soviétiques sont entrés en Tchécoslovaquie, il a confié à un journaliste : « Quand les choses puent, il faut le dire. » Ce dernier commentaire a été la goutte d'eau qui a fait déborder le vase : du jour au lendemain, Montand fut interdit. Dès qu'il eut prononcé ces mots, nous avons dû cacher nos trente-trois tours et faire semblant que nous n'avions jamais entendu parler de lui – de Montand ! – qui, la veille, vendait des millions de disques. Et c'est pourquoi mon ami Ostap, qui venait de se réveiller d'une cuite, est disparu et n'a jamais été revu – parce qu'il fredonnait distraitement *Quand tu dors près de moi* en marchant dans la rue. Ces règles changent du jour au lendemain, et tant pis si tu as le sommeil lourd. C'est de cette façon que change la carte du monde ; comme un homme qui décide de tracer la raie de ses cheveux différemment un matin : soudain, l'Europe centrale devient l'Europe de l'Est. Même M. Snow respecte Montand et les Dogs refusent d'y toucher. Ils écoutent ses chansons et ne les mutilent jamais.

Jeanne regardait la silhouette de Lucjan qui, de l'autre bout de la pièce, se dirigeait vers elle en traversant l'obscurité de la voix de Montand.

Dans la baignoire, l'oreille tendue. L'eau du bain aussi chaude que pouvaient le supporter Lucjan et Jeanne ; trempant dans tous les extrêmes de l'amour – humiliation, faim, ignorance, trahison, loyauté, farce. Jeanne s'inclina en arrière pour s'appuyer sur lui, ses cheveux d'algue dans le visage de Lucjan. Elle le sentit céder au sommeil. Jeanne imaginait l'amour unissant Montand et Piaf, quand il était très jeune, la liaison qui donnerait forme au reste de sa vie. Elle imaginait ce que cela signifiait que d'écouter Montand à Moscou ou à Varsovie. Bientôt, Lucjan se lèverait et mettrait Piaf sur le tourne-disque, et ils chercheraient l'ombre de Montand dans sa voix. Et ils écouteraient Montand à nouveau. En entendant toute cette biographie dans leurs voix.

~

Lucjan glissa ses mains dans la chaleur du cou de Jeanne et dénoua son foulard. Il enfonça ses mains sous son béret et dans le peigne de ses doigts dégagea ses cheveux, froids comme le métal après la rue hivernale. Jeanne leva les bras et il tira son pull par-dessus sa tête. Un à un, ses vêtements tombèrent sur le sol. Elle ne savait plus lesquels de ses membres étaient froids et lesquels étaient brûlants. Elle sentait le pull et le pantalon rugueux de Lucjan tout le long de son corps et c'est de cette rugosité qu'elle se souviendrait à jamais – incrustée dans sa nudité par ses vêtements et son odeur.

Toutes les nuits d'hiver, Jeanne et Lucjan se retrouvaient ainsi. Jeanne savait que Lucjan n'aurait jamais parlé de lui sans la vulnérabilité de la peau entre eux. Comme si, dans un renversement de tout ce qu'elle avait jamais connu, cette vulnérabilité faisait d'eux les otages d'un pacte de mots plus profond. Lucjan percevait en elle une écoute aiguë et Jeanne décida que c'était là ce qu'il désirait le plus. Très lentement, elle commença à éprouver la puissance de cette brûlure, qui chaque nuit l'amenait à s'abandonner de différentes façons, et qui menait aussi à ses mots. Elle savait que là résidait le contrat particulier qui la liait à lui et que si elle n'avait pas silencieusement donné son accord, elle aurait perdu l'histoire de Lucjan.

Elle commença à comprendre qu'une intimité de cette nature était, à sa manière, une façon de renommer. Un explorateur touche terre ; le lieu découvert a déjà un nom mais l'explorateur le remplace par un nouveau. Cette façon pour un nouveau de renommer secrètement le corps – c'est ainsi que le corps devient carte, et c'est ce que désire l'explorateur plus que tout, cette marque sur la peau.

~

Parfois, en rentrant, Jeanne découvrait un message téléphonique laissé par Avery pendant la nuit, une dissertation décousue sur la manière dont les toits d'un quartier peuvent offrir un second plan horizontal pour la construction, parallèle au sol, ou sur la façon dont on peut traiter le béton de sorte qu'il ressemble à du marbre. Parfois il lui laissait un morceau de musique qu'il savait qu'elle aimait, Radu Lupu ou Rosalyn Tureck, le son du piano solitaire usé et malmené par sa traversée du répondeur. Deux fois la semaine environ ils se parlaient, le plus souvent au début de la soirée, soupant parfois ensemble au téléphone. Elle aurait été incapable de définir le contenu de ces conversations. Elle savait qu'elles constituaient une sorte de code qu'Avery souhaitait qu'elle comprenne, mais elle n'y entendait rien d'autre qu'une solennité qui lui serrait le cœur, une politesse, et pourtant pas cela exactement : le douloureux décorum qui s'élève dans les ruines de l'intimité, tout aussi intime.

— Il y a quelques jours, nous avons tenu une séance de critiques pour un projet de gare de trains, dit Avery. Un étudiant avait dessiné un complexe élaboré permettant aux passagers de se « rafraîchir » après un voyage – un boudoir doté d'alcôves, de banquettes et de miroirs, de douches et de lavabos individuels. Il n'arrêtait pas de répéter que ce « spa » deviendrait une destination en lui-même. « Ce serait infiniment pratique, disait-il. Le train mènerait les gens directement aux douches » ; il reprenait sans cesse ces mots : « le train les mènerait directement aux douches, directement aux douches… » Il a continué jusqu'à ce que j'en aie mal au cœur. La seule chose à laquelle j'étais capable de penser, c'étaient les trains en partance d'Amsterdam à destination de Treblinka, et j'ai fini par le dire. Toute la classe s'est retournée pour me regarder comme si j'avais perdu la raison. J'ai songé : Cette fois, ça y est, ils vont penser que je suis cinglé, obsédé. Enfin, une jeune femme a demandé : « C'est quoi, Treblinka ? »

Hier, il était question des ponts. J'ai dit que oui, je suppose qu'un pont peut aussi être un centre commercial et un terrain de stationnement, mais pourquoi faudrait-il déguiser un pont, sa fonction ? Quelle est l'essence du melon ? Sa rondeur ! Peut-être inventerons-nous un jour un melon carré, mais ce sera alors autre chose, un jouet, un simulacre de melon, une humiliation. Ils m'ont de nouveau regardé comme si j'avais perdu la tête. Mais, à ce moment-là, quelqu'un a demandé : « Des melons carrés, pourquoi n'y ai-je pas pensé ? »

Jeanne entendit, à travers le combiné, un bruissement de papier et elle supposa qu'Avery avait posé la tête sur son bureau.

— Aujourd'hui j'ai songé que dès qu'on utilise la pierre dans une construction, sa signification change, dit Avery. Tout ce temps géologique devient un temps humain, il est emprisonné. Et quand cette pierre tombe en ruines, même à ce moment-là il n'est pas libéré : il conserve une échelle mortelle.

~

Avery s'engagea dans le marais. La nuit était sans lune, mais le sol couvert de neige émettait une faible lueur. La noirceur au-dessus de lui et la blancheur au-dessous lui donnaient l'impression qu'il pouvait à chaque pas basculer dans le vide. Une balise brillait au-dessus du canal. Il se dirigea dans cette direction.

Il s'étendit près du fossé et le sol lui parut presque tiède. Il n'y avait personne à plusieurs kilomètres dans le marais, la ferme la plus proche n'était qu'un point de lumière. Il écouta l'eau couler sous la glace. La honte n'est pas la fin de l'histoire, songea-t-il, c'est le milieu de l'histoire.

La boue glacée s'enfonçant dans son dos, Avery se prit à penser à Georgiana Foyle. Il se demanda si elle était toujours en vie, et si elle avait choisi où elle voulait être enterrée, maintenant que sa place auprès de son mari avait disparu. Il songea à Daub Arbab, dont il se rendit compte pour la première fois qu'il lui rappelait son père, par son sérieux s'exprimant sous la forme de bonté. Il songea que ce qu'il éprouvait qui s'apparentât le plus à quelque croyance était l'amour qu'il vouait à sa femme.

Le peintre Bonnard, la veille de sa mort, fit un trajet de plusieurs heures pour se rendre à une exposition de ses œuvres afin d'ajouter une seule goutte de peinture dorée à des fleurs sur une toile. Comme ses mains tremblaient trop, il demanda à son fils de l'accompagner et de l'aider à tenir le pinceau. Il semblait à Avery que Bonnard aurait tout de même fait ce voyage s'il avait su qu'il vivait ses dernières heures, pour l'amour d'une seule seconde de pigment. Quelle existence bénie, vivre de telle manière que nos choix demeureraient identiques, même à notre dernier jour.

Il réfléchit à ce que lui avait dit son père cet après-midi où ils s'étaient assis ensemble dans les collines, après la guerre : « Il n'y a qu'une question qui importe. Dans les bras de qui désires-tu être au moment de ta mort ? »

Les lumières étaient allumées dans la maison de Marina ; elle les avait laissées pour Avery ; pour la navigation, pour lui indiquer le chemin à suivre.

Quand il entra, Marina l'attendait.

— Tu te sers de ce marais comme du désert, dit-elle.

~

Il y avait des jours que Jeanne prêtait main-forte à Lucjan, occupé à nouer des mesures de corde épaisse pour une sculpture ; dix ou quinze nœuds de la taille d'un poing dans chaque longueur. Elle ignorait comment Lucjan comptait utiliser ces bouts de corde malcommodes et boursouflés. Ils travaillaient à la lumière des lampes, le jour pâle de l'après-midi de février traversant à peine les fenêtres.

Souvent ils se demandaient l'un l'autre de décrire un paysage ; c'était la clef d'une porte entre eux, un moyen de raconter une histoire. Maintenant, dans la cuisine d'hiver de Lucjan, le sol et la table recouverts de mesures de corde, Jeanne décrivait à voix basse le désert au coucher du soleil.

— Le sable prenait la couleur de la peau, et la pierre du temple ressemblait à de la chair. La première fois que j'ai vu les tailleurs de pierre scier les jambes de Ramsès dans cette lumière, j'ai tressailli, comme si je m'étais presque attendue à ce que la pierre saigne.

Elle déposa sa bobine près des autres, par terre, où les nœuds commençaient à ressembler à un monticule de pierres.

— Et ces cordes, dit-elle en en étendant une nouvelle sur ses genoux, sont aussi longues que les rênes d'un chameau.

— C'est pendant la guerre, dit Lucjan, que je suis passé le plus près de voir un chameau, mais j'aurais aussi bien pu me trouver à l'autre bout du monde. Je me rappelle que quelqu'un nous avait dit, à ma mère et moi, que des chameaux étaient arrivés Plac Teatralny, des chameaux qui s'agenouillaient sur les pavés afin que les enfants puissent les enfourcher pour une promenade. « Et je pensais que plus rien ne pouvait m'étonner », avait dit ma mère… Après la guerre, j'ai découvert que sur les pas de l'armée allemande voyageait le cirque allemand. C'était la même chose dans tous les territoires occupés. Le grand chapiteau arrivait en ville et engrangeait les dernières pièces des perdants…

Ils continuèrent un moment en silence tandis que la neige tombait.

— On dit que les enfants trouvent toujours un moyen. De temps en temps, dit Lucjan. Pas un moyen de s'en sortir, mais un moyen. Exactement comme les os : ils se réparent tout seuls, mais ne reprennent pas droit. Les rats des décombres jouaient souvent au jeu de la misère – pour voir qui saurait surpasser les autres : si tu perdais un frère en plus de ta mère et de ton père, pire encore. Et une sœur aussi ? Pire encore. Si tu perdais une partie de ton propre corps? Pire encore. Il y avait toujours un «pire encore» – *jeszcze straszniejsze.*

Une certaine expression se peignait parfois sur les traits de mon beau-père, une grimace d'avertissement, l'air de celui qui sait qu'il ne devrait pas agir comme il le fait, mais qui, incapable de trouver mieux, continue, défiant, comme s'il avait raison. Savoir qu'il avait tort lui donnait un air véritablement convaincu. La première fois que nous nous sommes revus après la guerre, nous nous sommes regardés en essayant de comprendre ce qui nous liait l'un à l'autre. Tout s'est dit dans un silence absolu au cours de ces premières secondes. Il n'était que mon beau-père, «après tout» – *w końcu.* Que lui avait fait la guerre? Comme un animal pris au piège, il avait sacrifié des parties de lui-même pour survivre: pitié, générosité, patience, paternité. J'avais passé la plus grande partie de ma vie sans lui. Pas une fois il ne s'était manifesté quand j'avais eu le plus besoin de lui. Je me rappelle avoir contemplé la raie d'un blanc de crâne dans sa chevelure noire et fournie, et m'être efforcé d'imaginer ma mère touchant ces cheveux...

Une femme pouvait garder Lucjan près d'elle pendant toute une vie, et même si sa désolation se racornissait jusqu'à n'être pas plus grande qu'un atome de peinture, cet atome subsisterait, aussi frais. Jeanne avait attribué plusieurs significations à l'œuvre à laquelle elle participait: c'était un rosaire géant, les nœuds d'un châle de prière, une ancienne forme de calcul. Et maintenant elle songeait que c'était peut-être le pire nœud de tous : méfiance nouée par un manque lancinant.

~

— Des noms étaient dérobés pendant notre sommeil.

On s'endormait à Breslau pour se réveiller à Wrocław. On se couchait à Danzig et oui, bien sûr, on se retournait et on s'agitait pendant la nuit, mais pas assez pour expliquer que l'on se réveille à Gdańsk. Quand on se glissait entre les draps froids, notre lit était indéniablement dans la ville de Königsberg, de Falkenberg, de Bunzlau ou de Marienburg ; pourtant, au réveil, lorsqu'on balançait les jambes au bord de ce même lit, nos pieds se posaient tout aussi indéniablement sur une carpette à Kaliningrad, à Niemodlin, à Bolesławiec ou à Malbork.

Nous marchions dans les rues où nous avions toujours marché, nous arrêtions au café du coin dont le menu n'avait pas changé depuis des années, même si, là où nous avions jadis commandé une *ciasta,* nous demandions maintenant un *pirozhnoe,* lequel nous était servi dans la même vaisselle avec le même verre d'eau. Si les pièces que nous laissions sur la table au dessus de marbre étaient différentes, la table, elle, était restée la même.

Il y avait aussi des lieux qui avaient changé du tout au tout, sauf pour leur nom. Après leur oblitération, quand les villes furent reconstruites, Varsovie devint Varsovie, Dresde devint Dresde, Berlin, Berlin. On pourrait objecter, bien sûr, que ces villes n'étaient pas tout à fait mortes mais qu'elles avaient resurgi de leurs cendres, de ce qui en restait. Mais nul n'est besoin pour une ville de flamber ou d'être engloutie ; elle peut mourir sous vos yeux, de manière invisible.

À Varsovie, la Vieille Ville devint l'idée de la Vieille Ville, une réplique. Les serveuses enfilèrent des costumes d'époque, on suspendit des enseignes à l'ancienne aux vitrines des boutiques. Lentement, la ville sur la Vistule se mit à rêver ses vieux rêves. Il arrive parfois qu'une idée se fasse ville, et parfois une ville se fait idée. Quoi qu'il en soit, même Staline ne put empêcher le fleuve de s'immiscer de nouveau dans les rêves des gens, le fleuve avec sa longue mémoire et son présent éternel.

L'Europe fut tailladée et recousue. Au matin, une femme se penchait par la fenêtre de sa cuisine et étendait sa lessive dans son jardin berlinois ; l'après-midi, quand le linge aurait séché, il lui faudrait traverser Checkpoint Charlie pour récupérer les chemises de son mari.

Et qu'en est-il des morts jadis assez fortunés pour posséder une tombe ? À tout le moins, si une personne était morte à Stettin, assurément son fantôme avait le droit d'y demeurer, dans ce passé, et l'on ne s'attendait pas à ce qu'il hante aussi Szczecin…

Les morts, qui ont leurs propres cartes, vont et viennent à leur gré de Fraustadt à Wschowa, de

Mollwitz à Małujowice, de Steinau an der Oder à Ścinawa, de Zlín à Gottwaldov puis de nouveau à Zlín. Sans avoir fait un seul pas, en ne traversant que le temps, ils descendent à Prague la rue Vinohradská, Franz Josef Strasse, l'avenue du Maréchal-Foch, Hermann Goering Strasse puis de nouveau l'avenue du Maréchal-Foch, la rue Staline et l'avenue Lénine enfin redevenue la rue Vinohradská. Quant au lieu de naissance d'une personne, cela dépend de celui qui pose la question.

~

Au cours de l'après-midi, les bobines de nœuds gagnèrent en hauteur, muettes et lourdes par terre sous la table.

Une soupe mijotait sur la cuisinière. Ewa avait apporté un poulet rôti à Lucjan plus tôt dans la journée et maintenant il grésillait dans le four. La lumière avait presque disparu. Lucjan fit du feu et alluma des chandelles.

Il s'assit par terre dans la moitié « inconsciente » de la maison, et, appuyé contre le mur, contempla l'enchevêtrement de nœuds, l'ouvrage de l'après-midi, à quelque distance. Assise à la table de cuisine, Jeanne lisait tranquillement un manuel. D'un ton faussement dramatique, Lucjan gémit :

— J'ai faim.

Jeanne leva les yeux de son livre.

— Qu'est-ce que tu lis? demanda Lucjan. Est-ce que ça se mange?

— Ce chapitre porte sur la vigueur des hybrides. Mais, dit-elle en souriant, on pourrait dire que je lis sur les choux.

— Voilà qui est mieux, dit Lucjan.

Il s'assit près d'elle à table.

— Est-ce qu'ils vous ont parlé des veufs du *koksagiz* à l'école? Quand les Allemands sont entrés en Union soviétique, ils ont cherché partout des arbres à caoutchouc. Les femmes et les enfants russes ont été emmenés dans des camps de travail pour récolter les *koksagiz* dans les champs afin que même des quantités minimes de caoutchouc puissent être extraites des racines des arbres…

Le grand ensemble de gratte-ciel dans le secteur sud du quartier de Muranów, à Varsovie, a été construit sur ce qui avait jadis été le ghetto. Il y avait tant de décombres – une épaisseur de quatre mètres –, et nous n'avions pas de machines pour les déblayer. Les débris ont donc été compactés plus solidement encore, et on a bâti les habitations par-dessus. Puis on a étendu de la pelouse et on a aménagé des plates-bandes sur cette terrasse des morts. C'est leur « jardin de sang et de sol ».

~

À quelques pâtés de maisons de la faculté d'architecture, où Avery travaillait à une table à dessin au sous-sol, Jeanne était assise avec Lucjan et Ranger au cinéma Lumière, attendant le début du film : *Les enfants du paradis.*

Lucjan tendit à Jeanne un sac bosselé.

— Pommes de terre au four avec du sel, dit-il.

Ranger se pencha au-dessus de Lucjan et plongea la main dans le sac.

— Ce film est long, il nécessite au moins deux pommes de terre, annonça-t-il à Jeanne en pelant le papier d'aluminium. Je me souviens de l'avoir vu au Polonia avec M. Snow et Beata, si affamés qu'on avait du mal à rester assis. Il n'y avait pas d'eau et nulle part où se loger mais, quatre mois après la guerre, on comptait un cinéma. Le Polonia était posé comme un décor dans le fouillis de la rue Marszałkowska. Plus d'une fois il m'est arrivé de faire la file pour voir un film et de refaire ensuite la file, plus bas dans la rue, afin de remplir mon seau au tuyau qui crachait de l'eau à même le sol. Les gens transportaient des contenants partout où ils allaient. Il y avait toujours un fracas métallique juste avant que l'on s'assoie, les gens posaient leurs pots, leurs thermos et leurs seaux à leurs pieds.

— Le fracas métallique était habituellement suivi d'un froissement de journaux, dit Lucjan, tandis que les gens sortaient leur *Skarpa Warszawska* de leurs poches, un magazine hebdomadaire, Janina, qui nous informait de l'avancement de la reconstruction. Après la guerre, il y a tant de journaux qui sont apparus – tout de suite, cinq ou six quotidiens. On ne se lassait jamais de se faire raconter comme les choses allaient bon train : deux cent mille mètres cubes de décombres déblayés à l'aide de chariots tirés par des chevaux, soixante kilomètres de routes dégagées, mille bâtiments déminés…

— Camarades, dit Ranger, le travail a commencé place du marché, sur le toit du palais, dans l'église de la rue Leszno… La bibliothèque a ouvert ses portes rue Rejtan !

Les pèlerins convergeaient vers les mêmes lieux, les mêmes mètres carrés de gravats, chacun pleurant une perte qui lui était propre. Les endeuillés se tenaient ensemble au même endroit et sanglotaient pour leurs différents morts – pour des Juifs, des Polonais, des soldats, des civils, des combattants du ghetto, des officiers de l'Armée de l'Intérieur –, des dizaines d'allégeances enfouies sous le même tas de pierres.

— Comment se reconstruit une ville ? demanda Lucjan. En quelques jours, quelqu'un dispose des pots dans les décombres et ouvre une boutique de fleuriste. Quelques jours après, quelqu'un dépose une planche sur deux briques et ouvre une librairie.

— À Londres, après les bombardements, dit Jeanne, l'épilobe a pris racine et s'est répandue partout dans les ruines…

— Janina, dit Lucjan, ce n'est pas un roman à l'eau de rose. Je ne te parle pas de fleurs sauvages, je te parle de commerces – voilà comment on reconstruit une ville. Tu as beau avoir toutes les fleurs sauvages que tu veux, il reste qu'à la fin il faut que quelqu'un ouvre une boutique.

Lucjan prit le bras de Jeanne dans la rue. Il s'était mis à neiger pendant qu'ils étaient au cinéma, plongés dans le Paris du XIXe siècle et, quand ils atteignirent la rue Amelia, tout était blanc et calme.

Ils s'allongèrent ensemble dans la baignoire et regardèrent la neige tomber par la fenêtre de la cuisine.

— C'est une fin de film pitoyable, dit Lucjan. Un homme qui se fraie un chemin dans une foule pour aller retrouver la femme qu'il aime et qui, pour l'éternité, ne parvient pas à la rejoindre.

Il regarda les piles de cordes autour d'eux.

— C'est presque fini, dit-il. Quand il y en aura trop et que ce sera trop lourd pour être transporté, ce sera terminé.

Ça me fait penser à mon grand-père, le père de ma mère, qui était ébéniste. Ma mère m'a déjà raconté qu'il avait fabriqué un meuble magnifique – le bureau le plus distingué jamais créé sur la planète, digne d'un empereur –, mais il avait oublié de prendre une chose en considération : la porte de la pièce, qui était trop petite, et ils ont dû ménager une ouverture plus grande pour y faire entrer le meuble. Elle disait que je devais voir dans cette histoire une leçon d'humilité. Elle m'a aussi parlé d'une immense vitrine bombée qu'il avait confectionnée pour une boutique – le bois luisait tel de l'ambre, le dessus était fait d'un verre épais dont les bords biseautés ressemblaient au pourtour liquide de la glace en train de prendre, et l'intérieur contenait de larges tiroirs peu profonds tapissés de velours et destinés à recevoir les bas, les dentelles et les soieries. Chaque tiroir s'ouvrait grâce à une petite poignée de laiton. Il s'était vanté que dix hommes étaient nécessaires pour la soulever. La vitrine possédait des coins aux sculptures raffinées, où des vignes de bois épaisses et fournies traînaient jusqu'au sol. Les tiroirs glissaient dans un mouvement fluide, en silence, et la vendeuse pouvait sortir le tiroir entier afin de montrer au client les colifichets de soie brillant comme des flaques d'eau colorée sur le velours sombre.

Cette vitrine a valu à mon grand-père plus d'une commande pour des meubles sur mesure.

La famille de mon beau-père venait de Łódź, où elle possédait une bonneterie. Il avait été envoyé à Varsovie pour distribuer la marchandise familiale. C'était pour cette boutique que mon grand-père avait construit l'une de ses célèbres vitrines et c'est ainsi qu'il a fait la connaissance de ma mère. Elle était si jeune ; le lait de sa peau satinée et la cannelle de sa chevelure abondante, la douceur de son visage. Elle avait dix-neuf ans.

Je me rappelle un arrêt de tram près duquel il y avait une horloge où, avant la guerre, ma mère et moi attendions souvent. L'horloge portait de petites lignes à la place des chiffres. Cela me dérangeait tellement qu'il n'y ait pas de chiffres sur cette horloge, que des petits traits anonymes, comme si le temps ne signifiait rien et ne faisait que progresser par petits bonds sans fin, sans signification, anonymement. J'essayais de prédire quand l'aiguille des minutes ferait un saut en avant. J'essayais de compter les secondes, de deviner quand elle s'emparerait tout à coup de la prochaine petite ligne, mais elle avançait toujours sans moi. Tandis que nous attendions à cet arrêt le tram nº 14, ma mère faisait remarquer que c'était vraiment idiot de mettre une horloge à cet endroit, parce qu'elle vous rappelait sans cesse que le tram n'était pas à l'heure et le temps que vous aviez passé à attendre, et combien vous étiez en retard. Je me souviens de la texture de son manteau de laine contre ma joue tandis que je me tenais debout à ses côtés, ses doigts sûrs autour des miens. La petite aiguille sur l'horloge qui sautait en avant sans moi est, à mes yeux, le symbole de la façon dont ma mère est disparue…

Un mur ne sépare pas ; il lie deux choses ensemble.

Dans le ghetto, une femme est venue rendre visite à ma mère. C'était une ancienne amie d'école ou une parente, je ne me souviens pas ; pourtant, pour ma mère, la nature de cette relation aurait sûrement été au cœur de cette histoire. Je me rappelle cependant son chapeau – un couvre-chef plat comme une tarte, incliné sur l'oreille –, qu'elle n'a pas ôté tout le temps qu'elles ont pris le thé. Je m'attendais à ce qu'il tombe et atterrisse dans sa tasse. J'étais assis sur une chaise dans le coin près d'une petite table en bois avec ma tasse de « thé des fées », de l'eau chaude avec du lait. La femme a donné à ma mère des photographies prises au temps de leur enfance. Après son départ, ma mère et moi nous sommes assis ensemble pour les regarder. Dans les photos, c'était l'été ; pourtant, de l'autre côté de notre fenêtre, cet après-midi-là, il neigeait. Je me rappelle avoir pensé à cela la première fois que je me suis rendu compte que la température est préservée dans les photographies. Et parce que le soleil était tellement brillant, il y avait beaucoup d'ombres. Dans une photo en particulier, celle de ma mère était très prononcée à ses côtés et j'étais incapable de détacher les yeux de cette ombre étendue sur la chaussée, presque aussi grande que ma mère. Sur une autre, on voyait l'ombre de quelqu'un qui manifestement se tenait près d'elle, mais qui se trouvait en dehors du cadre de la photo. J'y pensais sans cesse par la suite : ma mère s'était tenue près d'une personne – un quart de siècle plus tôt – dont je ne connaîtrais jamais l'identité et dont pourtant l'ombre était consignée pour toujours.

Les photographies de ces années ont une intensité différente ; ce n'est pas parce qu'elles consignent un monde perdu, et pas parce qu'elles sont une forme de témoignage – c'est là le travail de tout photographe. Non. C'est parce qu'en 1940 il était illégal pour n'importe quel Polonais, et à plus forte raison un Juif polonais, d'utiliser un appareil photo. Ainsi, tout cliché de cette époque et de cet endroit pris par un Polonais est un cliché interdit – qu'il s'agisse d'une exécution publique ou d'une femme lisant tranquillement un roman dans son lit.

À l'inverse, on encourageait les soldats allemands à apporter leur Kine Exakta ou leur Leica à la guerre, pour documenter la conquête. Et plusieurs de leurs photos subsistent aujourd'hui dans les archives publiques, telles celles de Willy Georg, de Joachim Goerke, de Hauptmann Fleischer, de Franz Konrad… D'autres restent dans les albums de famille, photographies envoyées à des parents et à des petites amies : la tour Eiffel, les rues du ghetto, le Parthénon, les pendaisons publiques, un opéra, un charnier, des fourgons à gaz et d'autres signes de « tourisme » allemand… Ces clichés étaient envoyés à la maison, où on les gardait à côté de photos de famille prises lors de mariages, d'anniversaires, de fêtes, de vacances au lac. Il y avait sans doute des photojournalistes dont le métier consistait à prendre des images à des fins de propagande, mais un grand nombre de ces photosoldats demeurent anonymes, leurs instantanés s'inscrivant dans la grande pile d'images qui composent le XXe siècle…

Je passais des heures à regarder par la fenêtre dans notre coin du ghetto, et, une fois, j'ai vu un homme déposer une boîte de bois sur le pavé et s'agenouiller péniblement à côté. Un kiosque de cireur de chaussures minute. D'abord, je me suis dit que c'était aussi mal avisé que d'ouvrir un comptoir pour vendre des allumettes près d'un incendie ; qui, dans cette ville affamée, paierait pour faire cirer ses souliers usés et tombant en lambeaux ? Mais, étonnamment, l'homme gagna de quoi souper ce soir-là. Il faisait aussi briller les bottes des soldats allemands – elles exigeaient une grande quantité de cirage noir et il les faisait gratis. Je retenais mon souffle en voyant la botte du soldat si près de la tête du vieil homme.

Les endroits où des gens ont été tués souvent ne portent aucune marque ; quelques secondes après, ce bout de pavé était exactement semblable à ce qu'il était auparavant. De ma fenêtre, je m'obstinais à chercher une trace du meurtre du vieil homme, mais il n'y en avait aucune.

Mon beau-père a fini par trouver une cachette pour ma mère et moi – il était ardu de trouver quelqu'un qui était prêt à nous prendre tous les deux. On avait ménagé des brèches dans le mur du ghetto pour de telles transactions, et il arrivait que les gens soient tués à mi-chemin, leur tête ou leurs pieds dépassant d'un côté ou de l'autre. Quelques jours avant la date prévue pour notre tentative, je suis resté assis à la fenêtre à regarder la rue en contrebas, où ma mère attendait quelqu'un afin de procéder à un troc pour de la nourriture. Elle était dans la rue par ma faute, pour me nourrir. C'est ce que mon beau-père a pensé par la suite, et c'est pourquoi il ne m'a jamais pardonné... À cause de cela, et aussi parce que ma mère et moi étions toujours penchés ensemble au-dessus d'un livre ou d'un dessin, à nous amuser d'une chose si minuscule que nous n'arrivions jamais tout à fait à lui expliquer... J'ai détourné les yeux de la fenêtre un moment, pas plus de quelques secondes, ou peut-être étais-je perdu dans une rêverie... Quand j'ai de nouveau tourné le regard vers la rue, ma mère avait disparu, simplement disparu, comme ça. Je ne l'ai plus jamais revue. Je suis encore persuadé que si je n'avais pas détourné les yeux à ce moment précis, il ne lui serait rien arrivé.

Une révélation bête, puérile : on peut mourir sans laisser de traces.

~

Au fond du ravin, un fil accrochait la lumière ; on avait dégagé la neige qui recouvrait la rivière et on y avait répandu de l'eau à l'aide d'un seau en fer-blanc. L'un des Dogs venait chaque jour rafraîchir son vernis gelé. La glace brillante de la rivière semblait liquide dans la lumière de la lanterne, reflétant même celles suspendues dans les arbres, comme si on avait jeté à l'eau un sort qui l'empêchait de geler. Ce mirage était à ce point surnaturel que Jeanne avait retenu son souffle en voyant le premier patineur mettre le pied sur la surface, comme s'il pouvait couler dans ses lourds patins, être avalé sans bruit par l'enchantement de la rivière.

— Vas-y, dis ce que tu penses – des paysans de Breughel.

Jeanne dévisagea Lucjan avec surprise.

— Tu as prononcé ces mots en silence, dit-il en souriant.

— C'est à cause des couleurs profondes des manteaux contre la neige, je pense.

Puis Jeanne regarda Ewa apparaître dans son manteau de fausse fourrure rose et son foulard rose, avec ses minces jambes noires et ses patins roses. Elle rit.

— Un flamant, dit Lucjan, qui semblait toujours savoir ce qu'elle était en train d'observer.

— Est-ce que j'ai le droit de dire que j'aime Ewa même si je ne l'ai vue que deux fois?

— Nous aimons tous Ewa, dit Lucjan sérieusement.

Jeanne vit Ewa montrer quelque chose du doigt et sut qu'elle lançait des ordres. Un panneau apparut, puis des tréteaux et, en un instant, la table était couverte de moules à gâteaux et de thermos de toutes tailles. Jeanne sourit devant le caractère théâtral de la scène: le festin, la rivière enchantée, les branches recouvertes de glace cliquetant dans la brise nocturne, les lanternes comme des gouttes de peinture jaune entre les arbres.

Debout au sommet de la colline, Jeanne et Lucjan regardaient les patineurs en contrebas. La scène rappelait à Jeanne la palette de Marina, étroitement mariée aux textures – foulards de laine, châles, courtepointes, robes, le pelage d'un chien mouillé – et dont chaque couleur – sol, ciel nocturne, aurores boréales, glace, figues, thé noir, lichen, les marais de l'île de Jura –, chaque coup de pinceau offraient l'essence d'une pensée, une émotion.

— Au plus fort de l'hiver, les Robinson Crusoé descendaient à la Vistule munis de lanternes et de pelles. Le fleuve gelé était gratté jusqu'à avoir un éclat gris. Un os vidé de sa moelle à la cuillère. Il y avait de grandes fêtes où l'on patinait. Des fanfares, des enfants, des chiens. Des vendeurs de café surgissaient sur les berges. Des pâtisseries dans du papier ciré. On venait même au sortir des boîtes de nuit quand elles se vidaient, à deux ou trois heures du matin, pour dessoûler sous la lune, dans le froid soudain. C'est là que j'ai fait la connaissance de ma femme, dit Lucjan.

Moi aussi, j'ai rencontré mon mari sur un fleuve, songea Jeanne. Même s'il n'était pas gelé. Et ne contenait pas d'eau. Et n'était peut-être plus un fleuve.

— Un soir, quelques jours après notre rencontre, Władka et moi nous sommes assis sur la berge. Un vent glacial soufflait. La Vistule n'était ni solide ni liquide ; d'énormes morceaux de glace s'affaissaient, oscillaient et entraient en collision, révélant des fissures d'eau noire puis les recouvrant. Et puis nous avons entendu un craquement sonore et, sous nos yeux, le pont près de la citadelle a cédé et a foncé vers nous, en aval, d'énormes fragments de la structure percutant la glace, plongeant dans le noir pour remonter au milieu d'un bouillonnement. En un instant, les deux rives du fleuve ont été séparées. Władka a dit plus tard que « si le pont ne s'était pas effondré sous nos yeux, nous aurions peut-être pu apprendre à rester ensemble, mais, avec un symbole pareil... ». Władka avait un sens de l'humour très particulier.

Une nuit, des années avant Władka et le pont, j'étais couché dans mon terrier à écouter les rats. Après un moment, j'ai soufflé la chandelle. Mais, comme ce soir dans cette lumière qui émane de la neige, il ne faisait pas tout à fait noir. Je pouvais distinguer ma main devant mon visage. Est-ce que quelque chose était en train de brûler ? Je me suis levé pour aller regarder dehors. Il y avait un faible brouillard lumineux. Il y avait le murmure d'une foule qui devenait de plus en plus fort. Mais il n'y avait pas de fumée. J'ai escaladé les débris en direction de la lueur. La rue Targowa avait l'électricité ! Des centaines de personnes erraient, désorientées, comme les survivants d'un écrasement...

Te rappelles-tu, quand nous nous sommes rencontrés, tu m'as parlé d'une église qui semblait devenir plus vaste quand on y entrait ? Je peux te raconter l'histoire d'une église qui se déplaçait toute seule, dit Lucjan. Je travaillais avec une équipe à construire une route, l'autoroute est-ouest, et quelqu'un a levé les yeux et a remarqué que le dôme de l'église

Sainte-Anne souriait. Nous n'avons pas fait grand cas de cette première fissure dans la pierre, mais le lendemain il y avait de nombreuses failles, qui allaient s'élargissant, et soudain toute l'aile nord-est de l'église a chancelé et s'est détachée comme une dent de lait. Toutes les équipes se sont précipitées pour renforcer le reste de l'église à l'aide d'acier, et on a même essayé la théorie d'électro-osmose du professeur Cebertowicz, mais Sainte-Anne et la terre continuaient de bouger, le beffroi se recourbant d'un centimètre par jour. Et puis la terre a fini par s'immobiliser…

Jeanne et Lucjan commencèrent à descendre la colline.

— Qu'est-ce qui est arrivé à cet architecte, celui qui t'avait donné du pain ? demanda tout à coup Jeanne.

Comme Lucjan ne répondait pas, elle leva le regard et il lui sembla qu'elle n'avait jamais vu tant de froide douleur sur son visage.

— Les gens disparaissaient. Parfois ils revenaient, mais le plus souvent ils ne revenaient pas. Il y a eu des rapports faisant état de *stojki* – « debout » – pendant des mois, une ampoule brûlant à deux centimètres des yeux ouverts du prisonnier, que l'on gardait éveillé à l'aide d'injections. Quand quelqu'un mourait d'avoir été torturé, on disait qu'il était « tombé en bas de la table ». Des mots ordinaires, des mots anodins qu'un enfant apprend à écrire en première année. « L'homme est tombé en bas de la table. » Peut-être n'était-ce pas tout à fait ce qui lui était arrivé, mais... Des innocents étaient pris dans des « chaudrons » – quiconque se trouvait à visiter un suspect à son appartement était arrêté –, c'est ce qu'avaient fait les Allemands et c'est ce que firent les Soviétiques. Il a survécu à la guerre, mais il n'a pas survécu aux Soviétiques.

Les Dogs plaisantent au sujet de leur réunion du mardi soir, mais c'est une vieille habitude, un vieil instinct, de ne pas se présenter là où l'on est attendu.

Ils entendirent la voix de M. Snow à travers les arbres.

— Écoutons M. Snow chanter, dit Lucjan. Il a une voix comme une hache. Les Dogs scient et sifflent quand ils respirent, et quand ils seront morts, tu peux être sûre qu'ils vont jouer de leurs os comme d'une crécelle.

Si j'ai appris une chose, c'est que le courage n'est qu'une autre forme de peur. Et, dit Lucjan en se frappant le ventre, quand on est antifasciste, il faut avoir un ventre antifasciste et non pas une tête antifasciste. L'appétit est plus utile que la fièvre.

Lucjan jeta ses patins sur son épaule comme un chasseur qui rapporte une paire d'oiseaux et il traversa le ravin à grandes enjambées. Au loin, dans l'obscurité, Jeanne distinguait encore le son des lames sur la glace dure. Les Stray Dogs étaient presque toujours là avant eux et ils restaient presque toujours après leur départ. Regardant derrière elle, Jeanne vit leur haleine dans le noir. Le ravin lui-même chatoyait comme une haleine blanche, ceint par les congères et les arbres couverts de neige ; la lumière de la lune nimbait leurs visages d'un doux éclat tandis qu'ils glissaient sur la surface glacée. L'air était d'un froid cassant, la glace étincelante et dure. Elle savait qu'il y avait de la chaleur sous leurs vêtements, produite par le mouvement de leurs bras et de leurs jambes, et un froid douloureux sur leurs visages et dans leurs poumons.

Jeanne et Lucjan rentrèrent à pied jusqu'à la rue Amelia, arrêtant à la boulangerie Quality, où les fours étaient allumés toute la nuit. L'arôme du pain emplissait la rue College, changeant la chute de neige en manne, songea Jeanne.

— On ne peut pas entièrement désespérer, dit Lucjan, quand on a la bouche pleine de pain.

On pouvait passer par la porte arrière de la boulangerie, entrer directement dans la cuisine et payer comptant les miches qui sortaient tout juste du four. Les boulangers connaissaient tous Lucjan et les Stray Dogs. Le pâtissier, Willy, avait joué du piano avec eux jusqu'à ce qu'il soit embauché à la boulangerie et ne puisse plus les accompagner le soir.

Puis Jeanne et Lucjan s'asseyaient dans le petit parc au bout de la rue Amelia et posaient le thermos en métal cabossé de Lucjan entre eux, avec chacun un sac de papier dans les bras. Ils détachaient des poignées moelleuses de longues baguettes de pain, dont Lucjan portait des bouchées aux lèvres de Jeanne. Parfois, après toute une soirée passée en compagnie de Lucjan et des Dogs, c'était son premier avant-goût de lui.

Après, ils restaient dans la baignoire à l'obscurité, l'oreille tendue. Et Lucjan ne l'avait toujours pas touchée, sauf du bout des doigts sur sa bouche pleine de pain. C'était une manière de rationnement, une appréciation de chaque plaisir. Rien, surtout pas le désir, n'était perdu.

~

Lucjan regardait Jeanne endormie près de lui dans la lumière de l'après-midi d'hiver. Ses cheveux étaient noués derrière sa tête à l'aide d'un bout de tissu tortillé, elle avait le visage lisse et pâle.

En quoi croyait-elle ? Quel fouillis de principes guidait son existence, quel écheveau de croyances à demi informes et de déductions jamais mises à l'épreuve, du moment où elle ouvrait les yeux le matin ou, au fait, même dans son sommeil ? Quelle mécanique guidait son existence ? Croyait-elle aux âmes de Platon, à l'harmonie de Kepler, à la constante de Planck ? Au marxisme, au darwinisme ; aux Évangiles, aux dix commandements, aux paraboles bouddhistes ; à Hegel, à la superstition des chats noirs et aux histoires de M. Snow sur le Czarny Kot, aux miettes de la théorie génétique, en Dieu savait quels contes et ragots familiaux ; avait-elle la conviction que du sucre saupoudré est meilleur que le sel sur le gruau ? Croyait-elle à la réincarnation – un peu –, à l'athéisme – un peu –, à la sainte Trinité – un peu. À Husserl, au rasoir d'Occam, au temps moyen de Greenwich, à la monogamie, à la théorie atomique selon laquelle sa bouilloire bout tous les matins pour sa tasse de thé… Il savait qu'elle croyait à l'humilité, et au sursaut de honte qui pousse chacun à faire ce que doit, bien qu'elle eût désigné cela autrement, peut-être même du nom d'*amour*. Ce filet de principes – si Lucjan déplaçait un, ou deux, ou deux cents de ses propres principes de quelques centimètres ici ou là, ne formait-il pas le même être qu'elle, ou que son mari, ou que la plupart des membres de l'espèce humaine ? Lucjan posa la main sur la taille de Jeanne. Il regarda son souffle emplir ses poumons ; tandis qu'elle était étendue sur le côté, il voyait la courbe de ses hanches, le pli derrière son genou, le poids relâché de son mollet suspendu. Pour cela, on érige des monuments, on s'entretue, on ouvre des boutiques, on ferme des boutiques, on bombarde, on se lève le matin…

~

Jeanne gara la voiture à l'entrée de la longue allée et fit à pied le reste du trajet menant à la maison de Marina. Tout était blanc, bleu et noir, la neige, le ciel et les arbres en mèche par cet après-midi dégagé et froid du mois de mars. Elle portait sa besace à greffons, le sac à dos de toile qu'elle utilisait depuis l'époque de l'avenue Hampton. Maintenant elle se rappelait avec nostalgie l'expédition à la quincaillerie avec son père quand elle avait seize ans, pour acheter son premier greffoir – juste la bonne taille pour sa main, doté d'une poignée de bois –, sa première boîte de cire et le petit réchaud de camping. Et quand elle songeait aux pêchers de Marina, et à la simple greffe en fente qu'elle exécuterait, elle songeait aussi à Abou Simbel, à la coupure nette du couteau dans cette chair précieuse ; cambium contre cambium, greffon contre porte-greffe, et le pincement – de hâte et de regret à la fois – à l'idée d'être celle qui pousserait à s'unir ces cellules qui se multiplient, juste sous l'écorce. Et à Albert le Grand, dont l'interrogation vieille de sept cents ans avait piqué la curiosité de Jeanne dans une salle de cours de premier cycle somnolente, surchauffée, presque huit ans plus tôt : Un arbre fruitier a-t-il une âme ? Elle se dit qu'il était temps de relire Albert le Grand, son saisissant *De Vegetabilibus*, ouvrage qui suggérait, des siècles avant Darwin, que des variétés de plantes descendaient d'un ancêtre sauvage, car Albert le Grand possédait la prescience de tous ceux qui plongent sans défense dans une question, leur intuition aiguisée par l'humilité. Si un arbre fruitier a une âme, quel est le sens de ce traficotage auquel se livrent les hommes ? Elle était maintenant devant la maison blanche de Marina, presque exactement de la même couleur que la neige l'entourant, et Jeanne songea que, pendant une tempête, on pourrait marcher droit sur la maison, voire passer au travers de ces murs blancs, comme un fantôme.

Elle toqua et attendit. Puis elle resta sur le seuil à frapper, jusqu'à ce qu'elle accepte véritablement le fait que Marina n'était pas là. À contrecœur, elle résolut de se mettre tout de même au travail, n'ayant besoin de rien excepté la compagnie de Marina. Jeanne fit le tour de la maison jusqu'au jardin transplanté de sa mère, entouré de sa clôture blanche, maintenant lui aussi abandonné à la neige. Étonnée, elle vit alors Marina et Avery, endormis sur des chaises de jardin où s'empilaient les couvertures, dans la maigre lumière que dispensait le soleil d'hiver, bas sur l'horizon. Elle vit aussi le vieux porte-documents en cuir d'Avery, plein de livres, sur ses genoux ; il devait être passé, comme elle, directement de sa voiture au jardin. Jeanne resta debout à la grille. Le motif fleuri du sarrau de Marina, enfilé par-dessus son manteau, se soulevait et s'abaissait. Les cheveux d'Avery, qui atteignaient maintenant ses épaules, s'agitaient paisiblement dans la faible brise. Comme leurs corps semblaient vrais ensemble. Elle songea à Lucjan enfant en compagnie de sa mère. Elle songea au ghetto, où l'on dormait étendu à côté des morts sur la chaussée. Elle se rappela l'après-midi où Avery et elle avaient laissé leur voiture sur le bas-côté pour s'allonger ensemble dans l'herbe humide des Pennines, et où ils étaient tombés dans le ciel. Elle songea aux yeux de milliers de cerfs observant la jeune Marina et le jeune William, sur la mousse de Jura, le manteau de William sous la tête de Marina.

Dormir en plein air offrait parfois une forme d'abri, et parfois non. Elle songea aux dépossédés rentrant à pied jusqu'aux ruines de Varsovie, qui devaient s'être arrêtés, puis arrêtés encore, pour s'allonger au bord de la route. Les habitants de Faras Est grimpant du cimetière au village une dernière fois. À tout moment, quelque part sur la planète, des gens transportent tout ce qu'ils possèdent et s'arrêtent au bord du chemin. Pour dormir, pour aimer, pour mourir. Nous nous sommes toujours couchés ainsi sur la terre nue.

Jeanne avait une envie déchirante de s'étendre dans la neige, près de la chaise d'Avery, les grandes collines tièdes de Marina les protégeant tous deux. Mais elle n'osait pas.

Ce serait atroce s'ils ne voulaient pas d'elle.

Cette pensée n'était pas née de la honte, mais d'un profond abattement, de la conviction que la grâce est une aberration, une chose que l'on traverse, comme un rêve.

Après un moment, elle se retourna comme si on le lui avait ordonné et traversa le marais pour regagner sa voiture.

Cette nuit-là, Lucjan caressa son épaule jusqu'à ce qu'elle se réveille.

— Il est une heure du matin, chuchota-t-il. Allons patiner.

Elle vit quelque chose sur son visage et, sans un mot, se pencha pour prendre ses vêtements. Lucjan arrêta sa main.

— Seulement ça sous ton manteau, dit-il en lui tendant son pull. Et tes collants, rien d'autre. Je te garderai au chaud.

Ils traversèrent la ville blanche en voiture, jusqu'au bord du ravin. Des fenêtres de lumière brillaient à travers la neige qui tombait, il n'y avait pas un intérieur qui ne ressemblât à un sanctuaire après un voyage. Près de la rivière, Lucjan étendit une couverture sur la neige et ils chaussèrent leurs patins.

Jeanne glissait, le visage rosi non par le froid mais par la chaleur. Elle transpirait sous son manteau, la chaleur grandissait ; le sang inondait tous ses muscles. Lucjan l'attira à lui. Il déboutonna son manteau. Il remonta son pull, le passa par-dessus sa tête. Au premier sursaut – sa peau brûlante –, il était difficile de reconnaître la froidure de l'air comme du froid. Elle n'aurait pu dire si la langue de Lucjan était chaude ou froide.

— Je veux te parler d'un jardin, le grand parc de chasse d'un roi assyrien, murmura Jeanne plus tard, dans la pénombre de la cuisine de Lucjan. D'odorantes plantations de cèdres et de buis, de chênes et d'arbres fruitiers, des charmilles de jasmin et d'*illuru*, iris et anémones, camomille et marguerites, crocus, pavot et lilas, à la fois sauvages et cultivés, sur les berges du Tigre. Des fleurs bercées par un chaud soleil d'odeur, de grands bancs de parfum brumeux et chatoyants, un mur de senteur ondoyant…

Les premiers jardins étaient entourés de murs destinés non pas à empêcher les animaux d'y entrer, mais à les empêcher d'en sortir afin qu'ils ne soient pas chassés par des étrangers. Le mot perse désignant ces sanctuaires murés était *pairidaeza*; en hébreu, *pardes*; en grec, *paradeisos.* Jeanne sentait le poids de Lucjan qui commençait à la clouer au sol.

L'origine du mot *paradis* est simplement « enclos ».

Et, après, Lucjan et Jeanne dans la baignoire plongée dans l'obscurité jusqu'à, oui, c'était bien vrai, être malades de désir à force d'attendre que la mélodie revienne.

~

— S'il te plaît, parle-moi de ta fille, dit Jeanne.

Étendu sur le dos à ses côtés, Lucjan regardait par la petite fenêtre au-dessus du lit.

— D'abord, elle s'appelle Lena. Ensuite, elle a presque douze ans, elle est presque femme. Enfin, la dernière fois que je l'ai vue, c'était encore une petite fille.

Jeanne savait qu'elle devait attendre. Un long moment s'écoula.

— Władka, la mère de Lena, travaillait avec son père sur leur chaland à pommes. On pouvait sentir ces barges à fruits à une distance de cinq pâtés de maisons, la douce odeur du cidre portée par la brise de la rivière. Les barges où s'élevaient des piles de cerises, de pêches et de pommes accostaient au bout de la rue Mariensztat, près du pont Kierbedz, apportant en ville tous les fruits des villages riverains.

Je me souviens de ces premiers marchés flottants après la guerre, la première montagne de pommes de la Vistule, dures, sucrées, sures, attendries par le soleil, en train de blettir, de fermenter, les abeilles qui volaient en rond au-dessus. Władka et sa mère préparaient des pâtisseries débordant de fruits qu'elles vendaient à un étal sur les quais.

Władka était si jeune, plus jeune que moi encore, et quand elle relevait les manches de sa robe, ses bras puissants embaumaient les pommes – aussi blancs et froids, aussi humides et sucrés – et je pouvais sentir les pommes entre ses seins et dans son haleine et dans ses cheveux.

Nous nous sommes mariés à l'hôtel Bristol. En 1955. J'avais vingt-cinq ans. Les parents de Władka avaient insisté pour que la cérémonie ait lieu au Bristol, avec ses glaces et ses chandeliers, ses fauteuils en velours et ses serveurs arrogants. Quand tu commandais, les serveurs étaient toujours en désaccord avec toi et ils ne t'apportaient jamais ce que tu avais demandé, mais ce qu'ils jugeaient préférable. Notre festin de noces était composé de canard rôti farci, de crème glacée, de fruits. Je m'en souviens très clairement parce qu'il y avait vingt ans que je n'avais mangé de tels mets. J'étais fou de Władka – la pensée de dormir avec elle toutes les nuits –, mais ces plats m'ont rendu très triste. Tout à coup je savais, je savais vraiment, que des repas pareils avaient toujours existé, même durant la guerre, pour certains. Une grande avidité s'est fait jour en moi alors que j'étais assis à table. Une très grande rage. Chaque bouchée délicieuse me remplissait de désespoir. Je mangeais le canard de la furie. Parmi nous, nul ne savait s'il aurait jamais l'occasion de manger ainsi de nouveau. Ces mets nous ont tous rendus très tristes.

Lucjan enfila son pull et descendit au rez-de-chaussée. Jeanne l'entendit remplir la bouilloire. Puis il se mit à fouiller dans les papiers empilés sur la grande table, dans des calepins et des journaux répandus par terre.

— Il y a une photo de ma fille... si j'arrive à la trouver dans ce fouillis. Je n'aime pas la garder toujours au même endroit ni dans un cadre, pour en faire un autel. J'aime à tomber sur le visage de Lena quand je suis occupé à autre chose ; c'est comme si je levais les yeux pour la découvrir assise dans la pièce avec moi.

Il abandonna et retourna s'asseoir au bord du lit.

— Je la trouverai plus tard, dit-il.

Et Jeanne ressentit de l'humiliation – devant son propre besoin d'être trouvée.

~

— On voyait tous les jours des gens debout dans la rue, racontait Lucjan, parfaitement immobiles, avec, à la main, quelque objet devenu tout à coup inutile – le manteau d'un mari, le livre d'une sœur –, les yeux fixés sur l'endroit où l'être qu'ils aimaient venait de disparaître. Durant toutes ces années, nous sommes restés debout dans la rue, les bras pleins d'objets inutiles, pendant qu'une voiture démarrait, que des rangs s'éloignaient au pas, qu'un train quittait la gare, qu'une porte se refermait.

Jeanne tendit le bras et mit la main sur celle de Lucjan. Il souleva la main de Jeanne et la posa doucement entre eux sur le lit.

— Tu voulais que je raconte cela, dit-il.

Il avait raison de le lui reprocher ; elle n'aurait pas dû tendre la main. Que pouvait représenter le contact de ses doigts face à de tels faits – rien. Le contact d'une autre personne, peut-être, mais pas le sien.

— Il y a des gens sur cette terre qui sont incapables de supporter ne serait-ce que le bruit d'un moteur de camion. Et le fait que leurs souvenirs sont partagés par des milliers d'autres – crois-tu que cela donne une impression de fraternité ? C'est exactement comme le disait Ranger... Tous les êtres heureux et tous les êtres malheureux connaissent exactement la même vérité, dit Lucjan : il n'y a qu'une seule véritable chance dans la vie, et si tu ne la saisis pas quand elle se présente, ou si quelqu'un te trahit, la vie qui devait être tienne disparaît. Tous les jours, pendant le reste de ta vie, tu seras torturé par ce souvenir.

Jeanne restait étendue, misérable, à ses côtés dans le noir.

Bientôt elle se rendit compte que Lucjan dormait. Son immobilité était grande et solide, un arbre tombé. Mais elle pouvait presque entendre son esprit qui, même dans son sommeil, continuait son saccage.

~

Par une claire matinée du mois de mars, Jeanne alla chez Marina en voiture pour examiner les pêchers. Puis les deux femmes préparèrent le dîner ensemble. Jeanne était en train d'éplucher des carottes et Marina versait un mélange d'œuf et d'oignon dans une poêle quand elle dit :

— J'ai confié un petit projet à Avery.

Jeanne leva les yeux.

— Rien de cher, remarque. Marina sourit. Quelque chose qu'il peut élaborer sur une feuille de papier. En fait, c'était une condition. S'il n'est pas capable de confectionner la maquette en pliant une seule feuille de papier, il doit recommencer.

En elle, un sentiment presque oublié s'éveilla : la hâte.

— Juste une maisonnette d'une ou deux pièces, une hutte, une cabane, il peut la mettre où il veut, mais j'avais pensé au bord du canal. Un endroit pour réfléchir, rêvasser. Un petit projet pour occuper ses mains et sa tête, où il aura la liberté de faire des erreurs.

Et j'ai pensé à quelque chose pour toi aussi, poursuivit Marina.

Elle mena Jeanne dans la salle à manger. De grands carrés de tissus pliés étaient empilés sur la table. Marina entreprit de les ouvrir et de les secouer un à un, quelque douze étoffes aux couleurs tellement vives que Jeanne ne put s'empêcher de rire : des motifs géométriques ou floraux d'une vingtaine de centimètres de largeur, nets et vivants, rouge coquelicot, anthracite, moutarde, bleu céruléen, cobalt, lime, blanc anémone, sur un coton raide et solide dont on aurait dit qu'il pourrait servir à confectionner les voiles d'un vaisseau fantastique.

— J'ai découvert la boutique Marimekko en Carélie, dit Marina. C'est une révolution. Des tissus comme ceux-là étaient inimaginables quand j'étais jeune. Les femmes arborent aujourd'hui ces couleurs et ces motifs flamboyants et extravagants pour se promener dans le monde. Nous allons te confectionner des vêtements d'été, de grandes robes carrées, joyeuses, amples et fraîches. Avec tes bras et tes jambes adorables sortant de là, tu seras magnifique.

— Vas-tu en enfiler une aussi ? demanda Jeanne. Une grande robe carrée et ample de chez Marimekko ?

Elles échangèrent un coup d'œil, puis chacune se regarda : l'accoutrement miteux de Jeanne, qui portait des vêtements de jardinage, des leggings noirs informes, une vieille chemise ayant appartenu à Avery et qui lui battait les genoux, un vieux pull d'une teinte inidentifiable, couleur boue, ayant aussi appartenu à Avery et dont les coudes étaient percés, qui glissait de ses minces épaules. Le tablier de peinture en plastique de Marina, son pantalon de laine qui semblait dater d'avant la guerre, ce qui était le cas, bien coupé (car il avait appartenu à William), mais pendouillant et taché de peinture.

— Marina, dit Jeanne, tu es assez timbrée merci.

Marina prit la main de Jeanne, presque désespérée de voir de nouveau du bonheur dans ses yeux.

— Pas complètement.

Quelques jours plus tard, Jeanne revint au marais et, comme à son habitude, laissa sa voiture sur l'accotement de la route principale de manière à pouvoir gagner la maison à pied ; pour en absorber la vue, parmi les arbres, maintenant des arbres d'hiver peints de noir, traits verticaux, épais ou minces, au bord des champs. Elle frappa à la porte de derrière puis, constatant qu'elle n'était pas verrouillée, entra. Sur la table de la cuisine était posé un bol de soupe. De gros bouts de pain étaient entassés dans le bol, gonflés de bouillon. À ce moment elle sut qu'Avery s'était trouvé là, qu'il y était peut-être encore ; peut-être avait-il garé sa voiture dans le champ de l'autre côté de la maison. Elle ne l'avait jamais vu quitter la table sans ramasser derrière lui, par devoir ou par habitude, et certainement pas dans la maison de sa mère. Jeanne resta debout dans l'embrasure de la porte et regarda le bol de soupe plein de pain. Un bol d'enfant.

C'était sa propre vulnérabilité qu'elle éprouvait en le regardant, et non celle d'Avery.

Elle ressortit.

De la fenêtre de son atelier, Marina vit Jeanne et Avery qui parlaient et, par-dessus l'épaule de Jeanne, le gant d'Avery dans les airs, montrant quelque chose du doigt. Et elle sut qu'il commençait à penser à cette unique feuille de papier.

~

Jeanne était assise au bord du lit tandis que Lucjan dessinait.

— J'ai trimé comme un esclave sur la construction d'un grand projet soviétique, le palais de la Culture, dit Lucjan. J'ai exécuté toutes les tâches que le dernier des ouvriers pouvait me refiler. Lentement, la monstruosité s'est élevée, une pierre à la fois ; tout le monde était stupéfait de ses proportions démesurées, lesquelles symbolisaient, d'emblée, les tourments infligés par Staline. Plus l'édifice s'élevait, plus ses décorations et ses clochetons étaient finement ouvrés, autant de stalagmites pointus, plus il représentait une soumission profonde. Je détestais ce travail qui, en même temps, me fascinait. Et c'est là que j'ai fait la connaissance d'Ostap.

Je haïssais tout ce qui nous entourait, mais je ne ressentais aucun mépris à son endroit. Il y avait quelque chose chez lui, dans sa manière de bouger, dans la façon qu'il avait d'affronter un obstacle tête première, comme s'il lui témoignait du respect, dans sa façon de faire fi des commentaires d'un autre homme imperceptiblement, et pourtant pas imperceptiblement, par ses oreilles, ses cheveux. Je n'avais jamais rencontré un homme à ce point sûr de son indépendance, de son dédain intérieur. Je n'arrive pas à trouver les mots pour le peindre comme il le faudrait – même après toutes ces années, j'ai du mal à décrire cette indépendance qui était la sienne.

Ostap aimait à rappeler les paroles d'Andreï Platonov, même si on risquait gros à faire de telles citations. Il étirait ses jambes comme s'il avait tout le temps du monde devant lui et n'allait pas être obligé de bondir sur ses pieds une seconde plus tard, et il récitait : « Pour l'esprit, tout est dans l'avenir ; pour le cœur, tout est dans le passé. » « La vie est courte, on n'a pas assez de temps pour tout oublier. »

Souvent, quand on mangeait ensemble, cet Ostap, qui était russe, sortait de la poche de sa veste un crayon aiguisé jusqu'à n'être pas plus haut que le pouce – « les crayons courts ont la mémoire longue ! » – et il griffonnait des dessins afin de m'apprendre le nom des choses en russe. D'abord, il y a eu des mots pratiques – *camion, pierre, marteau* –, et puis il m'a appris des mots dont l'utilité était d'un autre type – *colère, idiot, ami.* Plutôt que de se débarrasser de ces bouts de papier, il les coinçait entre les pierres, dans le mortier. Il y a ainsi plus d'un mot caché entre les pierres du palais de la Culture, assez pour raconter une sorte d'histoire. C'est aussi de cette manière que j'ai appris des bribes de son enfance à Saint-Pétersbourg – un chat, un pont, un appartement rue Furstadtskaya.

En échange, je racontais à Ostap des histoires sur des lieux de Varsovie que je n'avais pas connus enfant, des histoires que j'avais entendues plus tard chez les étudiants. C'était irresponsable, mais au moment même où je les racontais, ces anecdotes semblaient s'inscrire dans ma mémoire – peut-être était-ce précisément pour cette raison que je les racontais –, jusqu'à ce qu'il devienne impossible de distinguer les souvenirs qui m'appartenaient de ceux qui n'étaient pas miens, comme si, en vertu de la perte collective, ils étaient devenus souvenir collectif. Pour tout garder, même ce qu'il ne m'appartenait pas de garder.

Nul homme ne s'est jamais montré si loyal envers son enfance qu'Ostap. Quand tout fut emporté, même le petit service à thé avec lequel sa sœur et lui avaient joué, où le portrait de Lénine était peint sur chacune des tasses et des soucoupes minuscules, Ostap prit la décision de ne rien oublier. Il se souvenait tout particulièrement des livres qu'il avait lus enfant, une histoire de hérisson et de tortue – Lambin et Piedléger –, qu'il comparait aux « classiques » soviétiques, des trains et des camions effrayants avec leur rictus humain, des robots à la bouche carrée et au nez en poignée, leurs faces faites d'engrenages et de rouages, pas tout à fait humains et pas tout à fait machines. Ils me rappelaient les camions qui compactaient les zones nettoyées, rue Freta. Il m'a montré l'un des feuilletoscopes de Tsekhanovski, petits films dans lesquels des enfants rapetissaient tandis que des machines grandissaient jusqu'à devenir énormes, où des locomotives fonçaient sur de petits animaux. Enfant, il avait lu les traductions qu'avait faites Chukovski des livres de O. Henry et de R. L. Stevenson, ainsi que *Comment Kolka Panki s'enfuit au Brésil et Petka Ershov ne le crut pas* et *100 000 Pourquoi* d'Evgenia Evenbach. Ostap parlait de sa mère, qui était toute petite et qui avait l'habitude de poser la tête sur son épaule, même quand il n'avait que douze ans, et qui est maintenant enterrée dans le cimetière de l'île Golodny à Volgograd.

Ta Marina et lui en auraient eu long à se raconter. Il était ferré dans tout ce qui avait trait aux livres pour enfants, dont il n'a jamais passé l'âge, au contraire : au fil des années, il a appris à en comprendre les secrets. Il savait quels auteurs étaient *stopiatnitsa,* membres du « club 105 », qui n'avaient pas le droit de vivre à moins de cent cinq kilomètres d'une ville… et quel auteur était en prison pour avoir écrit une histoire de lapin et de chèvre. C'était pendant le règne de la « reine Kroupskaïa », dont la croisade personnelle consistait à dénoncer les contes de fées qui, « non scientifiques », posaient un danger pour l'État.

« Est-ce que les lapins parlent ? Est-ce que les chèvres portent des vêtements ? L'anthropomorphisme des animaux n'est pas réaliste, c'est donc un mensonge. Vous mentez à nos enfants. » Peut-être l'auteur mentait-il effectivement, concédait Ostap. Parce qu'il a écrit une histoire où une pierre peut se changer en homme…

Ces Russes envoyés à Varsovie pour construire le palais de la Culture dormaient dans un vaste camp au bord du fleuve. Au cours des mois où j'y ai travaillé, à aller chercher et à porter ce qu'on me demandait, il arrivait régulièrement que des camarades fassent une « chute » mortelle, et qu'on se contente de les laisser par terre pour les enterrer à proximité des fondations. On disait de telles chutes que la personne avait « bu un coup de trop ».

Lucjan se tut. « Attends un peu », dit-il en se coulant hors du lit. Jeanne l'entendit descendre l'escalier et distingua le bruit de la vieille poignée de métal du réfrigérateur qui se fermait hermétiquement. Elle entendit des coups.

— Ne t'inquiète pas, je casse de la glace avec un marteau, c'est tout !

Il revint avec un bol de neige sur laquelle il avait versé de la vodka. Le froid monta directement au cerveau de Jeanne.

— Y a-t-il une seule partie de nous qui soit inviolable ? Non. Tout peut être emporté, démantibulé ; charogne. Pourtant, il y a quelque chose chez l'homme… Quelque chose qui n'est pas assez puissant pour porter le nom d'intuition, peut-être s'agit-il simplement de l'odeur de son propre corps. Et c'est là-dessus qu'on fonde son existence…

Lucjan entreprit de recouvrir le dos de Jeanne de la couverture mais, en y songeant par deux fois, tira plutôt le drap et la regarda.

Il entortilla le drap entre ses fesses. Il vit qu'elle accepterait n'importe quoi. Il lâcha le drap.

— Ne me laisse pas faire, dit-il.

J'ai connu un autre Russe alors que je travaillais au palais de la Culture. À l'heure du dîner, il fumait la bouche pleine – je n'ai jamais vu personne d'autre faire cela. Il faisait la leçon aux plus jeunes : « Les femmes sont toutes pareilles, prenez ce que vous pouvez avant qu'elles vous dévalisent… »

Et la Muzak, veux-tu savoir d'où vient la Muzak, comment il se fait qu'on ne peut pas aller au supermarché acheter un paquet de pois congelés sans entendre une femme geindre sur son amour perdu, alors que tout ce qu'on veut, c'est payer les petits pois et sortir de là au plus vite – pourquoi on ne peut pas acheter une pinte de lait ou une paire de chaussettes ou s'asseoir tranquille dans un café ? L'origine de la Muzak, c'est les haut-parleurs dans les camps, à Buchenwald, et toutes les chansons d'amour roucoulantes qu'on leur fourrait dans les oreilles dans la file d'attente, à l'infirmerie, alors que les morts entraient et sortaient comme dans un rêve…

Dans chaque vie, il y a un moment où l'on exige de nous un courage dont nous sentons dans la moindre de nos cellules qu'il est hors de notre portée. C'est ce que l'on fait à ce moment qui détermine tout ce qui suit. On se plaît à croire qu'on a plus d'une chance, mais ce n'est pas vrai. Et notre échec est à ce point permanent qu'on tente de se convaincre qu'on a bien agi, et on rationnalise sans fin. Dans nos os, nous connaissons cette vérité ; elle est si tyrannique, si exigeante qu'on cherche à la nier par tous les moyens. Cet échec est au cœur de tout ce qu'on fait, de chaque menue décision que l'on prend. Et c'est pourquoi, au cœur de notre être, il n'y a rien dont on ait plus soif que de pardon. C'est un désir sans fond, ce désir de pardon.

Et je vais te dire autre chose, dit Lucjan en enveloppant Jeanne dans les couvertures : cette vérité est présente à chaque mort.

Marcher pour la première fois dans la réplique de la Vieille Ville, dit Lucjan, sur la place du marché reconstruite – c'était humiliant. Ton propre délire te faisait honte – tu savais que c'était une illusion, du lavage de cerveau, et pourtant tu le voulais tellement. Le souvenir excitait ton cerveau. La faim qu'il tentait de satisfaire. C'était le crépuscule, les lampadaires se sont miraculeusement allumés, et tout était exactement pareil – les mêmes enseignes pour les boutiques, la même maçonnerie, les mêmes arcades... J'ai dû m'arrêter plusieurs fois, tant l'impression d'étrangeté était intense. Je me suis accroupi, dos à un mur. C'était une brutalité, un simulacre – d'abord à donner mal au cœur, comme si l'on pouvait remonter le temps, comme si même la vérité de notre misère pouvait nous être enlevée. Et pourtant, à force de marcher, ces impressions se modifiaient, la nausée s'atténuait graduellement et on se mettait à se souvenir de plus en plus. Des souvenirs d'enfance, des souvenirs de jeunesse et d'amour – je regardais les visages des gens autour de moi, rendus à demifous par la confusion de sentiments. Il y avait aussi une défiance, bien sûr, un chant d'orgueil immense qui émanait de tous, humiliation et orgueil mêlés. Des gens dansaient dans la rue. Ils buvaient un coup. À trois heures du matin, les rues étaient encore pleines de monde, et je me rappelle avoir songé que, si nous ne nous dispersions pas, les fantômes ne reviendraient pas, et à qui tout cela était-il destiné si ce n'est aux fantômes ?

Jeanne s'approcha encore de lui.

— Janina, garde ta compassion pour toi. Veux-tu entendre ce que j'ai à raconter ou pas ?

Il entassa des oreillers entre eux.

— Après cela, j'ai pensé qu'il aurait peut-être mieux valu charger tous les décombres dans des camions pour aller les jeter quelque part, loin de là, où ils n'auraient pas pu être utilisés pour quoi que ce soit.

— Vous auriez pu ne rien construire, dit Jeanne. Mais… ne rien construire, c'est dur aussi. Parfois, c'est plus difficile de ne rien construire.

— Peuh, dit Lucjan. Tu ne comprends rien.

Il écarta les oreillers.

— Tu peux aussi bien me toucher, puisque tu n'entends pas un mot de ce que je te dis.

— Mais je comprends, dit Jeanne.

— D'accord, pardonne-moi. Mais tu crois que quelques mots vont suffire ? Peut-être penses-tu que je n'ai pas déjà suffisamment réfléchi à tout ça ?

Il lança son calepin à dessin par terre.

— Pendant six ans, les Polonais ont mangé leurs fruits et leur pain. Le jus coulait sur leur menton tandis qu'à cent mètres de là gisaient les corps d'hommes morts de faim – ils auraient aussi bien pu étendre leurs nappes amidonnées directement sur les cadavres dans les rues pour y pique-niquer.

Jeanne se pencha et ramassa ses vêtements sur le sol.

— Je ne sais rien, dit-elle. Tu as raison. Je ne sais rien de tout ça.

— Je ne veux pas de ta pitié. Ni de ta psychanalyse. Pas même de ton empathie. Tout ce que je veux, c'est de la sympathie, simple, commune. Quelque chose de vrai.

Elle entreprit de s'habiller.

— Tu es grosse comme rien. De dos, tu ressembles à une petite fille. Qui commence à peine.

Il se leva et se tint debout à ses côtés.

— Sauf pour ici, dit-il en glissant la main entre ses cuisses. Et ici, en touchant ses seins. Et ici, en couvrant ses yeux.

Il enroula sa large ceinture autour de la taille de Jeanne, deux fois, tira pour la serrer et la boucla. Il regarda la chair, le moindre centimètre de chair qui sortait du cuir, l'embrassa à cet endroit et se mit à dessiner.

Il tordit la ceinture autour des poignets de Jeanne, leva ses bras au-dessus de sa tête et tira son corps en travers du lit.

— Ça fait mal ?

— Non, je pourrais me défaire si je le voulais.

— Bien.

Il la dessina les mains liées derrière le dos, les bras attachés pendant devant elle. Les dessins étaient faits de très proche, toujours la ligne de peau que pinçait le cuir.

Dans l'une des peintures de Marina, le visage d'un enfant était sectionné par le bord de la toile ; ce n'est que maintenant que Jeanne en saisissait la signification. Le bord, un tourniquet.

— On ne harnacherait pas un animal aussi serré, dit Lucjan, parce qu'on veut qu'il puisse travailler. Il n'y a qu'un homme qu'on attacherait si serré, un homme dont la vie ne vaut même pas qu'on le fasse travailler à mort.

Elle leva la tête devant Lucjan. Il la regarda avec un air de supplication, mais ce n'était qu'une contraction des muscles pour retenir ses larmes.

Après, il lui montra les dessins. C'était sa chair.

~

Parler n'offre rien d'autre qu'un sursis. Lucjan a dit cela plus d'une fois. On a beau crier aussi fort qu'on le veut, révéler les secrets les plus intimes, l'histoire ne nous entend pas.

En Jeanne, les restes de deux fleuves – déchirants. Les déracinés, les déplacés. Elle se rappelle ce qu'Avery avait noté dans son livre-miroir dans le désert. Bientôt, plus de soixante millions de personnes auront été dépossédées par cet assujettissement de l'eau, nombre qui se compare presque à celui des migrations entraînées par la guerre et l'occupation. Tandis que la variation du poids des bassins versants altère la vitesse de rotation de notre Terre et l'angle de son axe.

Fait sans précédent dans l'histoire, des masses d'êtres humains ne vivent pas, et ne seront pas enterrés, dans le pays où ils sont nés. La grande migration des morts. Elle a d'abord été causée par la guerre, songea Jeanne, et puis par l'eau.

La terre ne nous appartient pas, nous appartenons à la terre. Là réside le véritable mal du pays, et il est l'apanage des morts. Nul lieu ne le proclame plus certainement qu'une tombe. En ce siècle de réfugiés, c'est notre déplacement qui nous lie.

Le soleil était déjà bas, pâle coulée cramoisie suintant derrière les nuages. Jeanne avait froid aux mains, mais elle n'aimait pas travailler avec des gants. Elle fit la première entaille dans l'écorce de l'un des pêchers de Marina et entama la greffe précautionneusement. Elle voyait, à l'autre bout du verger, la pile de bois qu'Avery avait fait livrer et qui attendait la réalisation de ses plans : une petite maison, toute en fenêtres, dont Jeanne savait que les volumes seraient cachés par les arbres fruitiers, et qui se dresserait à un endroit d'où l'on entendait le canal.

Depuis cinq mille ans, les êtres humains greffent une variété de plante sur une autre – division, réunion, cellules conductrices qui scellent la plaie. Et pendant plus de cinq cent mille ans – jusqu'à ce que, fruit de l'évolution, du hasard ou de l'agression, *Homo sapiens* se soit retrouvé seul sur terre –, au moins deux espèces d'hominidés ont coexisté en Amérique du Nord et au Moyen-Orient, habitant le même désert.

Il y a une âme dans l'arbre fruitier, songea Jeanne, et elle est née de la rencontre de deux âmes.

~

— Ewa et Paweł, Witold, Piotr – nous appartenions à un groupe, dit Lucjan. Nous avons réussi à poser des actes utiles. Nous amassions de l'argent pour des gens qui devaient quitter la Pologne à la hâte, nous transmettions des renseignements. Ewa et Paweł jouaient leurs pièces chez eux et chez d'autres. C'est à cette époque-là que j'ai commencé les peintures des cavernes – c'était une de mes blagues –, la vie souterraine. Je les peignais comme un signal, un geste de la main, une espièglerie toute bête.

Puis j'ai fabriqué les Hommes des précipices – des sculptures que je hissais sur le toit de bâtiments. Ewa et Paweł me donnaient un coup de main. On travaillait la nuit. D'abord on en a placé un sur le toit de l'immeuble où j'habitais, et puis trois de plus sur le toit du leur. Je les avais fabriqués en terre glaise, de la boue, en vérité, et j'avais renforcé l'intérieur à l'aide de morceaux de métal. Ils ne dureraient pas, et ça contribuait à l'intérêt de la chose ; ça me plaisait qu'ils tiennent grâce à des rebuts. Je pouvais les confectionner en vitesse, ils ne coûtaient pas grand-chose et l'argile leur donnait une allure vraiment réaliste. Ils regardaient par-dessus le bord du toit à des angles impossibles. L'idée m'était venue en feuilletant un livre appartenant à Ewa, une photo de la *Villa Rotonda* de Palladio. Les sculptures sont restées là des semaines avant que quelqu'un ne remarque leur présence ; personne ne regarde en l'air. Mais quand les gens ont commencé à les repérer, je descendais dans la rue pour les regarder. J'aimais ce moment de surprise. C'était un jeu, un jeu infantile. J'aurais aimé en disposer quelques-unes sur le palais de la Culture, mais Władka m'a convaincu de ne pas le faire. Elle a prononcé la phrase la plus décourageante qu'on ait jamais dite sur toutes les bêtises que je fais : l'idée ne vaut pas la prison.

Lucjan s'assit dans le lit. Il s'interrompit.

— Puis, un soir, un vieil homme attendait sur le toit de l'immeuble où habitaient Ewa et Paweł dans Muranów. Il a sauté en bas. Un jeune homme, un étudiant, avait justement les yeux levés, et il a vu l'une des sculptures prendre vie. Le suicidé avait laissé son veston plié proprement, avec, dans la poche, une lettre demandant qu'on remette le veston à un organisme de bienfaisance.

Jeanne s'assit à ses côtés.

— J'ai du mal à croire ce que tu viens de dire.

Lucjan couvrit son visage de ses mains.

— Aussitôt que j'ai entendu dire que quelqu'un avait sauté, j'ai pensé à mon beau-père. Il me semblait que c'était exactement le genre de choses qu'il était susceptible de s'infliger à lui-même et à moi. Mais, bien sûr, ce n'était pas lui. Paweł et Ewa connaissaient un tout petit peu l'homme, car il habitait leur immeuble. Sa femme avait longtemps été malade et elle était morte dans leur appartement. Ils n'avaient jamais été séparés – pas une seule fois en cinquante ans, pas même pendant la guerre. Paweł était d'avis que je lui avais offert un moyen de mourir, à l'endroit où sa femme était morte.

La mort confère à un lieu un caractère sacré dont on ne peut jamais le dépouiller. Cette tour d'habitation avait été construite par-dessus le ghetto, où avaient été livrées certaines des pires batailles. Tous les morts prisonniers des décombres sous ces appartements, peut-être ma propre mère quelque part, tout ce qui est arrivé après. Nous étions déjà dans un cimetière.

Jeanne enveloppa Lucjan de ses bras. Il les écarta.

— Peu de temps après, Władka et moi avons eu une grave dispute, la pire. J'avais eu une petite conversation avec Lena, il me semblait qu'elle était assez grande pour apprendre une ou deux choses sur notre engagement, sur la politique de l'action non violente. Elle voulait savoir pourquoi j'étais toujours en train de faire des gestes extravagants, comme laisser des poupées matriochkas dans des endroits trop hauts pour qu'on les atteigne, pendues à des lampadaires, à des fenêtres du deuxième étage, etc., alors je lui ai parlé des « amis en haut lieu ». Et comme elle voulait savoir pourquoi les élèves plus vieux portaient des pièces de radio au revers de leur collet comme des bijoux, je lui ai aussi parlé des « résistors », et du fait que le premier geste de subversion est une blague, parce que l'humour constitue toujours un puissant signal envoyé aux autorités, qui ne comprennent jamais cela : les gens sont dangereusement sérieux. Et que le deuxième acte subversif en importance est d'exprimer de l'affection, parce que personne ne peut réglementer cela ni le rendre illégal.

Quelques jours après cette conversation avec Lena, Władka m'a dit qu'elle en avait assez. J'ai emménagé chez Ewa et Paweł. Bientôt, j'ai eu du mal à voir Lena ; Władka organisait une rencontre et, quand je me présentais, elles n'étaient pas à la maison. Elle envoyait Lena chez ses parents, chez ses amis. Pendant plusieurs mois, j'ai perdu la tête, je suivais Władka dans la rue. Le frottement de sa manche contre le corps de son imperméable en plastique – jour après jour, j'écoutais ce bruit agaçant ; il grandissait dans ma tête jusqu'à éclipser le cri des corneilles, le grincement des camions qui déversaient sans fin leurs débris, les avions dans le ciel. Tous les autres sons disparaissaient pour laisser place au frottement écrasant de sa manche en plastique. Je regardais les hommes et les femmes sur les sites de construction comme si leurs gestes et leurs actions s'étaient déroulés derrière le verre – tout ce que j'entendais, c'était ce froissement enrageant, incessant de son imperméable tandis qu'elle marchait devant moi. Il y a une chose que je peux dire pour sa défense : elle aussi portait le poids de cette folie. En la poursuivant de la sorte, je savais que jamais je ne voudrais un autre enfant. Je n'oublierai jamais ce son et cette impression d'être emprisonné à l'air libre. Nous sommes capables de reconstruire des villes, mais les ruines entre mari et femme…

Même avant cela, avec Władka, les choses déraillaient toujours de la même façon. Je posais une question, une question simple – « que ferais-tu dans les mêmes circonstances ? » –, mais, en réalité, je tâtais le terrain, comme un singe qui plonge un bâton dans un trou pour y trouver des insectes. Ils tombaient du bâton en grosses gouttes d'ambiguïté morale – cette seconde d'hésitation, ce moment où elle ne prenait pas la question au sérieux, ou cet instant d'indécision évidente, choquante. Et chaque fois ça me donnait mal au cœur de découvrir cet endroit, pâteux comme une meurtrissure, la frontière morale qu'elle était toujours prête à franchir, même si je comprenais que c'était en raison d'une peur tout à fait raisonnable. J'en étais malade de triomphe. J'avais la preuve qu'il était idiot, insensé, de lui faire confiance, et comme j'étais passé près d'oublier. Ce pincement de satisfaction – c'était presque un sentiment de sécurité, cette moue de dédain intérieure – pendant qu'elle continuait à me lisser les cheveux ou à me faire la lecture, et j'étais dégoûté par le contact de ses doigts, et c'était fini, à ce moment précis, pour la centième fois, fini.

Après un an de ce traitement, et quand on a facilité le départ des derniers Juifs, je suis parti. Paweł et Ewa s'attiraient toujours des ennuis, Witold, le cousin d'Ewa, et Piotr – nous sommes tous partis. Plus tard, j'ai appris que Władka s'affairait à « améliorer son sort » et celui de Lena auprès d'un certain bureaucrate soviétique, et que ces rendez-vous duraient depuis un assez long moment, qu'ils avaient commencé même avant ma petite discussion avec Lena. Elle aurait pu dénoncer n'importe lequel d'entre nous – moi, Paweł et les autres –, mais elle ne l'a pas fait. Elle voulait que je sois reconnaissant. Elle m'a coûté ma fille mais au moins ne m'a pas coûté la vie de mes amis. C'est exactement le genre de marché qu'aimait Władka. Ce sont les ennemis qui se connaissent le mieux, disait-elle quand nous nous querellions, parce que la pitié ne brouille jamais leur jugement. C'était sa manière de me dire que j'étais un irritant et rien d'autre, « qui ne valait même pas la prison ».

Ewa avait un frère, un jumeau. Ils faisaient exprès d'accentuer leur ressemblance ; Ewa s'habillait comme lui. Parfois, ça me faisait de la peine, comme ces ballades où la fille coupe ses cheveux courts et s'habille en garçon dans le but de partir en mer pour ne pas quitter son frère ou son amoureux ; il y avait une part de désespoir dans ce déguisement. Et quand la police l'a embarqué et qu'on n'a plus entendu parler de lui, Ewa ignorait, et elle ignorera toujours, s'ils ne la cherchaient pas plutôt, elle. En vérité, l'un ou l'autre aurait fait l'affaire. Mais Ewa avait toujours pris plus de risques et elle a l'impression, encore aujourd'hui, que ç'aurait dû être elle.

Une fois, j'ai dépensé l'argent d'un mois entier pour appeler Lena à Varsovie. Pendant que nous parlions, Władka est rentrée et lui a ordonné de raccrocher. Je pouvais l'entendre crier. Lena a dit qu'elle allait la calmer. « Juste une minute, a-t-elle promis, je reviens tout de suite. » Je lui ai crié de revenir au téléphone. Puis j'ai attendu. Pendant vingt minutes, tout ce que j'ai entendu, c'est le chien qui aboyait et sa chaîne qui traînait sur le plancher. L'argent d'un mois entier, juste pour entendre un chien aboyer de l'autre côté de l'océan. Il y a des années de cela, cette conversation avec Monsieur Bow-wow. C'est la dernière fois que je lui ai téléphoné.

— Tu n'as plus jamais parlé à ta fille ?

— Non.

Jeanne tendit le bras, mais Lucjan prit sa main et la reposa sur ses genoux.

Elle se détourna. La neige tombait, silencieuse et lente, dans la fenêtre loin au-dessus du lit.

Tout ce que nous sommes peut être contenu dans une voix, se fondre dans le silence à tout jamais. Et quand il n'y a personne pour écouter, les parties de notre être qui naissent de cette écoute n'entrent jamais en ce monde, pas même en rêve. La lueur de la lune jetait son souffle blanc sur le Nil. Dehors, la neige continuait à tomber.

Pendant que Jeanne parlait, Lucjan voyait la gaze de la lumière d'étoiles sur le fleuve la nuit où le garçon s'était noyé dans son rêve, le moment où elle croyait que sa fille avait flotté loin d'elle, sans une trace hormis ce rêve de noyade. Dans sa voix, Lucjan voyait le flanc de colline où Jeanne avait dit pour la première fois à son mari qu'il serait père, et la chambre d'hôpital nue au Caire. Sa peur de ne plus porter, sa peur de porter à nouveau un enfant. Son corps abandonnant le contact d'Avery.

— Janina, dit Lucjan, l'absence de peur est une sorte de désespoir, ne la souhaite pas, c'est l'inverse du courage…

Pendant un long moment, ils restèrent étendus ensemble en silence. De temps en temps le bol en vitre posé sur le réfrigérateur se mettait à vibrer puis cessait. Il faisait tiède sous les couvertures, Lucjan à ses côtés sur toute la longueur de son corps.

L'absence qui avait été si profonde, depuis l'enfance – enfin Jeanne l'éprouvait pour ce qu'elle était, pour ce qu'elle avait toujours été : une présence.

La mort est le dernier degré de l'amour, et pendant tout ce temps elle n'avait pas reconnu ce qui avait été la tâche de sa mère en elle, ni celle de son enfant ; car l'amour a toujours une tâche.

Dans la paix du sommeil, Jeanne ouvrit les yeux. Près du lit, ses vêtements, le gros pull à torsades gris de Lucjan, la théière, un dessin d'elle. Elle distinguait à peine dans la faible lueur de l'aube la courbe de sa taille, la courbe endormie de son corps sur le papier épais. Elle se rappela ce qu'avait dit Lucjan l'une des premières nuits qu'ils avaient passées ensemble : la chair n'a pas de véritable contour. La ligne est une façon pour notre œil de contenir quelque chose. Mais, en vérité, on dessine ce qui n'est pas là.

Elle se retourna pour découvrir Lucjan, yeux ouverts, à ses côtés. Il attendait qu'elle se réveille. Il passa la main dans les cheveux de Jeanne, les tira doucement près de la racine, geste qu'un observateur aurait pu prendre pour du désir à l'état pur. Puis, abaissant la tête jusqu'à son ventre, il passa le bras sous elle, la serra si étroitement qu'elle en eut le souffle court. Il ne relâcha pas son étreinte, mais la tint ainsi, comme s'il allait la briser en deux, l'emprise d'un douloureux sauvetage.

— Je t'en prie, Janina, chuchota-t-il contre elle. Je t'en prie, habille-toi et rentre chez toi.

À ces mots, elle devint froide. Mais il ne la laissa pas aller.

Il ne la laissa pas aller et peu à peu elle sentit que son désir lancinant n'était pas séparé du désir de Lucjan. L'abandon lent, impossible, à ce qui était vrai. Il ne la laissa pas aller, et, dans cette union, l'aveu de sa solitude était aussi proche de l'amour que tout ce qui avait jamais passé entre eux ; aussi proche de l'amour que l'est la peur de l'amour.

Avec une douceur exquise, lentement Lucjan enveloppa Jeanne dans ses sous-vêtements, ses collants épais, sa robe-tunique, son manteau et ses bottes. À chaque vêtement, une impression de perte de plus en plus profonde se creusait en elle.

Ils restèrent debout près de la porte d'entrée, la maison plongée dans le noir, sauf pour la petite lumière au-dessus de la cuisinière. Chaque détail désormais atrocement familier, un monde qui était aussi à elle.

Il la prit par le bras et tranquillement ils marchèrent vers le nord, passé les repères dont ils avaient pris possession ensemble, traversant la ville en direction de l'avenue Clarendon. La neige donnait une lumière au sol. Quand ils atteignirent l'immeuble de Jeanne, Lucjan dit : « Je voulais simplement te raccompagner jusque chez toi, mais maintenant que nous y sommes, Janina, j'aimerais rester. »

Ils montèrent ensemble dans le petit ascenseur et, pour la première fois, Lucjan se coucha dans le lit de Jeanne à côté d'elle.

~

Juste avant minuit, le lendemain, Jeanne se tenait à la porte d'entrée de son appartement de l'avenue Clarendon. Elle avait été quasiment paralysée par la réflexion pendant la plus grande partie de la journée.

Le passé ne change pas, ni le besoin que nous avons de lui. Ce qui doit changer, c'est la manière dont on raconte.

Elle ne voulait pas déranger Lucjan, mais peut-être était-il réveillé lui aussi. Elle marcherait jusque-là et verrait. Cette marche, comprit-elle, était l'un des cadeaux de Lucjan ; cette ville à l'intérieur de la ville, à n'importe quelle heure du jour ou de la nuit, cette marche. La neige tombée la veille avait fondu et les rues brillaient, mouillées, dans l'obscurité.

La maison de Lucjan était plongée dans le noir, sauf pour une lumière dans la fenêtre supérieure, sa chambre.

En soi, ça ne voulait rien dire, mais Jeanne, debout à la porte de la maison de Lucjan, saisit en un instant le fait précis qui rendait la vérité visible. Elle comprit tout – une recombinaison de tout ce qu'elle avait su –, comme l'histoire est soudain illuminée par un seul *h*.

Elle vit, appuyée contre la clôture de Lucjan, avec ses fleurs en plastique autour du guidon, la bicyclette d'Ewa.

Jeanne vit ce qui liait Lucjan à elle, et ce qui le liait – avec l'amitié et la loyauté des décennies – à ceux qui lui étaient le plus proches.

Le mot *amour,* avait-il dit, n'est-il pas toujours en train de se décomposer en autre chose ? En amertume, en désir inassouvi, en jalousie – autant de parties du tout. Peut-être existe-t-il un mot plus approprié, quelque chose qui serait trop simple pour subir pareille métamorphose.

Mais quel mot pourrait être aussi incorruptible? avait-elle demandé. Aussi infaillible?

Et Lucjan, pour qui les mots étaient une question morale, avait répondu : tendresse.

Le lendemain matin, Jeanne téléphona à Lucjan et lui dit qu'elle avait vu la bicyclette d'Ewa à sa porte. Elle perçut l'angoisse dans son silence. Puis il dit :

— S'il te plaît, Janina, je veux que tu comprennes.

Et, presque comme si c'était de sa bouche à elle que sortaient les mots que formula Lucjan, comme si elle avait su depuis le début qu'il en viendrait à les prononcer, il dit :

— Peut-être Ewa peut-elle nous aider.

Elle marcha jusque chez Ewa et Paweł. Il était quatorze heures. La porte avant était ouverte. Jeanne regarda par la moustiquaire, toute la longueur de la maison, jusqu'à la galerie de derrière, où elle vit Ewa penchée sur un de ses projets. Elle la héla et Ewa leva les yeux.

— Jeanne, entre… Sors…

Jeanne traversa la maison étroite, passant devant la bicyclette fleurie dans le couloir et un tas de foulards et de mitaines sur le sol. Maintenant le mur des enfants était un champ vert où l'on voyait des chevaux. Elle enjamba une pile de journaux près de la porte arrière.

Ewa était en train de fabriquer un rocher en papier mâché à l'aide de journaux et de treillis métallique. Elle essuya ses mains sur sa salopette et tira une chaise près d'elle. Elle montra d'un geste la galerie jonchée de rocs.

— La côte du Danemark, expliqua-t-elle. Si tu veux retrousser tes manches, tu es la bienvenue. Tu n'as qu'à tremper les bandes de papier dans la colle et à recouvrir l'armature. Elle désigna un amas de formes en treillis.

Puis elle dévisagea Jeanne.

— Ou bien, dit-elle doucement, c'est peut-être le temps de prendre une tasse de thé.

Ewa mit la bouilloire sur la cuisinière et elles s'assirent à la table de la cuisine.

— Tu l'aimes, dit Ewa.

— Oui, dit Jeanne. Pas comme mon mari, mais – pour ce qu'il est.

Ewa hocha la tête.

— J'ai connu Lucjan avant de rencontrer Paweł. Quand j'ai fait la connaissance de Paweł, eh bien, ç'a été dur. Mais même Lucjan voyait que c'était l'homme qu'il me fallait.

Elle regarda Jeanne.

— Comment t'expliquer? dit-elle à voix basse. Nous sommes *uwikłani* – enchevêtrés –, Paweł, Lucjan et moi. Nous nous sommes sauvés les uns les autres si souvent au fil des ans; peut-être n'est-ce pas plus compliqué que cela. Quand Lucjan t'a rencontrée, Paweł et moi avons pensé: Si ça peut être qui que ce soit, ce sera toi. Lucjan a ramené des femmes à la maison au cours des années, mais aucune qui te ressemble. Il te parle. C'est ta compassion, elle est partout en toi – dans ton beau visage, dans ta posture. C'est ta tristesse. Et peut-être le fait que tu aimes ton mari y est-il aussi pour quelque chose.

Parfois, Paweł va s'asseoir avec lui, mais c'est de moi qu'il a besoin. C'est de mes mains qu'il a besoin. Je reste avec lui jusqu'à ce qu'il s'endorme... Est-ce que je saurais nommer cela? Ce n'est pas une aventure, pas une histoire d'amour que nous vivons, ça n'a rien de psychologique, ce n'est pas une entente – ça ressemble plus à... un désastre en mer.

— Vous êtes une famille, dit Jeanne.

Les deux femmes étaient assises, leurs mains autour des fragiles tasses à l'ancienne.

— J'aime Paweł, dit Ewa. Que serais-je sans lui ? Et la place de Lucjan est à nos côtés. Comment expliquer ce que le pain signifie à nos yeux, ce que ça signifie que de fabriquer des choses ? Ces années ne peuvent être mesurées comme d'autres années.

Ewa s'interrompit.

— Nous avons vécu plusieurs vies ensemble.

Jeanne vit au-delà des costumes d'Ewa, de ses coiffures, des plumes et de la fausse fourrure, jusqu'à son visage le plus adulte.

— De nous tous, c'est Lucjan qui est le plus malheureux. Parfois, il est incapable de supporter sa solitude, la solitude de son âme. Je pense que tu comprends, dit Ewa. Elle parlait avec une contrition telle que Jeanne avait du mal à l'entendre : Nous nous enseignons à vivre les uns les autres.

PETRICHOR

Jeanne prit le train pour Montréal, le trajet du *Moccasin* de son enfance. Il lui semblait qu'elle devait faire le voyage en train. Puis elle changea de ligne, descendit à l'arrêt suivant, dans la ville de Saint-Jérôme, et franchit à pied la courte distance qui la séparait du cimetière que sa mère avait choisi des années plus tôt.

C'était une froide journée d'avril. Un vent puissant fouettait les longues herbes qui poussaient entre l'église et le cimetière. Jeanne resta debout devant les trois pierres, contemplant pour la première fois la stèle de sa fille : les quelques mots, la date unique.

Elle déposa son sac et s'agenouilla dans la boue. Comment avait-elle pu se taire au moment précis où sa fille avait eu le plus besoin d'entendre sa voix ? Elle commença à se tancer, mais laissa ce remords décliner ; car c'était une véritable paix que de sentir les genoux de ses collants s'imbiber de terre humide. Elle avait si souvent tenté d'imaginer qui avait fait le premier jardin ; la première personne à planter des fleurs pour le plaisir, la première fois que des fleurs avaient été sciemment isolées – à l'aide d'un mur, d'un fossé ou d'une clôture – de la nature sauvage. Mais à cet instant, elle saisissait, avec une compréhension quasi primordiale, que le premier jardin devait avoir été une tombe.

~

À la fin de la matinée, quand Avery atteignit le cimetière de Saint-Jérôme, il vit les fleurs de Jeanne. Elle était venue pour le premier anniversaire de leur fille ; son instinct ne l'avait pas trompé. Mais il l'avait manquée. Il avait roulé pendant la moitié de la nuit et il était arrivé trop tard. Il resta là, debout, pendant un moment, incrédule.

Il descendit la petite butte jusqu'au tombeau, dans un coin du cimetière, pareil à la description qu'en avait livré Jeanne il y avait longtemps de cela. Le long de la construction de pierre rugueuse se trouvait un banc. Il s'assit, se laissa aller en arrière, la tête contre le mur. Il contempla le champ adjacent, vide, sans même le cheval noir tout seul du temps de l'enfance de Jeanne. Il l'imagina, petite fille, lisant avec son père près de l'épaisse porte en chêne, presque comme s'il s'agissait d'un de ses propres souvenirs.

L'enfance de Jeanne, le tissu de souvenirs de sa mémoire, était jadis un cadeau réservé à lui seul. Maintenant elle avait été offerte à un autre. C'était cette perte qui l'accablait le plus. Nos souvenirs contiennent plus que ce que nous nous rappelons : ces moments trop ordinaires pour être gardés, auxquels, notre vie durant, nous venons boire. De tous les privilèges de l'amour, celui-ci lui semblait le plus troublant : être témoin, chez un autre, de souvenirs si profonds qu'ils restent ineffables, révélés brièvement par une intuition, une préférence illogique ou un désir innocent, par un chagrin qui naît apparemment de rien, une inexplicable nostalgie.

Ce n'est pas la dernière chance qu'il nous faut saisir, mais la chance qui est perdue. Il ne s'était pas rendu compte de la ferveur avec laquelle il avait attendu cette date, ce 10 avril. Maintenant il avait mal à la tête à cause de la route matinale, des six heures d'effort, de son espoir confondu.

Il ferma les yeux et bientôt s'endormit, la tête à un angle inconfortable contre le mur en pierres du tombeau. À son réveil, il retourna à la tombe d'Elisabeth, où il laissa une poignée de pierres. Jeanne avait pleuré tant de larmes, mais il n'avait sangloté qu'une fois, dans la cuisine de sa mère, pour eux tous. Maintenant, assis dans la voiture, aux portes du cimetière, il pleurait de nouveau ; pour lui.

Il se rappelait avoir emmené Jeanne au cimetière de St. Pancras pour lui montrer l'arbre de Thomas Hardy. Le petit cimetière paroissial londonien avait été exhumé, les os et les stèles dispersés, pour laisser la place au chemin de fer. C'était Thomas Hardy, alors jeune architecte, qui avait supervisé l'excavation des tombes. Écrasé par la responsabilité, incapable de trouver mieux, il avait rassemblé les pierres tombales éparpillées pour les disposer en un cercle serré, les unes contre les autres telles les pages d'un livre, autour du large tronc d'un frêne.

Le vent était humide et frais. Un bras autour de Jeanne, il avait senti sa peau froide sous la ceinture de sa jupe. Ses doigts gardaient le souvenir de ces quelques centimètres de froid. Le temps et les éléments avaient effacé toutes les inscriptions sur les stèles, où il ne subsistait pas un nom, pas une date. Ils n'avaient réussi qu'à lire deux mots distinctement, sur une même pierre : *En mémoire*. L'arbre était nu, mais il abritait les morts.

C'était le milieu de l'après-midi quand Avery repassa en voiture les portes du cimetière et tourna en direction de la petite ville de Saint-Jérôme. Le ciel virait au noir, annonçant la neige à venir. Quand il eut franchi presque toute la distance qui le séparait de la ville, il la vit au bord de la route, qui retournait à pied vers le cimetière, silhouette mince et résolue, la tête baissée dans le vent. Il continua à rouler, confus, pendant quelques minutes encore.

~

Ils continuèrent passé Montréal, dans le paysage dont ils avaient tous les deux une connaissance intime. Ils ne firent pas de halte, mais roulèrent sans arrêter. Ni l'un ni l'autre n'avaient prévu l'effet qu'aurait cette traversée d'un territoire qui avait tant changé, et qui les avait tant changés. Combien de fois, aux premiers jours, étaient-ils retournés au paysage englouti de la voie maritime, étaient-ils partis sans savoir où ils allaient, avec le seul désir d'être ensemble tandis que le jour se révélait. Ils voyaient le littoral fantôme comme il était jadis, alors même qu'ils traversaient les nouvelles villes.

Jeanne songeait à Ashkeit et à la ville abandonnée de Gemai Est, qui leur avait offert leur deuxième aperçu de ce vide. Là, sur un mur blanchi à la chaux, un propriétaire avait peint, en fluides caractères nubiens, son poème d'adieu.

Les odeurs du pays natal sont celles des jardins.
Je l'ai quitté en versant des larmes...
J'ai quitté mon cœur, et je n'en ai pas plus qu'un.
Je l'ai abandonné bien malgré moi...

Quelques semaines plus tard, quand ils s'étaient rendus au nouveau lotissement de Khashm el-Girba, ils avaient découvert que les rares décorations dont on avait orné certaines des nouvelles maisons ne représentaient pas le nouveau monde qui les entourait – formes et motifs géométriques –, mais qu'elles étaient à l'image lointaine de ce qui avait été quitté : les plantes et les vergers de palmiers des rives du Nil, l'horizon de mésas et de collines.

Dans tout le morne terrain plat autour de Khashm el-Girba, il n'y avait qu'une seule colline. Il n'était pas rare, leur avait raconté un jeune homme au village, que les habitants se rendissent à pied à cette élévation solitaire, située à plus de quarante kilomètres de là.

Et que faites-vous, avait demandé Avery, une fois que vous avez atteint la colline ?

On grimpe, avait dit le jeune homme. Mais notre regard ne porte jamais assez loin pour qu'on puisse voir notre contrée natale.

Avery avait mis la main sur le ventre de Jeanne.

Maintenant, dans la voiture, le ciel crépusculaire immobile au-dessus des champs, Jeanne se rappelait ce qu'avait dit Avery après la mort de leur enfant. Le mauvais moment, d'autres mots, censés guérir, futiles. Elle se rappelait la gratitude avec laquelle la main d'Avery avait touché leur enfant ce jour-là, dans le nouveau village. Leur fille était encore en vie, dans ce lieu de bannissement, à Khashm el-Girba ; dans ce lieu de commencements impuissants.

~

Si le véritable pardon est possible en ce monde, songea Jeanne, il n'est pas accordé par pitié, non plus qu'il est accordé par une personne à une autre, mais à toutes les deux par une troisième – une compassion entre elles. Cette compassion est le pardon.

Il ne faut pas oublier ce que cela signifie d'être amoureux d'un autre être humain, avait dit Lucjan.

Car cela, une fois perdu, ne peut plus être même imaginé.

Dans la voiture, quelque chose entre eux s'installa. Mais ce n'était pas une paix. Ils sentirent tous deux cette occasion à l'état brut. S'ils parlaient de façon imprécise, elle s'évanouirait.

Avery avait de nouveau l'impression que le poids de Jeanne à ses côtés était une sorte de terre. Il percevait sa concentration familière et, maintenant, l'intensité de nouvelles expériences en elle, qu'il ne pouvait, douloureusement, que deviner. Cela lui avait si complètement manqué : pouvoir simplement s'asseoir près d'elle, l'écouter réfléchir.

Il faisait noir maintenant, à l'est de Kingston. Ils avaient très peu parlé, toutes les heures depuis Montréal. Le chauffage de la voiture fonctionnait, mais les pieds de Jeanne étaient froids et mouillés dans ses bottes. La boue du cimetière s'était durcie dans les genoux de ses collants.

— Avery, dit Jeanne. Déplacer le temple n'était pas un mensonge.

Pendant un moment, il ne répondit pas.

— Ce n'est pas déplacer le temple qui était le mensonge, dit-il enfin, c'était déplacer le fleuve.

— Depuis quand sais-tu cela ? demanda Jeanne.

De nouveau, un silence.

— Depuis un kilomètre environ.

— Tu as déjà essayé de me dire cela, dit Avery. Qu'il me fallait réfléchir davantage à la portée de mes gestes. Pour bien faire. Juste en vivant, disais-tu, on change le monde, et personne ne vit sans causer de chagrin.

Parfois, songea-t-elle, il n'y a pas de frontière pour séparer une sorte d'amour d'une autre. Parfois il faut plus que deux personnes pour faire un enfant. Parfois la ville est Leningrad, parfois c'est Saint-Pétersbourg ; parfois les deux à la fois ; jamais l'une sans l'autre désormais. Nous ne pouvons séparer les erreurs de nos vies ; elles sont une seule et même chose.

— Il y a tellement longtemps que je te connais, dit Avery, et tu me surprends encore. Je me rappelle avoir eu l'impression de connaître ton essence presque dès la première seconde, et je pense que c'était vrai. Mais je ne t'écoutais pas, Jeanne, même si tu murmurais à mon oreille.

— Quand j'ai vu les fleurs, dit Avery, j'ai su que tu étais passée là.

— Les fleurs ne dureront pas, dit Jeanne. Il fait trop froid. Mais j'ai semé autre chose. Des graines des plantes que je ramassais sur les berges du fleuve, le jour où nous nous sommes rencontrés.

Pendant un instant, Avery eut l'impression qu'il lui faudrait se ranger au bord de l'autoroute. Mais il continua à rouler.

— Très tôt ce matin, dit Avery, je me suis arrêté près du Saint-Laurent, juste après Morrisburg. Je suis descendu au fleuve. Dans le sable, luisant sous la lune, il y avait un biberon. On l'avait juste laissé tomber et oublié, mais l'impression de violence était saisissante. Je savais qu'il n'y avait là rien que d'innocent, mais je ne pouvais m'empêcher de la ressentir. C'était une scène que ma mère aurait pu peindre.

Nous voulons laisser quelque chose derrière nous, songea Jeanne, un message sur la table de la cuisine pour dire qu'on reviendra bientôt. Une veste d'habit sur un toit.

Que laisse un enfant derrière lui? avait demandé Marina il y a longtemps. Nous nous accrochons aux peintures d'enfants de Theresienstadt, au journal d'une jeune Hollandaise, parce que nous avons besoin qu'ils parlent de la perte au nom de tous les enfants de la guerre. Certains jours ne sont possibles, songea Jeanne, que grâce à l'amour.

Dans le long silence qui les enveloppait, dans le faible bruit du chauffage de la voiture, Avery toucha la joue de Jeanne, qui pencha la tête dans sa main.

Il n'avait jamais vraiment cru qu'il lui serait de nouveau donné de sentir la réponse du corps de Jeanne à son contact. Il n'osa pas arrêter la voiture ni dire un mot.

Des plaques de neige blanches flottaient, icebergs, nuages, dans les champs noirs. Mais rien ne brillait de blanc dans la noirceur du fleuve, coulant devant eux qui roulaient.

~

Avery et Jeanne étaient dans le hall d'entrée de l'immeuble de l'avenue Clarendon. Il était presque deux heures du matin. Dans le grand temple d'Abou Simbel, on avait peint des étoiles au plafond et maintenant, des millénaires plus tard, à l'autre bout de la planète, Avery se rendait compte combien ce désir était ancien. Reproduire le ciel. Saisir ce qui échappe à notre portée.

— Au cimetière, dit Jeanne, près de la tombe d'Elisabeth, il y avait la tombe d'un autre enfant. Quelqu'un y avait laissé un magnifique jardin de fleurs en plastique. D'épaisses fougères s'élevaient dans un carré de styromousse de fleuriste, et parmi leurs feuilles on avait disposé deux petits chiens en porcelaine peinte. Chaque fleur de plastique avait été choisie avec soin : roses, jacinthes, tulipes, muguet. Il y avait de l'amour dans chaque crevasse moulée entre les feuilles et les pétales.

Je me souviens, petite fille, d'avoir admiré des fleurs en plastique dans une boutique. J'ai entendu quelqu'un qui disait : « Elles ne sont pas vraies » et je ne comprenais pas ce qu'il voulait dire – j'en tenais une dans ma main, bien sûr qu'elles étaient vraies.

Le jardin de l'enfant reposait sur son épaisse styromousse verte au-dessus de la terre froide. Il était aussi vrai que n'importe quoi. Un enfant aurait trouvé ce jardin magnifique.

Tout ce qui a été fait d'amour est vivant.

Avery étendit une couverture sur le sol de la chambre de Jeanne et s'assit dos à elle. Le désert avait presque entièrement quitté sa peau.

Près de Jeanne se trouvaient une tasse d'eau et la boîte d'aquarelle d'Avery. Elle passa le pinceau sur son dos pâle et mince.

Le regret n'est pas la fin de l'histoire ; c'est le milieu de l'histoire.

Quand elle eut fini, Jeanne sut qu'il lui faudrait faire très attention. Non pas effacer, mais délaver.

REMERCIEMENTS

> Comme les pins gardent la forme du vent…
> les mots gardent la forme d'un homme.
>
> GEORGE SEFERIS

J'ai consulté maints ouvrages sur l'histoire de l'Égypte, du Soudan, d'Abou Simbel, de la Pologne et de la voie maritime du Saint-Laurent pendant la rédaction de ce roman, mais je souhaite mentionner l'importance de deux d'entre eux : *The Salvage of the Abu Simbel Temples : Concluding Report* (Arab Republic of Egypt and Ministry of Culture, Vattenbyggnadsbyran [VBB] Suède) et *The Nubian Exodus,* de Hassan Dafalla. J'espère tout particulièrement avoir honoré la mémoire de Hassan Dafalla par le récit que j'ai livré ici. Je tiens à exprimer ma gratitude envers le musée The Lost Villages, près de Cornwall, en Ontario ; Marian Wenzel, auteure de *House Decoration in Nubia,* d'où est tiré le poème inscrit sur le mur ; David Crowley, auteur de *Warsaw* ; et au *Guardian Weekly,* où j'ai découvert le terme *petrichor.*

Mille mercis à Ellen Seligman, qui fut, comme toujours, l'éditrice la mieux avisée et la plus généreuse qui se puisse rêver. À Marilyn Biderman pour sa vigilance et sa bonté. À Liz Calder, Sonny Mehta, Robbert Ammerlaan, Roberta Mazzanti, Arnulf Conradi et Elisabeth Ruge. À Helen Garnons-Williams,

Diana Coglianisi, Deborah Garrison, Anita Chong et Heather Sangster.

Merci aux docteurs Elaine Gordon et S. J. Batarseh de m'avoir confirmé les détails relatifs à la façon de traiter un fœtus mort-né à un stade avancé de la grossesse, à l'époque et à l'endroit où cet événement se déroule dans le roman. Et à la docteure Lorraine Chrisomalis Valasiadis pour ses conseils.

Merci à Margaret et Chris Cochran pour l'extraordinaire visite de Wellington, en Nouvelle-Zélande. Merci à Andrew Wylie, Simon McBurney, Stephen et Mary Camarata, Mark Strand, Wallace Shawn et Deborah Eisenberg, Dan Gretton, Jack Diamond, David Sereda, Eve Egoyan. Merci à Rebecca et Evan. Merci à Zbysiu, Marzena, Dennis, Jeff, Luigi et Nan, à la famille Freedman tout entière, à Arlen et Jan, Jeanne et Andrew. Un merci particulier à Sheila et Robin, qui m'ont offert leur temps, présent inestimable.

DÉJÀ PARUS CHEZ ALTO

Nicolas DICKNER
Nikolski

Clint HUTZULAK
Point mort

Tom GILLING
Miles et Isabel
ou La belle envolée

Serge LAMOTHE
Le Procès de Kafka
(théâtre)

Thomas WHARTON
Un jardin de papier

Patrick BRISEBOIS
Catéchèse

Paul QUARRINGTON
L'œil de Claire

Alexandre BOURBAKI
Traité de balistique

Sophie BEAUCHEMIN
Une basse noblesse

Serge LAMOTHE
Tarquimpol

C S RICHARDSON
La fin de l'alphabet

Christine EDDIE
Les carnets de Douglas

Rawi HAGE
Parfum de poussière

Sébastien CHABOT
Le chant des mouches

Margaret LAURENCE
L'ange de pierre

Marina LEWYCKA
Une brève histoire du
tracteur en Ukraine

Thomas WHARTON
Logogryphe

Margaret LAURENCE
Une divine plaisanterie

Howard MCCORD
L'homme qui marchait
sur la Lune

Dominique FORTIER
Du bon usage
des étoiles

Alissa YORK
Effigie

Max FÉRANDON
Monsieur Ho

Alexandre BOURBAKI
Grande plaine IV

Lori LANSENS
Les Filles

Nicolas DICKNER
Tarmac

Margaret LAURENCE
Ta maison est en feu

Toni JORDAN
Addition

Rawi HAGE
Le cafard

Martine DESJARDINS
Maleficium

Composition : Isabelle Tousignant
Correction : Julie Robert
Conception graphique : Antoine Tanguay et Hugues Skene

Diffusion pour le Canada : Gallimard ltée
3700A, boul. Saint-Laurent, Montréal (Québec) H2X 2V4
Téléphone : 514 499-0072 Télécopieur : 514 499-0851
Distribution : SOCADIS

Éditions Alto
280, rue Saint-Joseph Est, bureau 1
Québec (Québec)
G1K 3A9
www.editionsalto.com